Disciplina positiva

Disciplina positiva

La clave de la disciplina
NO es el castigo
sino el respeto mutuo

Jane Nelsen

Título original en inglés
Positive Discipline

© 1981, 1987, 1996, and 2006 by Jane Nelsen
© by Ballantine Books Edition

Disciplina Positiva (2da. Edición)

© Jane Nelsen

Primera edición 2001
Primera impresión de la segunda edición 2009
Empresas Ruz S.A. de C.V.

Colina de Aconitos No. 11
Fraccionamiento Boulevares
Naucalpan, Estado de México
C.P. 53140
Tel. (55) 5562.2541
ventas@edicionesruz.com
www.edicionesruz.com

Traducción
Norma Ruz

Coordinación editorial
Hildebrando Cota Guzmán

ISBN 978 968 607 7617 01 3

Printed in México
Impreso en Mèxico

A Barry

Me embaracé de mi sexto hijo
cuando estudiaba la maestría.
La universidad a la que asistía se localizaba
a más de ochenta kilómetros de mi casa y debido a que
yo daba a luz muy rápido, y con frecuencia
antes de lo esperado, durante el último mes de embarazo,
mi esposo Barry me llevaba a la universidad
(con nuestra valija para el parto de emergencia en el asiento
trasero del auto) y me esperaba en un salón de clases vacío.
Mark nació durante las vacaciones de Navidad.
Había decidido amamantar a mis hijos, así que cuando
las clases empezaron, Barry nuevamente nos llevó a la universidad.
Junto con Mark, me aguardaba igualmente,
en un salón vacío para que pudiera
alimentar a mi niño durante los recesos.
Cuando nuestros bebés lloraban en la noche,
Barry se levantaba, les cambiaba el pañal y me los llevaba a la cama
para que los alimentara. Él difícilmente recordaba
que se había levantado; en cambio yo, tenía mucha
dificultad para volver a conciliar el sueño.
Tres años después nació Mary. Barry y yo consideramos la posibilidad
de volver a la universidad para adquirir grados
académicos más avanzados. Era obvio que no podríamos
concurrir ambos ya que teníamos dos hijos menores de cinco años.
Barry decidió que yo asistiera ya que a mí me apasionan
los estudios y a él no. Prefirió quedarse en casa con los niños,
mientras yo me dedicaba a mi maestría en Educación.
La gente me pregunta con frecuencia cómo he podido llevar a cabo todo.
Ahora lo saben.... Y conocen también el por qué
lo amo y aprecio tanto.

CONTENIDO

PRÓLOGO

DURANTE MILES DE AÑOS, padres y maestros aprendieron de sus abuelas, abuelos, tías, tíos y vecinos el arte de criar niños bajo situaciones relativamente estables durante muchas generaciones.

En Norteamérica, el deseo de compartir la sabiduría y las experiencias, cuando los cambios eran necesarios, era instintivamente comprendido por los colonizadores y los pioneros que viajaban juntos estableciendo comunidades con valores y objetivos comunes.

Sin embargo, al final de la Segunda Guerra Mundial, una migración masiva de pueblos pequeños y comunidades rurales se desplazó hacia las zonas urbanas y suburbanas. Esto propició un cambio de cultura debido a los efectos asociados con la Revolución Industrial, la reacción ante la Depresión y el advenimiento de la tecnología. Se perdió entonces la sabiduría y el apoyo de las familias extensas y los viejos amigos. Poco después de esta drástica variación a comunidades urbanas, cerca de 11 millones de parejas comenzaron a tener un promedio de 4.2 niños, convirtiéndose en pioneros urbanos que cruzaban la frontera del estilo de vida y la tecnología sin aquellos apoyos que les ofrecían sabiduría para guiarlos.

Sin saberse pioneros, estas parejas olvidaron la estrategia básica que les permitió a otros colonizar exitosamente un continente. Olvidaron que los antiguos pioneros se juntaban con personas de diferentes campamentos para comparar experiencias acerca del viaje y así, evitar que murieran o salieran dañados mientras aprendían las mismas lecciones. En lugar de seguir la sabiduría de las generaciones –basada en aprender unos de otros–, estos nuevos pioneros se volvieron solitarios.

Aquellos que no reemplazaron los sistemas de apoyo familiar y comunitario con redes de compañeros de viaje, a menudo cubrieron los sentimientos de insuficiencia y falta de conocimiento con el falso orgullo de "manejar sus propios problemas". Adoptaron la creencia de que la gente no debe discutir los asuntos familiares con extraños. Se volvió habitual el esconder sus problemas y manejarlos, con frecuencia infructuosamente, a puerta cerrada. Cambiaron la sabiduría y los principios adquiridos durante siglos por libros y teorías no probadas.

Al mismo tiempo, creció la fantasía nacional de que lo único que hacía falta entre los norteamericanos y una generación de niños perfectos, eran padres perfectos. Qué impacto debieron sufrir cuando muchos niños no resultaron serlo. El sentimiento de culpa, la tensión y el rechazo desvinculó a la gente. La paternidad –que alguna vez fue fruto del trabajo acumulado de generaciones– se convirtió en algo desagradable, en una batalla de medio tiempo para uno o dos padres sin mucha experiencia en lo que trataban de realizar.

Aproximadamente 4.3 millones de niños –nacidos en 1946– asaltaron las escuelas urbanas en 1951, presentaron exámenes vocacionales en 1963 y dieron marcha atrás a una dirección ascendente de trescientos años. En todas las áreas, los niños habían mejorado hasta entonces. Los nacidos después de la Segunda Guerra Mundial, comenzaron una tendencia descendente en sus logros y una ascendente hacia el crimen, los embarazos en la adolescencia, la depresión clínica y el suicidio. Es obvio que el conocimiento de los recursos para la crianza y educación infantil estaba comprometido por la urbanización y la tecnología.

En su libro Disciplina Positiva, Jane Nelsen reúne la sabiduría de aquellos primeros pioneros (de los que ella desciende) y ha creado una cálida fogata para padres y maestros que desean principios duraderos, en vez de teorías que no funcionan. En este libro, Jane proporciona un grupo de reglas prácticas que ayudan a los niños a desarrollar autodisciplina, responsabilidad, capacidades y actitudes positivas.

Creo tan firmemente en el libro de Jane, que ha sido adoptado como texto en nuestro internacionalmente reconocido programa de entrenamiento "Desarrollando gente capaz", utilizado tanto en Norte y Centro América, como en África. Los principios funcionan, proporcionando una base maravillosa para el enriquecimiento de la experiencia familiar.

H. Stephen Glenn
www.empoweringpeople.com
Noviembre 1985
H. Stephen Glenn falleció en 2004,
y aunque lo echamos mucho de menos,
es una bendición que su programa
"Desarrollando gente capaz"
continúe ayudando a miles de personas.

PREFACIO Y RECONOCIMIENTOS

LA DISCIPLINA POSITIVA se fundamenta en la filosofía y las enseñanzas de Alfred Adler y Rudolf Dreikurs. No tuve el privilegio de estudiar directamente con ninguno de estos grandes hombres, pero quisiera agradecer a la gente que me dio a conocer el pensamiento adleriano. Este conocimiento cambió mi vida y mejoró enormemente mi relación con los niños, en casa y en el salón de clases.

Soy madre de siete. Hace muchos años, cuando solo tenía cinco hijos –incluyendo a dos adolescentes– me sentía frustrada por los mismos problemas de educación que actualmente experimentan tantos padres de familia. No sabía cómo lograr que dejaran de pelear entre ellos, recogieran sus juguetes o cumplieran con las tareas domésticas que habían prometido realizar. Tenía problemas para que se fueran a la cama… y en la mañana para que se levantaran. No querían entrar a la tina de baño… y después no querían salir.

Las mañanas eran horribles. Parecía imposible mandarlos a la escuela sin recordatorios constantes y acaloradas discusiones. A su regreso, la batalla era con las tareas escolares y domésticas. Mi "bolsa de trucos" incluía amenazas, gritos y nalgadas. Estos métodos nos hacían sentir mal a mí y a ellos, y no funcionaban. Amenazaba, gritaba y les pegaba por las mismas razones, una y otra vez. Me di clara cuenta de esto un día que me escuché repitiendo: "¡Te he dicho cien veces que recojas tus juguetes!" De repente comencé a percatarme de quién era la "necia"… y no eran mis hijos. ¡Qué ridiculez: durante cien veces no advertí que mi estrategia no funcionaba y qué chasco, pues no sabía que otra cosa hacer!

Además de este problema, tenía otro: estudiaba el último grado

XV

de una especialización en Desarrollo infantil. Había leído muchos libros maravillosos que exponían las cosas fantásticas que debía llevar a cabo con mis hijos, pero ninguno explicaba cómo llegar a esas metas tan elevadas.

Imaginen mi alegría cuando, en el primer día de una clase dijeron que no aprenderíamos muchas teorías nuevas, sino que investigaríamos a fondo el planteamiento adleriano, incluyendo habilidades para su aplicación con el objetivo de ayudar a los niños a portarse bien y enseñarles autodisciplina, responsabilidad, cooperación y capacidad para resolver problemas.

Para mi satisfacción, debo decir que funcionaba. Pude lograr que las peleas entre mis hijos disminuyeran cuando menos en un ochenta por ciento, aprendí a eliminar las discusiones mañaneras y de la hora de dormir, y a obtener más cooperación en lo referente a las tareas domésticas. Pero lo más importante: pude disfrutar mi condición de madre, la mayor parte del tiempo.

Me sentía tan entusiasmada que quise compartir estas ideas con otras personas. Mi primera oportunidad fue con un grupo de padres de niños discapacitados académica, física y mentalmente. Al principio estaban renuentes a probar estos métodos, temían que sus hijos no pudieran aprender autodisciplina, responsabilidad y cooperación.

Muchos padres de niños discapacitados no comprenden lo listos que pueden ser sus hijos para manipular. Por fortuna, entendieron rápidamente lo irrespetuosos que habían sido con ellos al mimarlos en lugar de ayudarlos a desarrollar su potencial.

Gracias a esta experiencia, fui contratada como consejera en el distrito escolar de Elk Grove (en Elk Grove, California), donde varios padres de familia, maestros, psicólogos y administradores apoyaban los conceptos adlerianos para incrementar la confianza de los niños en la escuela y en la casa. Estoy especialmente agradecida con las enseñanzas del doctor John Platt, un psicólogo a quien adopté como mi consejero particular.

El doctor Don Larson, director asistente, y el doctor Platt fueron los responsables de obtener el título IV-C, acordar y recibir los fondos federales para desarrollar un "Programa de Consejo Adleriano", y tuve la fortuna de ser elegida como su directora. Durante los tres primeros años, el programa fue tan efectivo – tanto para enseñar a padres de familia y maestros cómo para ayudar a los niños a cambiar su mal comportamiento – que obtuvo un reconocimiento como proyecto ejemplar y recibió un permiso de tres años para su difusión a todos los distritos escolares de California.

Adoptamos el nombre de "Proyecto de conceptos adlerianos para estimular a padres y maestros" (ACCEPT por sus siglas en inglés). A través de esta experiencia pude compartir el pensamiento adleriano con miles de padres y maestros. Era emocionante escucharlos relatar sus historias de cómo utilizaban los conceptos aprendidos en los talleres de entrenamiento del Proyecto ACCEPT. Aprendí también, más de lo que suponía; mi sincero reconocimiento a aquellos que me permitieron compartir sus experiencias con otras personas. Un especial agradecimiento a Frank Meder por sus contribuciones en el área de juntas de salón de clases. Él logró captar e implementar un principio fundamental: la libertad es imposible en un ambiente social donde el orden no tiene la misma importancia para todos.

Mi sincera gratitud para quienes dedicaron su profesionalismo al Proyecto ACCEPT. Susan Doherty, Judi Dixon, George Montgomery, Ann Platt, Barbara Smailey, Marjorie Spiak y Vicky Zirkle participaron incansablemente como líderes de grupos de estudio de padres de familia, mientras organizaban y desarrollaban los materiales utilizados en el proyecto. Compartieron ejemplos sobre el beneficio de estos principios en sus propias familias y las de aquellas personas con las que trabajaban.

Lynn Lott es una gran amiga y una colega que me guió cuando uno de mis hijos experimentó con drogas y yo me inclinaba a abandonar los conceptos de Disciplina Positiva y volver al control y el castigo. Asistí a un taller que impartió sobre el trabajo con adolescentes en una convención de la "Sociedad norteamericana de psicología adleriana" (NASPA por sus siglas en inglés) y supe inmediatamente que me ayudaría. Durante cierto tiempo nos veíamos solo una vez al año, pero le pedí que escribiera un libro conmigo, porque he aprendido que si puedo hacer que algo funcione para mí, vale la pena compartirlo con los demás. Desde entonces hemos escrito cuatro libros juntas, y ella ha tenido una gran influencia en mi desarrollo y crecimiento sobre los conceptos de Disciplina Positiva.

Mis hijos han sido fuente de inspiración, oportunidad y amor. Me refiero a ellos como mis hijos "antes, durante y después". Terry y Jim ya eran adolescentes cuando aprendí estos principios; Kenny, Bradley y Lisa tenían siete, cinco y tres años respectivamente; Mark y Mary nacieron después de haber estado enseñando estos conceptos durante algún tiempo a un grupo de padres. Ellos han sido el estímulo para seguir aprendiendo una y otra vez. El único tiempo que me pensé una experta fue antes de tener hijos.

El mayor beneficio ha venido del entendimiento de los principios y habilidades que incrementan el respeto mutuo, la cooperación, el gozo y el amor, Cada vez que me desvío de las ideas enseñadas en este libro, sobreviene una catástrofe. El aspecto positivo es que todo lo que tengo que hacer es regresar a estos métodos y habilidades, y no solo arreglo el desastre sino que también puedo lograr que las cosas sean mejores. Ciertamente, los errores son magníficas oportunidades para aprender.

A lo largo de los años he tenido la bendición de que mucha gente llegue a mi vida por el amor que sienten por la Disciplina Positiva. La Asociación Disciplina Positiva (www.posdis.org) ha sido formada para el entrenamiento de los miembros certificados de Disciplina Positiva, para la investigación, talleres, escuelas de demostración y para garantizar la calidad. Me tomaría muchas páginas enumerando toda la gente que ha sido responsable de crear esta organización, por lo tanto no lo haré, sin embargo, quiero que sepan cuánto los amo y aprecio.

Prefacio y Reconocimientos

Quiero agradecer a los médicos Jody Mc Vittie, Mike Shannon y al filósofo Marti Monroe, por tomarse el tiempo para leer esta edición y hacerme invaluables sugerencias.

Johanna Bowman, mi editora de proyecto de Ballantine, fue una persona con la que trabajé maravillosamente. Cuando creí que ya había hecho todo lo posible para mejorar esta edición, Johanna me señaló detalles y me hizo sugerencias que la mejoraron aún más. Gracias, Johanna.

Introducción a la segunda edición

ME EMOCIONA SABER que Disciplina Positiva se haya impreso durante veinticinco años y ahora sea un clásico. Me emociona aún más cuando me entero que muchos padres y maestros han mejorado sus vidas en casa y en el salón de clases. Los siguientes dos comentarios son ejemplos representativos de los cientos de comentarios que he recibido: "Después de veinticinco años, estaba lista para abandonar la enseñanza. Los niños han cambiado demasiado. Sin embargo, Disciplina Positiva me ayudó a ajustarme y a trabajar con los cambios y ahora he vuelto a disfrutar de la enseñanza." "Mis hijos no son perfectos, y yo tampoco lo soy, pero en realidad ahora disfruto mucho el ser padre."

Ahora, ustedes se preguntarán, si Disciplina Positiva ha tenido tanto éxito, ¿por qué querría yo hacer algún cambio? Bueno, pues tiene sentido porque he aprendido aún más a lo largo de estos veinticinco años. He tenido la fortuna de trabajar con miles de padres y maestros en talleres y conferencias. Ellos han compartido sus éxitos y sus batallas. He aprendido lo que funciona, lo que requiere de ser afinado, lo que requiere mayor énfasis, y algunas ideas nuevas que es necesario incluir.

En el primer capítulo se hace una introducción a los Cuatro Criterios para una Disciplina Efectiva. Padres y maestros han encontrado estos criterios muy útiles para comprender los diferentes enfoques de la disciplina y lo que tiene sentido para lograr efectos positivos de larga duración en los niños.

A veces me pregunto si la batalla entre el castigo y la permisividad continuará para siempre. Parece que muchos piensan en términos de estos dos extremos. La gente que piensa que el castigo es válido, lo hacen porque creen que la única alternativa es la permisividad. La gente que no cree en el castigo, a menudo se va al otro extremo y se vuelven demasiado permisivos. La Disciplina Positiva ayuda a los adultos a encontrar un respetuoso terreno intermedio que no es ni punitivo ni permisivo. La Disciplina Positiva ampara herramientas de gentileza y firmeza y que enseñan valiosas habilidades sociales y de vida.

En esta edición usted encontrará un creciente énfasis en la importancia de ser gentil y firme al mismo tiempo. Parece ser que padres y maestros luchan todavía con este concepto y parte de la razón es que todavía piensan en términos de una cosa o la otra. Yo he encontrado útil usar la analogía de la respiración. ¿Qué pasaría si inhaláramos y no exhaláramos – o exhaláramos y no inhaláramos? La respuesta es obvia. Ser gentiles o firmes no es cuestión de vida o muerte, pero ser gentiles y firmes puede ser la diferencia entre el éxito y el fracaso. También ayuda saber que ser gentil puede balancear todos los problemas que genera ser demasiado firme (rebeldía, resentimiento, daño a la autoestima) y que ser firme puede balancear todos los problemas que genera ser demasiado gentil (permisividad, manipulación, niños mimados, daño a la autoestima) cuando se es gentil y firme al mismo tiempo.

He compartido más sobre el uso del Tiempo Fuera Positivo como una habilidad de vida que es efectivo tanto para adultos como para niños. Tanto a los padres como a los niños les parece divertido recordar que durante los momentos de conflicto, volvemos a un estado primitivo con nuestro cerebro de reptiles (y los reptiles se comen a sus crías) en el que la única opción es pelear (lucha de poderes) o volar (retirarse y tener una mala comunicación). Qué mejor que tomarse un tiempo fuera positivo hasta sentirnos mejor y podamos resolver los problemas basándonos en la cercanía y la confianza y no en la distancia y la hostilidad.

A veces es más fácil ser gentiles y firmes al mismo tiempo "después" de tranquilizarnos, disculparnos y entonces utilizar las herramientas de la Disciplina Positiva. He incluido mayor énfasis en la importancia de los beneficios del tiempo fuera positivo que ayuda a niños y adultos a SENTIRSE mejor para poder SER mejores.

Hablando del Tiempo fuera positivo, muchos adultos chocan con la idea de hacer del tiempo fuera una experiencia positiva. Creen, equivocadamente, que es "premiar" la mala conducta. Sin embargo, cuando comprenden los efectos a largo plazo que tienen el castigo y el comportamiento de reptiles, logran ver los beneficios del Tiempo Fuera Positivo.

Enfocarse en las soluciones es un tema más importante en esta edición. Durante años me desanimaba mientras seguía escuchando sobre concentrarse en las consecuencias lógicas. Parecía que los padres y maestros pensaban que solo existían dos herramientas de Disciplina Positiva: consecuencias lógicas y tiempo fuera. Y que el tiempo fuera positivo era la herramienta tipo "punitiva", y las consecuencias lógicas eran generalmente castigos pobremente disfrazados. Realmente a los adultos se les dificulta mucho olvidarse de los castigos.

Una de mis frases más populares es: "De donde sacamos la loca idea de que para lograr que un niño SEA BUENO, primero debemos hacerlo SENTIRSE MAL." Al confrontarse con esta idea, padres y maestros se dan cuenta que en realidad es una idea bastante loca, pero cuando se enfrentan a una mala conducta, caen en los viejos hábitos de castigo.

El enfocarse en las soluciones vino como una epifanía para mí. Me encontraba de visita en una junta de salón de clases donde los niños se concentraban en la "consecuencia" que tendría una niña por llegar tarde después del receso. Me di cuenta que todas las "consecuencias" sugeridas eran punitivas. Les pedí que hicieran una pausa y les pregunté, ¿Qué creen que pasaría si en lugar de enfocarse en las consecuencias se enfocan en las soluciones para este problema? Los niños lo entendieron inmediatamente, a partir de ese momento, todas sus sugerencias fueron soluciones útiles. Empecé a compartir la idea de enfocarse en las soluciones con padres y maestros y más tarde supe que se sorprendían de lo mucho que había disminuido la lucha de poderes en sus hogares y salones de clases.

Otro cambio que encontrarán en este libro es el énfasis que hago en la responsabilidad que tienen los adultos en los problemas de conducta. Pero antes de decir cualquier otra cosa, quiero comentarles que la duda más grande que tuve de escribir al respecto, fue que no quería que se interpretara por ningún motivo en un sentido culposo –solo con la intención de hacer conciencia y tomar la responsabilidad. Es decir, he notado que muchos de los retos de conducta que frustran a padres y maestros, pueden cambiarse si los adultos cambian primero. Francamente, me cansaba de oír siempre a los adultos quejándose de lo que hacían los niños.

Empecé a preguntar, tan amablemente como era posible, qué hacían los adultos para contribuir a crear el problema. Me parecía que algunas "malas conductas" eran "establecidas" por los adultos. Un ejemplo era, ¿cuántos niños se "rebelan" cuando los padres y maestros les exigen? Estos mismos niños podrían ser más cooperativos si los adultos los involucran en soluciones durante las juntas familiares o de salón de clases, o les ayudan a crear listas de tareas y entonces preguntarles "¿Cuál era nuestro acuerdo?" o "¿Qué es lo que necesitas hacer en este momento?" Desde luego esto no funciona en toda situación, y es porque la Disciplina Positiva cuenta con muchas diferentes herramientas.

"Desarrollo de la Personalidad –Suya y de ellos" es un nuevo capítulo que ayuda a los adultos a comprender lo que ellos aportan a sus hijos –tanto ventajas como desventajas– de sus propias personalidades. Muchos adultos no están conscientes de las personalidades que desarrollaron basadas en decisiones que tomaron cuando eran niños y que ahora están afectando a sus hijos. La información en este capítulo puede ser una manera divertida de aprender a superar conductas que incitan a los niños a tomar decisiones inadecuadas mientras están desarrollando su personalidad. De nuevo, esta información jamás debe utilizarse para sentir culpa, poner etiquetas o hacer juicios. Tomar conciencia es la clave para el cambio.

La paternidad ha tenido muchos cambios a lo largo de veinticinco años. Un cambio enorme es que más padres varones asisten a mis conferencias y talleres –y están más comprometidos en la paternidad. Algunos de los cambios (como el materialismo y los "súper padres") pueden ser remediados si los padres ponen más atención a las sugerencias que siempre han estado en *Disciplina Positiva*, como por ejemplo el enorme daño que les hacemos a los niños si hacemos demasiadas cosas por ellos, los sobreprotegemos, los rescatamos, no pasamos tiempo suficiente con ellos, les compramos demasiadas cosas, hacemos sus tareas, les reñimos, les exigimos, los regañamos y luego los sacamos de apuros.

Las bases para una sana autoestima es que los niños desarrollen la creencia "Yo soy capaz" y los niños no desarrollan esta creencia si los padres hacen cualquiera de las cosas que acabo de mencionar. Tampoco van a desarrollar las habilidades que les ayuden a sentirse capaces, si siempre se les está diciendo lo que deben hacer sin tener la experiencia de enfocarse en las soluciones en las que hayan sido respetuosamente involucrados y puedan practicar las habilidades que los padres esperan que hayan desarrollado.

Las juntas familiares y las juntas de salón de clases se han hecho muy populares, pero aún nos queda un largo camino por recorrer. Es durante estas juntas que los niños tienen la oportunidad de desarrollar cada una de las Siete Percepciones y Habilidades Significativas mencionadas en el capitulo uno, aunque muchos padres y maestros piensan que los niños pueden desarrollarlas sin ninguna experiencia o práctica.

Recientemente fui entrevistada para un artículo de una revista y el editor creía que, actualmente la mayoría de la gente sabía que el castigo no funcionaba con los niños. Me encantaría que eso fuese verdad, pero hasta que esto no sea una realidad, tenemos mucho trabajo por hacer. Aún sigue siendo mi sueño crear la paz en el mundo a través de la paz en los hogares y salones de clases. Cuando tratemos a los niños con dignidad y respeto, y les enseñemos valiosas habilidades de vida para formar un buen carácter, ellos derramarán paz en el mundo.

Algunos libros son escritos para padres de familia, otros para maestros. Este libro está escrito para ambos porque:

- Los conceptos son los mismos para padres y maestros, la única diferencia es el lugar donde se aplican. Muchos maestros son también padres de familia a quienes les gustaría utilizar estos conceptos en casa y en la escuela.
- La comprensión y la cooperación entre el hogar y la escuela se incrementa cuando padres y maestros unifican sus métodos para ayudar a los niños de manera positiva.

Este libro explica la teoría que le ayudará a incrementar la comprensión hacia los niños. Además, ofrece métodos para su aplicación práctica que ayudarán a los niños a adquirir autodisciplina, responsabilidad, capacidad para resolver problemas y ser cooperativos.

Los principios de *Disciplina Positiva* pueden compararse con un rompecabezas. Es difícil ver la imagen completa hasta no tener todas o casi todas las piezas armadas. A veces una idea no tendrá sentido hasta no combinarse con otro concepto o actitud.

Algunas piezas del rompecabezas

✓ Entendimiento de las "Cuatro metas equivocadas de comportamiento".
✓ Gentileza y firmeza al mismo tiempo.
✓ Respeto mutuo.

✓ Errores como oportunidades de aprendizaje.
✓ Interés social.
✓ Juntas familiares y escolares.
✓ Involucrar a los niños en la solución de problemas.
✓ Estímulo.

Cuando algo no esté funcionando, verifique si falta alguna de estas piezas. Por ejemplo, la solución de problemas no será provechosa si los adultos o los niños no comprenden que los errores son oportunidades para aprender. Las juntas familiares o escolares no serán útiles mientras la gente no haya aprendido sobre el respeto mutuo y el interés social. Demasiada gentileza sin nada de firmeza puede convertirse en permisividad, y demasiada firmeza sin gentileza puede transformarse en rigor excesivo. A veces es necesario dejar de enfocarse en la mala conducta y sanar, primero, la relación. A menudo esta curación implica estímulos que ayuden a eliminar lo que motiva la mala conducta sin abordarla directamente, aunque los estímulos parecen no funcionar hasta que los adultos descubren la creencia detrás del comportamiento, comprendiendo las metas equivocadas.

A lo largo del libro se proporcionan ejemplos de cómo los principios de Disciplina Positiva han sido utilizados efectivamente en hogares y escuelas. Una vez que los comprenda, su sentido común e intuición le permitirán aplicarlos a su propia vida.

Miles de padres y maestros se han apoyado entre sí para aprender los conceptos de Disciplina Positiva a través de grupos de estudio de padres o maestros. En estos grupos nadie es experto, todos se sienten libres de compartir sus errores y así se ayudan a aprender. Todos sabemos lo fácil que resulta encontrar la solución de los problemas de otros, ya que tenemos visión, objetividad e ideas creativas; sin embargo, con nuestros propios problemas estamos emocionalmente involucrados y perdemos toda perspectiva y sentido común. En los grupos de estudio, padres y maestros aprenden que no están solos, que nadie es perfecto y que todos tienen preocupaciones similares. La reacción universal de quienes asisten a ellos es: "¡Qué alivio, no soy el único que se siente así!" Es reconfortante saber que otros están en el mismo barco.

En los grupos de estudio, los líderes (o facilitadores) dejan claro que no son expertos y estos grupos son más provechosos si nadie toma ese papel. El líder del grupo o los co-líderes tiene la responsabilidad de formular las preguntas y mantener al grupo en su tarea, no de proporcionar las respuestas; si nadie conoce la respuesta a las preguntas, se da tiempo para buscarlas en el libro.

Los apéndices ofrecen algunas guías para facilitar el éxito del grupo, el cual debe consistir en cuando menos dos personas y cuando más en 10. Si el grupo es mayor, existen menos oportunidades de integración.

La responsabilidad de los miembros del grupo es leer los capítulos, estar preparados para discutir las preguntas y cooperar con los líderes manteniéndose en la tarea. Si un miembro del grupo no tuvo tiempo de leer el capítulo asignado, de igual manera podrá beneficiarse escuchando la discusión y participando en las actividades.

No es necesario aceptar todos los principios desde el comienzo, utilice sólo los que apruebe en ese momento, y si escucha algo que no lo parezca bien, no huya; algunos conceptos que parecen difíciles de admitir o entender al principio, les encontrará sentido más tarde. Una mujer, miembro de un grupo, afirma que probó algunos de los principios con su hijo, únicamente para comprobar que estaban equivocados y se sorprendió al ver el cambio positivo que tuvo en su relación con él. Después, se convirtió en líder de grupo de estudio de padres porque quiso compartir los conceptos que tanto le habían ayudado.

Es necesario tener paciencia con nuestros hijos y con nosotros mismos mientras buscamos modificar los viejos hábitos. A medida que profundizamos en los principios básicos, la aplicación práctica se vuelve más fácil. La paciencia, el sentido del humor y el perdón facilitan nuestro proceso de aprendizaje.

Un consejo más: pruebe un solo método nuevo a la vez. Usted estará aprendiendo varios conceptos y habilidades que requieren de práctica para una aplicación exitosa. Puede ser confuso o desalentador esperar demasiado de usted mismo. Aplique un método a la vez y vaya avanzando lentamente; recuerde que debe observar los errores como oportunidades de aprendizaje.

Muchos padres y maestros han entendido que, aunque sus niños no llegarán a ser perfectos, pueden disfrutarlos mucho más después de aplicar estos conceptos y actitudes. Éste es mi deseo para usted.

El Enfoque Positivo

S I USTED ES MAESTRO, ¿recuerda cuando los niños se sentaban en bancas limpias y ordenadas y realizaban obedientemente lo que se les pedía? Si es usted padre de familia, ¿recuerda cuando los hijos no se atrevían a contestar con insolencia? Es posible que usted no se acuerde, pero quizá sus abuelos sí.

Hoy, muchos padres y maestros se sienten frustrados porque los niños ya no se comportan como en *los buenos viejos tiempos*. ¿Qué sucede? ¿Por qué los chicos actuales no desarrollan el mismo tipo de responsabilidad y motivación que parecía prevalecer en ellos hace varios años?

Existen varias posibles explicaciones: como hogares destruidos, demasiada televisión y videojuegos y madres que trabajan. Ya que estos factores son tan comunes en nuestra sociedad, la situación parece poco esperanzadora – si es que en realidad sirven para explicar estos problemas. (Y todos sabemos de muchos padres solteros o que trabajan, que hacen un gran trabajo criando a sus hijos porque utilizan eficientes habilidades paternales). Rudolf Dreikurs[1] tiene otra teoría.

---

[1] Dreikurs Rudolf y Vicki Sotlz *Children, the Challenge*, Nueva York, 1991

Existen muchos cambios que se han dado en la sociedad en los últimos años, los cuales explican más directamente las diferencias entre los niños de antes y los niños de ahora. El panorama es alentador porque con consciencia y deseo, podemos compensar estos cambios y, al hacerlo, eliminamos también algunos problemas causados por hogares destruidos, demasiada televisión y madres que trabajan.

La primera gran transformación es que los adultos ya no les dan a los niños un ejemplo o modelo de sumisión y obediencia. Los adultos olvidan que ellos tampoco actúan como solían hacerlo los adultos de en *los buenos viejos tiempos*. ¿Recuerdan cuando mamá obedientemente hacía lo que papá le pedía, o al menos daba la impresión de hacerlo porque era lo que socialmente debía ser? En aquellos *buenos viejos tiempos* poca gente cuestionaba la idea de que las decisiones de papá eran las únicas.

Gracias a los movimientos de derechos humanos, esto ya no es real. Rudolf Dreikurs señaló: "Cuando papá perdió el control de mamá, ambos perdieron el control de los niños". Esto significa que mamá renunció a transmitir ese modelo a sus hijos. Muchas cosas de *los buenos viejos tiempos* no eran tan buenas.

En aquel entonces, existían varios modelos de sumisión. Papá obedecía a su jefe (quien no se interesaba en sus opiniones) para no perder su empleo; los grupos minoritarios aceptaban roles de sometimiento aún a costa de su dignidad personal. Actualmente estos grupos participan activamente en a defensa de sus derechos de igualdad y dignidad; es difícil encontrar a alguien que acepte un papel inferior o de sumisión en la vida. Los niños simplemente están siguiendo los ejemplos que les rodean; también quieren ser tratados con dignidad y respeto.

Es importante aclarar que igualdad no significa *lo mismo*. Cuatro monedas de 25 centavos (cuartos) y un dólar son muy diferentes, pero su equivalencia es igual. Los niños, obviamente, no poseen los derechos que da la experiencia, las habilidades y la madurez.

El liderazgo y dirección de los adultos es importante, sin embargo, los niños merecen ser tratados con dignidad y respeto. También merecen la oportunidad de desarrollar las habilidades de vida necesarias en un ambiente de cordialidad y firmeza, y no en una atmósfera de culpa, vergüenza y dolor.

Otro cambio importante en la sociedad actual, es que los niños tienen pocas oportunidades de aprender responsabilidad y motivación. Nosotros ya no los "necesitamos" como importantes contribuyentes de la supervivencia económica, al contrario, ahora se les da demasiado en nombre del amor, sin que ellos hagan el menor esfuerzo o inversión y desarrollan una sensación de que lo merecen todo gratuitamente. Muchos padres de familia creen que los buenos padres protegen a sus hijos de cualquier decepción. Los rescatan o sobreprotegen – despojándolos de la oportunidad de desarrollar seguridad en su capacidad para manejar los altibajos de la vida. A menudo el entrenamiento de habilidades se descuida por las múltiples ocupaciones de la vida o porque no comprendemos lo importante que es que nuestros hijos contribuyan. Con frecuencia despojamos a nuestros hijos de las oportunidades de saberse importantes y sentir que pertenecen a un lugar a través de aportaciones significativas y responsables... y después los culpamos y los criticamos por no ser comprometidos.

Los niños no desarrollarán responsabilidad si los padres y maestros son demasiado estrictos, controladores o permisivos. En cambio, aprenderán a ser responsables cuando tienen la oportunidad de aprender valiosas habilidades sociales y de vida desarrollando un buen carácter en una atmósfera de cordialidad, firmeza, dignidad y respeto.

Es importante enfatizar que eliminar el castigo no significa permitirles hacer cualquier cosa que deseen; debemos proporcionarles oportunidades para que experimenten la responsabilidad en relación directa con los privilegios de los que gozan. De otra manera, se convierten en receptores dependientes, sintiendo que la única

3

manera de lograr pertenencia y significado es manipulando a otras personas a su favor. Algunos niños creen: "Si no me cuidan quiere decir que no me aman", otros no intentan ser responsables porque piensan que sus acciones solo causan vergüenza y dolor. Aún más triste cuando desarrollan la creencia: "No soy lo suficientemente bueno", pero no han tenido la oportunidad de practicar las habilidades que les hagan sentir capaces. Estos niños gastarán gran parte de su energía en conductas rebeldes y de anulación.

Cuando toda su fuerza e inteligencia se orientan hacia la manipulación, rebeldía y anulación, los niños no despliegan su potencial para convertirse en personas capaces. En el libro *"Criando niños seguros en un mundo indulgente"* [2] Stephen Glenn y yo identificamos "Siete percepciones y habilidades significativas", necesarias para un desarrollo idóneo, que son:

1. Fuertes percepciones de las capacidades personales ("Soy capaz").

2. Fuertes percepciones de la importancia de las relaciones primarias. ("Contribuyo de manera significativa y soy genuinamente necesario").

3. Fuertes percepciones de poder e influencia sobre la vida ("Puedo intervenir en lo que me suceda").

4. Fuertes habilidades intrapersonales (Comprender las emociones personales para alcanzar autodisciplina y autocontrol).

5. Fuertes habilidades interpersonales (Trabajar con otros y desarrollar la amistad a través de la comunicación, cooperación, negociación, empatía, ser compartido y saber escuchar).

---

[2] H. Stephen Glenn y Jane Nelsen, *Raising Self-ReliantChildren in a Self-Reliant World,* Three Rivers Press, 2000

6. Fuertes habilidades sistémicas (Responder a los límites y consecuencias de la vida diaria con responsabilidad adaptabilidad, flexibilidad e integridad).

7. Fuertes habilidades de juicio (Utilizar la sabiduría y evaluar las situaciones de acuerdo a valores adecuados).

Los niños desarrollaron estas percepciones y habilidades de manera natural al trabajar codo a codo con sus padres, recibiendo entrenamiento mientras hacían importantes contribuciones al estilo de vida de sus familias. La ironía es que, en los *viejos buenos tiempos*, aunque los niños tenían facilidades para desarrollar las habilidades de la vida, tenían pocas ocasiones para ponerlas en práctica. Hoy, el mundo está lleno de oportunidades para las cuales los niños no están preparados, no tienen muchos momentos cotidianos para sentirse necesitados e importantes ni para aprender las habilidades de vida, pero los padres y maestros pueden proporcionárselas cuidadosamente. Un fabuloso beneficio adicional es que la mayoría de los problemas de conducta pueden eliminarse cuando los padres y maestros aprenden formas más adecuadas para lograr sanas percepciones y habilidades en sus hijos y alumnos. Gran parte de las malas conductas pueden ser indicio de la falta de desarrollo de estas "Siete percepciones y habilidades significativas".

Comprender la razón por la que los niños ya no se comportan como solían hacerlo, es el primer paso para enfrentar los retos de disciplina en los niños. Es necesario entender por qué los métodos de control –que funcionaron tan bien en otros tiempos– ya no son efectivos con los niños de ahora. Es vital que comprendamos nuestra obligación de proporcionar las oportunidades – que en otros tiempos las daban las circunstancias –para que los niños desarrollen responsabilidad y motivación. Y lo más importante, es necesario que comprendamos que la cooperación basada en el respeto mutuo y la responsabilidad compartida es más efectiva que el control autoritario. (Vea la tabla 1.1)

TABLA 1.1

Tres Principales Enfoque de la Interacción Adulto – Niño

RIGOR (*Control excesivo*)	• Orden sin libertad. • Cero opciones.
	• "Lo haces porque yo lo mando"
PERMISIVIDAD (*Cero límites*)	• Libertad sin orden. • Opciones ilimitadas.
	• "Puedes hacer lo que quieras"
DISCIPLINA POSITIVA (*Firmeza con dignidad y respeto*)	• Libertad con orden. • Opciones limitadas. • "Puedes elegir cualquier cosa que esté dentro de los límites y que muestre respeto para todos."

La actitud de padres o maestros que eligen entre cualquiera de las tres opciones es muy diferente:

Rigor: "Estas son las reglas que debes cumplir y éste el castigo que recibirás por su violación". Los niños no se involucran en el proceso de toma de decisiones.

Permisividad: "No hay reglas, estamos seguros que nos amaremos y seremos felices, y tú serás capaz de elegir tus propias reglas más adelante".

Disciplina Positiva: "Juntos decidiremos las reglas que nos beneficien mutuamente. Ante los problemas, también determinaremos las soluciones útiles para todos. Cuando deba usar mi juicio sin tu participación, habrá firmeza, gentileza, dignidad y respeto".

Para ilustrar de forma graciosa las diferencias extremas entre estos tres enfoques, el doctor John Platt[3] cuenta la historia de cada uno de estos hogares, a la hora del desayuno de un niño de tres años al que llamaremos Mario:

En el hogar estricto, donde mamá sabe qué es lo mejor, Mario no tiene opciones en cuanto al desayuno. En un día frío y lluvioso –todas las madres controladoras del mundo lo saben– Mario necesita algún tipo de masa caliente para poder pasar bien el día; sin embargo, Mario tiene ideas diferentes, observa el platillo y exclama: "¡Qué asco, no quiero esta cosa!"

Hace cien años era mucho más fácil ser una madre estricta y controladora; así que simplemente diría: "¡Cómetelo!", y Mario obedecería. Ahora es más difícil, así que mamá pasa por los siguientes cuatro pasos en su esfuerzo por lograr obediencia:

Paso 1: Mamá trata de convencer a Mario de la razón por la cual necesita esa masa caliente para que pueda pasar bien el día. ¿Recuerda usted cuando su madre le comunicaba lo que este tipo de alimento haría dentro de su cuerpo? "¡Te cubrirá las costillas!" ¿Alguna vez se ha imaginado lo que un niño de tres años piensa cuando se le dice que el alimento cubrirá sus costillas? Realmente no queda muy impresionado.

Paso 2: Mamá busca que el platillo tenga un mejor sabor y prueba todo tipo de mezclas: azúcar moreno, canela, uvas pasas, miel, jarabe de maple e incluso chispas de chocolate. Mario toma otro bocado y sigue diciendo: "¡Odio esta cosa!".

Paso 3: Mamá quiere dar una lección sobre la gratitud: "Mario, piensa en todos esos niños africanos que mueren de hambre". Mario tampoco se impresiona con eso y responde: "Bueno, entonces, ¡mándaselos a ellos!".

---

[3] John Platt, *Life in the Family Zoo,* Dynamic Training Seminars, Inc. Sacramento, CA., 1991

Paso 4: Ahora mamá está desesperada y siente que su única alternativa es darle una lección por su desobediencia. Le da una nalgada y le dice que entonces se quede con hambre.

Mamá se siente bien por la forma en que manejó la situación por aproximadamente treinta minutos, pero después se sentirá culpable. ¿Qué pensará la gente si se entera que no logró que su hijo comiera? ¿Y que tal si Mario está realmente pasando hambre? Mario juega el tiempo suficiente para obtener "el poder de la culpa" – de su madre, por supuesto – antes de entrar y decir: "¡Mami, mi barriguita tiene mucha hambre!". Entonces mamá está a lista para dar la lección más graciosa de todas, la lección de "Te lo dije". Ella no nota que Mario mira fijamente hacia otro lado mientras espera que ella termine de hablar para poder seguir con su vida. Mamá se siente muy bien por la lección que acaba de dar a su hijo; ahora ha cumplido con su deber de hacerle saber que ella tenía razón. Entonces le da una galleta y lo manda a jugar de nuevo, para compensar la falta de nutrición que no obtuvo de un buen desayuno. Se mete a la cocina y empieza a preparar hígado y brócoli, ¿adivinan lo que pasará a la hora del almuerzo?

La siguiente escena tiene lugar en un hogar permisivo, donde mamá está entrenando a un futuro anarquista. Cuando Mario entra en la cocina, mamá dice: "¿Qué te gustaría desayunar, querido?" Como Mario ha tenido tres años de entrenamiento, en realidad es un "querido" y procede a colocar a mamá en su entrenamiento rutinario. Primero, Mario pide un huevo tibio en pan tostado y hace que mamá cocine nueve huevos antes de que quede como a él le gusta. Después decide que en realidad no apetece huevo, quiere pan tostado francés. Mamá tiene ya solamente tres huevos, así que los bate y prepara el pan tostado francés. Mientras tanto Mario ha estado viendo televisión y durante los comerciales observa que los atletas pueden hacer maravillas si toman el "Desayuno para campeones" y dice: "Quiero *Wheaties*, mamá". Antes de probarlos, cambia de opinión y pide *Sugar Crispies*, pero mamá no posee tal cereal, entonces corre a la tienda a comprarlo. Mario ni siquiera tiene que buscar el poder del sentimiento de culpa de mamá; la tiene corriendo las veinticuatro horas.

Estas historias no son exageraciones, son ejemplos reales. Una madre me dijo que su hijo no comía nada excepto papas fritas. Cuando le pregunté de donde las obtenía, ella respondió a la defensiva: "Bueno, yo las compro porque si no, él no comería nada". Muchos niños son criados para ser tiranos, sólo se creen importantes si manipulan para satisfacer sus necesidades.

Ahora iremos a un hogar donde se utiliza la Disciplina Positiva. Existen dos diferencias significativas antes de que empiece el desayuno. Primera, Mario ya estará vestido y habrá tendido su cama antes de ir a desayunar. La segunda, es que Mario hará algo para contribuir con la rutina familiar, como poner la mesa, tostar el pan o batir los huevos (sí, los niños de tres años tienen capacidad de batir huevos como lo veremos cuando discutamos las tareas domésticas). Esta mañana es día de cereal y mamá le da a Mario opciones limitadas: "¿Quieres *Cheerios* o *Wheaties*?" (ella no compra cereales azucarados). Mario también ha visto en la televisión lo que comen los grandes atletas y escoge *Wheaties*. Después de una probada, cambia de idea y dice: "¡Ya no quiero esto!", a lo que mamá responde: "Está bien, no podemos convertirlos en *Crispies*. Vete a jugar y nos vemos a la hora del almuerzo". Nótese que mamá se saltó todos los pasos de la madre controladora, no trató de convencerlo ni le habló de los niños que mueren de hambre, ni tampoco buscó cambiarle el sabor, ni siquiera le dio una nalgada, simplemente dejó a su hijo experimentar las consecuencias de su elección.

Ya que mamá es nueva en esto, Mario trata de hacerla sentir culpable, y dos horas más tarde, cuando comunica que su barriguita tiene hambre, mamá, con mucho respeto le dice: "Sí, lo imagino." Mamá evita la lección de "Te lo dije" y en lugar de eso tranquiliza a Mario diciéndolo: "Estoy segura que aguantarás hasta la hora del almuerzo."

Sería muy lindo que la historia terminara aquí con la comprensión y cooperación de Mario; sin embargo, no sucede tan rápido. Mario no está acostumbrado a que mamá se comporte de esta manera. Se siente frustrado porque no obtuvo lo que esperaba y hace un berrinche. En este punto, sería natural que la mayoría de las madres pensaran que este asunto de la Disciplina Positiva no funciona. La madre de Mario conocía la siguiente ilustración, la cual explica lo que a menudo pasa cuando cambiamos nuestro enfoque.

Los niños están acostumbrados a obtener ciertas respuestas de los adultos. Cuando variamos nuestras respuestas, probablemente exageran su comportamiento (empeorará), en su esfuerzo por obtener aquella respuesta que se supone debemos darles. Este es el efecto de *patear la máquina de refrescos*. Cuando depositamos dinero en una máquina de refrescos, y no sale ninguno, la pateamos y golpeamos intentando obtener lo que se supone que debemos obtener.

El problema con el "rigor" es que cuando la mala conducta se enfrenta con castigos, ésta se detiene de inmediato, pero pronto vuelve a empezar…y a empezar, y a empezar.

Aunque la mala conducta podría empeorarse cuando se utilizan por primera vez las habilidades de Disciplina Positiva, usted notará que hay una nivelación antes de que el niño se vuelva a portar mal. Él, experimenta que sus tácticas de manipulación no funcionan y probablemente lo intentará de nuevo… solo para asegurarse. La mala conducta, se vuelve menos intensa, con períodos de nivelación, cuando el uso de la Disciplina Positiva es consistente.

Cuando aplicamos firmeza con dignidad y respeto, los niños aprenden rápidamente que su mala conducta no obtiene los resultados que esperan y entonces cambian su comportamiento, y su autoestima queda intacta. Una vez que nos hacemos conscientes de esto, nos convencemos de que atravesar por breves momentos en que la conducta empeora, no es tan malo como las molestas discusiones por la lucha de poderes del enfoque controlador.

Cuando Mario hace un berrinche, mamá puede utilizar las técnicas de un período de enfriamiento (que explicaremos más adelante) y se va a otra habitación hasta que ambos se sientan mejor; no es divertido hacer berrinches sin espectadores. O quizá ella intente el enfoque de necesito un abrazo (capítulo 6) y ambos se sentirán mejor. Entonces podrán buscar juntos una solución con respeto mutuo, si el niño tiene la edad suficiente para participar en la solución de problemas; para los más pequeños, el hecho de sentirse mejor o buscar una sencilla distracción será suficiente para que cambien su comportamiento.

La historia de Mario ilustra y proporciona varios ejemplos de las diferencias entre los tres enfoques de la interacción adulto – niño, y lo efectivo que es utilizar la Disciplina Positiva para obtener resultados duraderos. Sin embargo, hay todavía mucho trabajo para convencer a algunos adultos de los perdurables beneficios de este enfoque.

Muchos se niegan a dejar su control excesivo debido a la errónea creencia de que la única alternativa es la permisividad – la cual no es saludable ni para los niños ni para los adultos –. Los niños criados con permisividad piensan que el mundo no los merece, están entrenados para utilizar su energía e inteligencia para manipular y pelearán con los adultos para que éstos satisfagan todos sus deseos. Pasan más tiempo tratando de evadir la responsabilidad, que desarrollando su independencia y capacidades.

Tenga Cuidado con lo que Funciona

MUCHA GENTE CREE fervientemente que el rigor y el castigo funcionan. Estoy de acuerdo. Nunca diría que el castigo "no funciona". El castigo "funciona" ya que detiene inmediatamente una mala conducta, pero ¿cuáles son sus resultados a largo plazo? A menudo nos dejamos engañar por los efectos inmediatos, pero a veces debemos tener cuidado con "lo que funciona" si el producto final es negativo. La consecuencia resultante de los castigos es que los niños generalmente adoptan una o las "Cuatro 'erres' del castigo":

1. *Resentimiento.* ("Esto es injusto, no puedo confiar en los adultos").
2. *Revancha.* ("Ellos ganan ahora, pero ya verán más tarde").
3. *Rebeldía.* ("Haré exactamente lo contrario para probar que no tengo que hacerlo a su manera").
4. *Retraimiento:*
   a) Cobardía ("La próxima vez no me atraparán").
   b) Reducción de la autoestima ("Soy una mala persona").

Ordinariamente los niños no están conscientes de las decisiones que toman cuando son castigados; sin embargo, el comportamiento que sigue al castigo se basa en decisiones subconscientes. Por ejemplo, un niño puede decidir subconscientemente: "Soy una mala persona" y continúa actuando como tal. Otro niño que toma la misma decisión puede volverse complaciente (adicto a la aprobación) para buscar el amor que cree no merecer. Por esta razón los adultos deben estar más conscientes de los efectos a largo plazo de sus acciones en lugar de dejarse engañar por los resultados a corto plazo.

¿De dónde sacamos la loca idea de que para hacer que los niños se porten mejor, primero debemos hacerlos sentirse peor? Piense en la última vez que se sintió humillado o tratado injustamente, *¿se sintió con ganas de cooperar o de hacer mejor las cosas?* Tómese el tiempo para cerrar los ojos y recordar una situación reciente (o un momento de su niñez) cuando alguien lo motivó a mejorar pero buscando hacerlo sentirse mal. ¿Recuerda exactamente lo que pasó, póngase en contacto con esos sentimientos. Evoque las decisiones que tomó con respecto a usted, a la otra persona y

sobre lo que haría en el futuro (aunque lo más probable es que usted no estaba consciente de que estuviera tomando ninguna decisión en ese momento). ¿Se sintió impulsado a mejorar? Si es así, ¿era un sentimiento bueno o estaba basado en sentimientos negativos sobre usted mismo y/o sobre la otra persona? ¿Se sintió motivado para rendirse o para disimular y, así, evitar futuras humillaciones? ¿O prefirió convertirse en un adicto a la aprobación, renunciando en gran medida a usted mismo, para complacer a los demás? Los niños no desarrollan características positivas basadas en sentimientos y decisiones subconscientes que toman como resultado del castigo.

Los padres y maestros a quienes no les gusta el control o la permisividad excesivos – pero que no saben qué otra cosa hacer – pueden variar entre una y otra de estas dos engañosas alternativas. Prueban el control excesivo hasta que no aguantan ser tan tiranos, entonces cambian a la permisividad hasta que no soportan lo mimado y exigente que se vuelve el niño, por lo que regresan al control excesivo.

¿Cuál es el precio que pagamos cuando el control excesivo parece funcionar con algunos niños? Las investigaciones demuestran que los niños que experimentan muchos castigos se vuelven rebeldes o sumisos. La Disciplina Positiva no incluye sentimientos de culpa, vergüenza ni dolor (físico o emocional) como motivadores. Por otro lado, la permisividad es humillante para los adultos y para los niños ya que crea una co-dependencia nada saludable, en lugar de enseñar la cooperación y desarrollar seguridad en sí mismos. El propósito de la Disciplina Positiva es lograr resultados duraderos, así como responsabilidad y cooperación.

Ya que muchos padres y maestros creen que la única alternativa para abandonar el control excesivo y el rigor es la permisividad, es importante que definamos el concepto de *disciplina*. Se trata de una palabra que con frecuencia es mal usada; mucha gente considera que disciplina y castigo son lo mismo (o por lo menos que el castigo es el medio para lograr la disciplina). Sin embargo, la palabra *disciplina* viene del latín *dscipulus* o "discípulo", que significa seguidor de una verdad, de principios o de un líder venerado. Los hijos y alumnos no serán seguidores de verdad y principios mientras su motivación no nazca de un sitio interno de control – hasta que aprendan a ser autodisciplinados. Tanto los castigos como los premios provienen de un sitio externo de control.

Si no es el Control Excesivo ni la Permisividad, Entonces ¿qué?

LA DISCIPLINA POSITIVA es un enfoque que no incluye control excesivo ni permisividad. ¿Cuál es la diferencia entre éste y otros métodos de disciplina? Una es que la Disciplina Positiva no es humillante ni para los niños ni para los adultos. La Disciplina Positiva se basa en el respeto mutuo y en la cooperación, incorpora firmeza con dignidad y respeto como fundamento para la enseñanza de las habilidades para la vida y un sitio interno de control.

Cuando se usa el control excesivo, los niños dependen de un "sitio externo de control". Es responsabilidad del adulto estar constantemente a cargo de la conducta de los niños. La forma más común de control excesivo utilizado por padres y maestros es el sistema de *premios y castigos*. Con este sistema, los adultos tienen que "atrapar" a los niños siendo "buenos" para poder darles premios y "atraparlos" siendo "malos" para castigarlos, ¿quién es el responsable entonces?, obviamente el adulto, entonces ¿qué pasa cuando el adulto no está presente?, los niños no aprenden a ser responsables de su propia conducta. Es interesante notar con qué frecuencia los adultos controladores se quejan de la irresponsabilidad de los niños, sin darse cuenta que son ellos quienes los han hecho irresponsables.

Uno de los conceptos más importantes de comprender sobre la Disciplina Positiva, es que los niños están más dispuestos a seguir las reglas que ellos mismos han ayudado a establecer. Si poseen un sano concepto de sí mismos, la habilidad de la toma de decisiones se vuelve más efectiva al saberse miembros activos de una familia, un salón de clases y una sociedad. Estos son importantes efectos a largo plaza del enfoque de Disciplina Positiva, los cuales pueden resumirse como sigue:

Los Cuatro Criterios de la Disciplina Positiva

1. ¿Es gentil y firme al mismo tiempo? (Respetuoso y mo tivador).
2. ¿Permite que los niños tengan un sentimiento de perte nencia e importancia? (Conexión).
3. ¿Tiene efectos a largo plazo? (El castigo funciona a corto plazo, pero tiene efectos negativos a largo plazo).
4. ¿Enseña habilidades de vida y sociales valiosos para un buen carácter? (Respeto, interés por los demás, capacidad para resolver problemas, responsabilidad, aportación, co-operación).

El castigo no cumple con ninguno de estos criterios. Todos los métodos enseñados en Disciplina Positiva sí lo hacen. El primer concepto, gentileza y firmeza al mismo tiempo, es una piedra angular en la Disciplina Positiva.

Gentileza y Firmeza al mismo Tiempo

RUDOLF DREIKURS ENSEÑÓ la importancia de ser gentil y firme en nuestra relación con los niños. La gentileza es importante para mostrar respeto hacia el niño. La firmeza es importante para mostrar respeto a nosotros mismos y hacia las necesidades que presenta la situación. Los métodos autoritarios carecen, generalmente, de gentileza, y los métodos permisivos carecen de firmeza. La gentileza y la firmeza son esenciales para una Disciplina Positiva.

Muchos padres y maestros se resisten a este método por diversas razones. Una es que a menudo, no sienten ganas de ser gentiles con un niño que ha "activado su botón". De nuevo hago la pregunta, ¿Si los adultos quieren que los niños controlen su comportamiento, es demasiado pedir que los adultos aprendan a controlar el propio? Con frecuencia, son los adultos quienes deben tomar un Tiempo Fuera Positivo (más sobre este tema en el capítulo 6) hasta que se "sientan" mejor para poder "hacer" mejor las cosas.

Otra razón por la que a los adultos se les dificulta ser gentiles y firmes al mismo tiempo es porque no saben cómo se ven la gentileza y la firmeza juntas. Es probable que estén atorados en el círculo vicioso de ser demasiado firmes cuando están molestos – o porque no saben qué otra cosa hacer – y después ser demasiado gentiles para compensar la firmeza anterior.

Muchos padres y maestros tienen conceptos equivocados de la gentileza. Uno de los mayores errores que cometen padres y maestros cuando deciden usar los métodos de la Disciplina Positiva, es volverse demasiado permisivos porque no quieren ser punitivos. Algunos creen, equivocadamente, que están siendo gentiles cuando complacen a sus hijos, o cuando los rescatan y protegen de cualquier decepción. Esto no es ser gentil, es ser permisivo. Ser gentil significa ser respetuoso con el niño y con usted mismo. Consentir a un niño no es respetuoso, tampoco lo es rescatarlos de cualquier decepción porque entonces no tienen la oportunidad de ejercitar sus "músculos de la frustración". Lo que sí es respetuoso es validar sus sentimientos: "Me doy cuenta que te sientes decepcionado (o enojado, o molesto, etc.)". Entonces es respetuoso confiar en que los niños sobrevivirán a la decepción y desarrollarán un sentido de capacidad en el proceso.

Ahora, echemos un vistazo al hecho de ser respetuoso con usted mismo. No es gentil permitir que los niños (u otras personas) lo traten irrespetuosamente. Aquí es donde podemos caer en una trampa. No permitir que los niños u otros lo traten irrespetuosamente, tampoco significa que deba manejar la situación de una manera punitiva. El castigo es realmente irrespetuoso, entonces ¿cómo se debe manejar?

Supongamos que un niño le contestó mal. Una forma de gentil y firme de manejarlo es simplemente salirse de la habitación. Ah, ya imagino sus objeciones: "Pero, ¿eso no es permitirle al niño que 'se salga con la suya'?" Veámoslo más de cerca. Usted no puede hacer que otra persona lo trate con respeto, pero puede tratarse a sí mismo con respeto. Salirse de la habitación es tratarse a sí mismo con respeto – y es un excelente modelo para los niños. Siempre podrá dar seguimiento más tarde, una vez que todos han tenido la oportunidad de calmarse, de sentirse mejor para poder hacerlo mejor.

Dar seguimiento podría ser como esto: "Cariño, lamento que estuvieras tan enojado. Respeto tus sentimientos, más no la forma en que los manejas. Cada vez que me trates irrespetuosamente, simplemente me ausentaré por un momento. Te amo y quiero estar contigo, así que cuando estés listo para ser respetuoso, puedes hacérmelo saber y estaré feliz de ayudarte a encontrar otras maneras de manejar tu enojo y después podremos enfocarnos en buscar soluciones que sean respetuosas para ambos". Es mejor hacerle saber con anticipación a un niño lo que usted hará cuando todos se hayan tranquilizado.

Es importante mencionar que muchos padres creen que es necesario encargarse del problema en el momento más álgido, pero es el peor momento para hacerlo. Cuando la gente está molesta, acceden a su cerebro primitivo, en el que la única opción es pelear (lucha de poderes) o volar (retirarse y romper la comunicación). No es posible pensar racionalmente cuando accedemos a nuestro cerebro primitivo, decimos cosas de las que nos arrepentimos más tarde. Lo más sensato es tranquilizarnos hasta poder acceder a nuestro cerebro racional antes de enfrentar el problema. Esta es una valiosa habilidad que podemos enseñar a nuestros hijos. A veces es mejor "decidir lo que usted hará" (una herramienta que aprenderá mejor en el capítulo 5) que tratar de obligar a un niño a hacer algo – al menos hasta que pueda invitarlo a cooperar en vez de entrar en una lucha de poderes. Así que recuerde: la gentileza es igual a respeto.

Ahora, abordemos el tema de la firmeza. La mayoría de los adultos piensa que la firmeza significa castigos, sermones u otro tipo de control. No es así, la firmeza, cuando se combina con gentileza, significa respeto hacia el niño, hacia usted y hacia la situación.

Tomemos la situación de límites. La mayoría de los padres deciden los límites que deben poner y luego toman la responsabilidad de reforzarlos. Pero consideremos el propósito de los límites. El propósito es mantener a los niños a salvo y adaptados al medio social. Cuando los adultos establecen los límites y después los refuerzan con castigos, sermones y control, a menudo invitan a la rebeldía y a la lucha de poderes, y esto no mantiene a los niños a salvo ni adaptados al medio social. En cambio, podemos involucrar a los niños cuando se establecen y se refuerzan los límites. Por ejemplo pueden idear juntos cuales deben ser los límites para ver la televisión, las horas de llegada, los tiempos de juego fuera de casa, o la tarea. Incluya a los niños en las discusiones (lo que significa que tendrán la oportunidad de hablar cuando menos lo mismo que usted) sobre el por qué los límites son importantes, cuáles deben ser y cómo todos pueden hacerse responsables de respetarlos. Por ejemplo, cuando les pregunta a los niños por qué la tarea es importante, ellos responderán: "porque así puedo leer, o puedo mejorar mis calificaciones". Entonces pueden decidir cuánto tiempo necesitan y cual es el mejor momento para hacerla. (Generalmente los padres prefieren que los niños hagan su tarea en cuanto llegan de la escuela, pero a los niños les gusta tener un momento de relajación. Cuando tiene opciones, se sienten satisfechos). Una vez que decidan cual es la mejor hora para ellos, ambos podrán establecer límites como: "Puedes ver la TV solo por una hora y después de haber terminado la tarea. Estaré disponible para ayudarte en la tarea de siete a ocho y no aceptaré excusas para pedir ayuda de última hora en otro momento". Los niños están más dispuestos a respetar los límites que ellos mismos han ayudado a establecer, ya que comprenden por qué son necesarios y cómo ser responsables de ellos.

Desde luego que establecer límites a niños menores de cuatro años, es diferente. Son los padres quienes establecen estos límites, aunque pueden reforzarse con gentileza y firmeza al mismo tiempo.

Cuando se traspasa un límite, no de sermones ni castigue, continúe involucrando al niño respetuosamente. Evite decirle usted lo que pasó y lo que se debe hacer al respecto. Mejor haga preguntas como "¿Qué pasó? ¿Qué crees que ocasionó que sucediera? ¿Qué ideas tienes para resolverlo ahora? ¿Qué aprendiste ahora que te pueda servir en un futuro?"

Un consejo: si los niños están acostumbrados a sermones y castigos, es probable que le respondan "No sé". Entonces es el momento para que usted diga: "Eres bueno resolviendo problemas ¿por qué no lo piensas?, nos reuniremos en treinta minutos para que me hagas saber tus conclusiones".

Los padres y maestros están habituados a dar sermones y a exigir, y a menudo los niños responden resistiéndose o siendo rebeldes. Las siguientes frases gentiles y firmes le ayudarán a evitar un lenguaje irrespetuoso y a incrementar la cooperación:

- En un momento es tu turno.
- Sé que puedes decir lo mismo de una manera respetuosa.
- Me importas y esperaré hasta que ambos podamos ser respetuosos para continuar con esta conversación.
- Estoy segura que puedes pensar en una solución útil.
- Actúe sin hablar (Por ejemplo, tranquilamente tome al

niño o niña de la mano y muéstrele lo que debe hacer).

- Hablaremos de esto más tarde. Ahora es momento de subirnos al auto.
- (Cuando el niño está haciendo un berrinche). Es necesario que salgamos de la tienda en este momento y más tarde (o mañana) lo intentaremos.

Cuando usted decida dejar de ser punitivo, necesitará practicar nuevas habilidades y necesitará tomarse el tiempo para entrenarse y así poder ayudar a sus hijos a aprender el respeto mutuo y habilidades para resolver problemas.

Los Polos Opuestos se atraen:
Cuando un padre es gentil y el otro es firme

ES INTERESANTE NOTAR que dos personas con estas filosofías opuestas, a menudo se casan. Uno tiene la tendencia de ser demasiado indulgente. El otro tiene la tendencia de ser demasiado estricto. El padre indulgente piensa que debe ser un poco más indulgente para compensar el rigor de su pareja. El padre estricto, cree que debe ser un poco más estricto para compensar la debilidad de su pareja – y así se van apartando cada vez más y discutiendo sobre quien está equivocado y quien en lo correcto. Pero en realidad, ninguno de los dos está siendo eficiente.

Una forma de ayudar a los niños y padres a tener una comunicación efectiva, es a través de juntas familiares regulares, en las que tendrán la oportunidad, una vez a la semana, de idear soluciones a sus problemas y de elegir las soluciones que sean respetuosas para todos. Enfocarse en las soluciones es una de las mejores formas de acercar a las parejas "opositoras" y lograr apoyarse uno al otro y ambos a sus hijos. Esto se discutirá más ampliamente en el capítulo seis.

Ayudando a los Niños a tener un Sentimiento de Pertenencia e Importancia (conexión)

La pertenencia y la importancia son las primeras dos metas de toda la gente – especialmente de los niños. Es tan importante, que el sentimiento de conexión (o la falta de éste), es un indicador primario de cómo se desempeñará el niño en la escuela – tanto académica como socialmente. Ninguno de los estudiantes que han matado otros estudiantes o maestros tenían un sentimiento de pertenencia e importancia.

El castigo no ayuda a los niños a tener este sentimiento. De hecho es una de las razones por las que el castigo no es efectivo a largo plazo. Los métodos de Disciplina Positiva ayudan a los niños a desarrollar este sentimiento de pertenencia e importancia, el cual es un tema progresivo de este libro. En el capítulo cuatro se presentan más detalles sobre por qué y cómo los niños se portan mal cuando no tienen este sentimiento.

¿Es efectivo a Largo Plazo?

UNA DE LAS PRINCIPALES razones por las que padres y maestros continúan utilizando el castigo es porque funciona – a corto plazo. Generalmente, el castigo detiene por un momento la mala conducta, el problema es que los adultos no comprenden los efectos a largo plazo. Un niño que ha sido castigado no piensa, "Ah, gracias, esto es tan útil para mí. Estoy ansioso de buscar tu ayuda para resolver todos mis problemas". No, en lugar de esto están pensando en rebelarse (tan pronto como tengan la oportunidad) o en conformarse, perdiendo en gran medida su autoestima.

Otra de las razones por las que los adultos emplean el castigo es porque temen que la única alternativa es la permisividad; temen perder el control y no estarán cumpliendo con su trabajo como padres o maestros. Castigar es más fácil. Uno nunca tiene necesidad de enseñarle a un adulto a castigar, saben cómo hacerlo. A menudo el castigo es una respuesta "reactiva"; en cambio emplear una disciplina efectiva requiere de mayor esfuerzo y habilidades.

La última razón por la que los adultos utilizan el castigo, aún cuando no es efectiva a largo plazo, es que no saben que otra cosa hacer. Este libro está lleno de ideas alternativas al castigo que son efectivas a largo plazo y que enseñan criterios para una disciplina efectiva.

Enseñando Valiosas Habilidades de Vida y Sociales para un Buen Carácter

ESTA ES UNA IDEA nueva para la mayoría de los padres y maestros. Simplemente no ha pensado en la posibilidad de que la disciplina puede enseñar habilidades sociales y de vida. Si se toma el tiempo para revisar las últimas investigaciones sobre los efectos a largo plazo del castigo, encontrará que enseña violencia, cobardía, baja autoestima y otras habilidades negativas. A medida que usted estudie los métodos de Disciplina Positiva, notará que todas las herramientas de disciplina no solo detienen la mala conducta, sino que también enseñan habilidades de vida y sociales para desarrollar un buen carácter.

El Viaje a la Disciplina Positiva

AL EMBARCARSE rumbo a la Disciplina Positiva, es necesario tener un destino en mente. ¿Qué es lo que realmente quiera para sus hijos? Cuando se les pide a los padres y maestros que hagan una lista de las características que quisieran que los niños desarrollaran, ellos piensan en las siguientes cualidades:

Concepto positivo de sí mismos.   Interés en el aprendizaje.
Responsabilidad.   Cortesía.

Autodisciplina.

Cooperación.

Mente abierta.

Objetividad de pensamiento.

Respeto por sí mismos y por los demás.

Habilidades para resolver problemas.

Sabiduría interna.

Aceptación de sí mismos y de los demás.

Responsabilidad.

Autocontrol.

Paciencia.

Sentido del humor.

Interés por los demás.

Compasión.

Entusiasmo por la vida.

Integridad.

Añada a la lista cualquier característica que crea que falte. Mantenga en mente estas cualidades mientras estudia los conceptos de la Disciplina Positiva. Será evidente cómo los niños desarrollarán estas características cuando participen activamente en este modelo de respeto mutuo, cooperación y enfoque a solución de problemas.

REVISION

Herramientas de Disciplina Positiva Discutidas en este Capítulo

1. Elimine el castigo.
2. Elimine la permisividad
3. Utilice gentileza y firmeza al mismo tiempo.
4. Proporcione a los niños oportunidades para desarrollar fuerza en las Siete Percepciones y Habilidades Significativas.
5. Tenga cuidado con lo que funciona (el castigo tiene efectos negativos a largo plazo).
6. Abandone la loca idea de que para hacer que los niños se porten mejor, primero debemos hacerlos sentirse peor.
7. Involucre a los niños al momento de establecer límites.
8. Haga preguntas.
9. Utilice frases gentiles y firmes.

Preguntas

1. ¿Cuáles son las dos razones principales por las que los niños ya no se comportan como solían hacerlo en los "viejos buenos tiempos"?

2. ¿Cuales son las Siete Percepciones y Habilidades Significativas? ¿Cómo puede su ausencia conducir a los niños hacia una mala conducta?

3. ¿Cuáles son los tres enfoques de la disciplina en los niños y cuáles las diferencias entre ellos?

4. Discutan las dos principales diferencias entre la Disciplina Positiva y otros métodos y por qué estas diferencias son importantes para los resultados a largo plazo.

5. ¿Qué se quiere decir con la afirmación: "Tenga cuidado con lo que funciona"?

6. ¿Cuáles son las "Cuatro 'erres' del castigo? Comparta experiencias de momentos en que usted sintió cualquiera de ellas y por qué.

7. ¿Cuáles son los efectos a largo plazo para los niños que aprenden a través de métodos estrictos y por qué?

8. ¿Cuáles son los efectos a largo plazo para los niños que aprenden a través de la Disciplina Positiva y por qué?

9. ¿Por qué a veces las cosas empeoran antes de mejorar?

10. ¿Cuáles son las características que usted quisiera desarrollar en los niños como resultado de su interacción con ellos como padre o maestro?

11. ¿Cuáles son los Cuatro Criterios para una Disciplina Efectiva y cómo se equiparan con el castigo? ¿Por qué son efectivos a largo plazo?

12. ¿Cuáles son algunas frases que incluyen gentileza y firmeza al mismo tiempo.

2

Algunos Conceptos
Básicos

STE LIBRO CONTIENE cientos de ideas no punitivas de
aplicación práctica. Sin embargo, antes de entrar a "cómo
hacerlo", es importante conocer "por qué hacerlo". Muchos padres
y maestros utilizan métodos que no producen resultados efectivos
a largo plazo porque no entienden los conceptos esenciales del
comportamiento humano. Los principios adlerianos básicos,
descritos en este y en los dos capítulos siguientes (junto con varias
sugerencias de aplicación), ayudan a profundizar algunas ideas
sobre la conducta: por qué los niños se portan mal y por qué los
métodos sugeridos funcionan para aprender importantes habilidades
y actitudes necesarias para ser felices y convertirse en miembros
activos de la sociedad.

Alfred Adler fue un hombre con un pensamiento adelantado para
su época. Durante sus famosas conferencias y seminarios públicos
en Viena (después de su ruptura con la filosofía de Freud), defendía
la igualdad de todas las personas, de todas las razas, mujeres y niños
mucho antes de que esto fuera común. Austriaco de ascendencia
judía, tuvo que dejar su tierra natal durante la persecución nazi para
continuar con su labor.

Rudolf Dreikurs trabajó cerca de él y continuó desarrollando la
psicología adleriana tras la muerte de Adler en 1937. Dreikurs fue
autor y coautor de varios libros para ayudar a los padres y maestros

a comprender las aplicaciones prácticas de la teoría adleriana y mejorar su relación con los niños en la casa y en la escuela (véase "Sugerencia de lecturas").

Antes de su muerte en 1971, Dreikurs estaba preocupado porque algunos adultos que intentaban practicar sus sugerencias no comprendían algunos conceptos básicos. Esta falta de entendimiento causaba que distorsionaran muchas de las técnicas, utilizándolas para "ganarles" a los niños, en lugar de "ganarse" a los niños. Los adultos les "ganan" a los niños cuando se utilizan métodos controladores y punitivos. Los adultos se "ganan" a los niños cuando los tratan con dignidad y respeto (gentileza y firmeza al mismo tiempo) y confían en sus aptitudes para cooperar y contribuir. Esto requiere que los adultos empleen mucha motivación y se den el tiempo para entrenarlos en las habilidades básicas de la vida.

Ganarles a los niños hace que los niños se conviertan en perdedores y perder, generalmente, causa en ellos rebeldía o sumisión. Ninguna de estas características es deseable. *Ganarse a los niños* significa ganar su cooperación.

Un ejemplo de cómo los adultos malinterpretan los conceptos básicos de la Disciplina Positiva es la práctica común de agregar humillación a una consecuencia lógica creyendo, equivocadamente, que los niños no aprenderán a menos que sufran por sus errores. Es verdad que sufrir a causa de un error puede motivar a un niño a mejorar, pero ¿a costa de su autoestima? ¿Se convertirán en "complacientes" o "adictos a la aprobación" –pensando siempre que su valor depende de la aprobación de otros? ¿Harán mejor las cosas pero estarán temerosos de tomar riesgos por miedo a fallar? ¿Su aprendizaje incluirá culpa, vergüenza y dolor, y el tipo de desaliento generado por los adultos que invita a disminuir la autoestima? ¿O su aprendizaje estará basado en la empatía, motivación y el amor incondicional de los adultos que los invite a entrenarse en las habilidades de vida y a tener una sana autoestima?

Autoestima – Un Concepto ilusorio

YA QUE SE HAN MENCIONADO la autoestima y la autovaloración, es importante definir estos conceptos – aunque los expertos no coinciden en una definición. Yo fui miembro de La Fuerza de Tarea de Autoestima de California, y era interesante escuchar a los miembros debatir sobre la definición de autoestima.

Yo creía que les habíamos hecho un daño a los niños pensando que nosotros podíamos darles autoestima. Era un movimiento que les daba autoestima a través de elogios, etiquetas emotivas, caritas felices y nombrándolos "la persona más importante del día". Todo esto podía ser divertido e inofensivo, a menos que algún niño decidiera que su autovaloración dependía de la opinión externa de otros. Cuando esto sucedía, los niños se convertían en complacientes o adictos a la aprobación. Aprendieron a mirar a los demás para decidir si lo que ellos hacían estaba bien, en lugar de aprender a autoevaluarse y reflejar internamente una buena acción. Desarrollaron la estima de "otros" en lugar de la autoestima.

¿Se da usted cuenta de cuan ilusoria puede ser la autoestima? Un día puede sentirse maravillosamente con usted mismo, y luego comete un error y se critica o escucha las críticas de alguien más –y de pronto su autoestima se va hasta el suelo.

Les damos un enorme beneficio a los niños cuando les enseñamos a autoevaluarse (lo cual se discute más detalladamente en el capítulo siete) en vez de enseñarles a depender de los elogios y la opinión de los demás. Los adultos podemos ayudarles enseñándoles que los errores son maravillosas oportunidades para aprender. Permitiendo que experimenten el fracaso, los niños encontrarán la forma de resolver los problemas cuando éstos surjan. Será realmente provechoso que aprendan a ser adaptables para que sepan cómo manejar los altibajos de la vida. Los niños se benefician teniendo muchas oportunidades de sentirse bien consigo mismos cuando contribuyen significativamente en su hogar, la escuela y la comunidad. El sentido de pertenencia e importancia es la clave. Una de mis caricaturas favoritas muestra a dos personajes, Lucy y Linus, en la que Lucy le pregunta a Linus: "¿Cómo te fue hoy en la escuela?" y Linus responde: "No me quedé. Llegué, abrí la puerta y pregunté ¿Alguien allá dentro me necesita?, y como nadie contestó, me regresé a casa". Los niños requieren sentirse necesitados.Cuando los niños desarrollen fuerza en las Siete Percepciones y Habilidades Significativas planteadas en el capítulo uno, tendrán un fuerte sentido de autovaloración y serán capaces de manejar cualquier naturaleza ilusoria de la autoestima. Los adultos pueden empezar creando un ambiente positivo de aprendizaje ganándose a los niños en lugar de ganarles a los niños.

Ganarse a los Niños

LOS NIÑOS SE SIENTEN motivados cuando creen que usted entiende su punto de vista. Una vez que se sienten comprendidos están más dispuestos a entender nuestro punto de vista y de buscar soluciones a los problemas. Recuerde que los niños están más dispuestos a escucharlo a usted después de haber sido escuchados. Empleando los *Cuatro Pasos para Obtener Cooperación* es una excelente manera de crear una atmósfera en la que los niños se sienten listos para cooperar.

Cuatro pasos para obtener cooperación

1.   Exprese comprensión sobre los sentimientos del niño. Asegúrese de verificar con él o ella si está en lo correcto.
2.   Muestre empatía sin condonar. La empatía no significa estar de acuerdo o condonar, significa simplemente que comprende la percepción del niño. Un buen detalle aquí es compartir con él o ella momentos en los que usted se ha sentido o comportado de manera similar.

3. Comparta sus sentimientos y percepciones. Si los primeros dos pasos se han efectuado sincera y amigablemente,
el niño estará dispuesto a escucharle.
4. Invite al niño a enfocarse en la solución. Pregúntele si
tiene alguna idea de qué hacer en el futuro para evitar el
problema. Si no las tiene ofrezca sugerencias hasta que
lleguen a un acuerdo.

Para llevar a cabo estos pasos es esencial una actitud cordial, de
cariño y respeto. Su decisión de buscar cooperación será suficiente
para crear sentimientos positivos en usted, y después de los dos
primeros pasos, se habrá ganado al niño también. Estará listo para
escucharle cuando emplee el tercer paso (aun cuando usted ya haya
expresado sus sentimientos antes sin haber sido escuchado). Es
muy probable que el cuarto paso sea efectivo ahora que ya se ha
creado una atmósfera de respeto.

La señora Martínez nos compartió la siguiente experiencia: Su
hija Linda, llegó de la escuela quejándose de que la maestra le había
gritado frente a toda la clase.

La señora Martínez, poniendo sus manos sobre la cadera,
preguntó a Linda en un tono acusador: "¿Y bien, qué fue lo que
hiciste?" Linda cerró los ojos y muy enojada replicó. "Yo no hice
nada", entonces la señora Martínez dijo: "Vamos, los maestros
no les gritan a los estudiantes por nada". Linda se dejó caer en el
sillón con una expresión sombría en su cara y miraba con ira a su
madre. La señora Martínez continuó con su tono acusador: "Bueno,
y que vas a hacer para resolver este problema?" Linda respondió
agresivamente: "Nada".

En ese momento la señora Martínez recordó los cuatro pasos
para obtener cooperación, respiró profundamente y cambió de
actitud. En un tono más cordial comentó: "Me imagino que te sentiste
avergonzada cuando la maestra te gritó frente a los demás ". (Paso
uno. Expresar comprensión).

Linda miró a su madre con suspicacia y curiosidad. Entonces la señora Martínez dijo: "Recuerdo una vez en cuarto grado que me pasó lo mismo. Me levanté para sacarle punta a mi lápiz durante un examen de matemáticas, y me dio mucha vergüenza y coraje que la maestra me gritara frente a todos". (Paso dos. Mostrar empatía sin condonar – y compartir una experiencia similar.)

Ahora Linda estaba interesada: "¿De verdad?" dijo, "Todo lo que yo hice fue pedir prestado un lápiz. Y realmente no creo que sea justo que me haya gritado por eso".

La señora Martínez respondió: "Bueno, realmente entiendo cómo te sentiste. ¿Puedes pensar en algo que puedas hacer para evitar este tipo de situaciones en el futuro?" (Paso cuatro. Invitar al niño a enfocarse en la solución. El paso tres no fue necesario en esta situación).

Linda respondió: "Bueno, creo que me voy a asegurar de llevar más de un lápiz y así no tendré que pedir prestado. La señora Martínez repuso: "Me parece una excelente idea".

Uno de los objetivos de la señora Martínez era ayudar a Linda a comportarse de manera que no generara el enojo y desaprobación de su maestra. Nótese que la primera vez que la señora Martínez invitó a Linda a buscar una solución, la niña se sentía demasiado hostil para cooperar. Una vez que su madre empleó la motivación (a través de los Cuatro Pasos para Obtener Cooperación), Linda sintió más cercanía y confianza, en lugar de distancia y hostilidad, y por lo tanto estaba más dispuesta a buscar una solución. Cuando su madre fue capaz de ver las cosas desde el punto de vista de Linda, ella no sintió más la necesidad de estar a la defensiva.

La señora Castro también utilizó los Cuatro Pasos para Obtener Cooperación cuando supo que su hijo José, de seis años de edad, había estado robando. Buscó un momento tranquilo en el que estuvieran solos y le pidió a José que se sentara en su regazo. Entonces le dijo que se había enterado que él había robado un paquete de goma de mascar de la tienda, (nótese que ella no lo entrampó preguntándole si había hecho algo cuando ella lo sabe de antemano). A continuación le contó de una vez cuando estaba en quinto grado y había robado una goma de borrar de la tienda; sabía que no debió haberlo hecho, y se sentía culpable, así que decidió que no valía la pena. José dijo defensivamente, "Pero la tienda tiene mucha goma de mascar". Entonces la señora Castro lo guió hacia una discusión explorando cuánta goma de mascar y otros artículos tenía que vender el dueño de la tienda para poder pagar la renta, el salario de los empleados, su inventario y todavía ganar suficiente dinero para poder vivir. José admitió que nunca había pensado en eso. También discutieron sobre el hecho de que a ellos no les gustaría que otros robaran sus cosas. José le confió a su madre que ya no quería robar cosas y que pagaría a la tienda por la goma de mascar que había robado, entonces su madre le ofreció ir con él para apoyarlo moralmente.

La señora Castro fue capaz de ganarse a su hijo, al no acusarlo, culparlo o darle un sermón. José no tuvo necesidad de sentirse una mala persona por lo que había hecho y estaba dispuesto a explorar razones socialmente responsables para no hacerlo de nuevo. También fue capaz de participar en una solución que, aunque era embarazosa para él, sería una valiosísima lección de vida para una conducta futura. Fue capaz de hacerlo porque su madre creó un sentimiento de apoyo y no de ataque y defensa.

El Sentimiento Detrás de lo que Hacemos o Decimos

EL SENTIMIENTO QUE HAY detrás de lo que hacemos o decimos es más importante que lo que hacemos o decimos. Los sentimientos y actitudes detrás de lo que hacemos determinan la manera de hacerlo. Podemos preguntar, "¿Qué aprendiste de esto?", con un tono de voz que culpa o avergüenza o con uno que muestre empatía e interés. Podemos crear una atmósfera que invite a la cercanía y la confianza, o a una que genere distancia y hostilidad. Es sorprendente cómo muchos adultos creen que pueden tener una influencia positiva en los niños después de generar distancia y hostilidad en lugar de cercanía y confianza (¿realmente creen esto, o simplemente están reaccionando sin pensar?)

El sentimiento detrás de las palabras es generalmente más evidente en nuestro tono de voz. Añadir humillación viola los conceptos básicos del respeto mutuo, también convierte lo que podría ser una consecuencia lógica en castigo, lo cual no logrará efectos positivos a largo plazo. Si una niña derrama leche en el piso, la consecuencia lógica sería que ella limpiara. Y seguiría siendo una consecuencia lógica mientras el adulto refuerce esto a través de palabras cordiales pero firmes, tales como: "Uy, ¿Qué es lo que necesitas hacer?" (Note que es mucho más adecuado preguntar al niño lo que se necesita hacer, que en vez de decírselo. Preguntar en lugar de decir, es uno de los métodos más efectivos de la Disciplina Positiva, los cuales aprenderá y serán discutidos más detalladamente en el capítulo seis.) Decir lo que se debe hacer, genera resistencia y rebeldía, mientras que involucrar respetuosamente a los niños, genera que se sientan capaces y que pueden contribuir. Una consecuencia lógica se convierte en un castigo cuando el padre o madre no utiliza un tono de voz cordial y respetuosa, o cuando añaden humillación, "¿Cómo puedes ser tan torpe? Limpia eso inmediatamente y déjame servirte de ahora en adelante ya que parece que no puedes hacerlo bien".

La psicología adleriana proporciona un conjunto de conceptos básicos que ofrecen valiosos conocimientos que incrementarán nuestro entendimiento hacia los niños y hacia nosotros mismos, pero ésta es mucho más que una teoría. Estos principios se distorsionan si no son acompañados por actitudes de motivación, comprensión y respeto. Si las actitudes no se comprenden, las técnicas se reducirán a una manipulación irrespetuosa. Seremos más eficientes con los niños si siempre nos preguntamos: "Lo que estoy haciendo, ¿los fortalece o los desalienta?".

Conceptos Adlerianos Básicos

1.- Los niños son seres sociales

El comportamiento se determina dentro de un contexto social. Los niños adoptan decisiones sobre sí mismos y la manera de comportarse, basándose en cómo se ven en relación a los demás y lo que creen que los demás sienten respecto a ellos. Recuerde que los niños toman decisiones constantemente y forman creencias sobre sí mismos, sobre el mundo y lo que necesitan hacer para sobrevivir o prosperar. Cuando están "prosperando" están desarrollando fortaleza en la Siete Percepciones y Habilidades Significativas, mencionadas en el capítulo uno. Cuando están en el modo de "supervivencia" (tratando de descubrir cómo lograr un sentimiento de pertenencia e importancia), los adultos, a menudo, interpretan esto como mala conducta. ¿Podría parecerle a usted diferente, una mala conducta si la ve como una conducta de supervivencia?

2.- El comportamiento está orientado por metas

El comportamiento se fundamenta en un objetivo que desea alcanzarse en determinado contexto social. La primera meta de un niño es pertenecer a un grupo, a un espacio, etc. Los niños no están conscientes de estas metas a lograr, y a menudo poseen ideas equivocadas de cómo obtener lo que quieren, comportándose de manera que consiguen el resultado opuesto. Por ejemplo, pueden desear ser simpáticos, pero actúan de forma francamente odiosa en su intento por alcanzar su objetivo. Esto puede convertirse en un círculo vicioso: entre más invite su conducta al desagrado, más odiosos actúan porque quieren ser agradables.

Dreikurs explica esto cuando dice: "Los niños son buenos observadores, pero malos intérpretes". La siguiente historia es un ejemplo de cómo comienza.

Cuando la madre de Adela, una niña de dos años, regresa del hospital con un nuevo hermanito, ella percibe cuánta atención otorga la madre al bebé. Por desgracia, la niña interpreta que su madre ama más al bebé que a ella; esto no es verdad, pero la verdad no es tan importante como lo que Adela imagina. Su comportamiento se basará en lo que ella cree que es verdad y no en lo que es verdad. Su meta es recuperar ese lugar especial con su madre y piensa, equivocadamente, que la manera de hacerlo es actuar como bebé, así que empieza a pedir biberón, ensucia sus pantalones y llora todo el día. Logra exactamente lo contrario cuando su madre se siente frustrada y la rechaza en lugar de ser cariñosa y afectiva con ella.

3.- La primera meta de un niño es sentir que pertenece y que es importante

Los primeros dos conceptos se juntan aquí. El objetivo de todo comportamiento es lograr sentir que se forma parte de algo o alguien (que se pertenece) y ser importante dentro de un ámbito social; la mala conducta se asienta en una creencia equivocada sobre cómo lograrlo, según se mostró en el último ejemplo.

4.- Un niño mal portado es un niño desalentado

Un niño que se porta mal está tratando de decir: "Siento que no pertenezco o que no soy importante, y tengo una creencia equivocada de cómo lograrlo". Cuando un niño se comporta odiosamente, para la mayoría de los adultos es difícil advertir tal conducta y recordar el significado y el mensaje real que hay detrás de esta: "Sólo deseo pertenecer". Entender este concepto es el primer paso para que los adultos sean más comprensivos y eficientes para ayudar a los niños con problemas de conducta. Es muy útil convertirse en un "descifrador de códigos". Cuando un niño se porte mal, piense en la mala conducta como si fuese un código y pregúntese: "¿Qué es lo que está queriendo decir realmente?" Recuerde que el niño no está consciente de su mensaje codificado, pero se sentirá profundamente comprendido cuando usted se ocupe de su creencia detrás de la conducta en lugar de sólo reaccionar ante ella. Usted percibirá la diferencia respecto al comportamiento si recuerda que, detrás de éste, hay un niño con deseos de pertenecer y confunde la manera de lograrlo de una manera socialmente adecuada. También sería muy útil si usted se observa a sí mismo y descubre si su propia conducta está invitando al niño a creer que no pertenece o que no es importante. Estos cuatro conceptos se discutirán más detalladamente en el capítulo cuatro.

5.- Responsabilidad social o sentimiento comunitario

Otra contribución importante de Alfred Adler es el concepto de *Gemeinschaftsgefühl*, una hermosa palabra alemana creada por Adler. No existe una buena traducción, pero él finalmente eligió "interés social" (y yo elegí "responsabilidad social"). Esto significa estar interesados por los compañeros y desear sinceramente contribuir a la sociedad. La siguiente historia la comparte Kristin R. Pancer en la publicación de diciembre de 1978 de la revista Psicología Individual para dar a conocer el significado del interés social.

Había una vez, dos hermanos que compartían una granja. Tenían dificultades para ganarse la vida debido al suelo rocoso y la sequía, pero repartían las ganancias equitativamente. Uno de ellos tenía esposa y cinco hijos, el otro era soltero. Una noche, el hermano casado no podía dormir, se revolvía y daba vueltas en la cama pensando lo injusto que era su arreglo. Reflexionaba: "Mi hermano no tiene ni un hijo con el que pueda vivir o que lo pueda cuidar cuando sea viejo, realmente necesita más de la mitad de las ganancias, mañana le ofreceré las dos terceras partes". La mismo

35

noche, el otro hermano tenía, igualmente, dificultades para dormir porque también creía que su trato de mitad y mitad no era justo. Y consideraba: "Mi hermano tiene esposa y cinco hijos que alimentar, y ellos también contribuyen a las labores de la granja más que yo. Mañana, le ofreceré las dos terceras partes de las ganancias". Al día siguiente, los hermanos se encontraron y cada uno compartió su plan para tener un mejor arreglo. Este es un ejemplo de interés social en acción.

Adler poseía lo que llamaba su "Plan de curación de catorce días". Sostenía que podía curar a cualquier persona de una enfermedad mental en sólo catorce días, si ésta hacía exactamente lo que él le pidiera. Un día, una mujer que estaba extremadamente deprimida fue a verlo. Adler le dijo: "Puedo curarla de su depresión en catorce días si sigue mis instrucciones". La señora no se veía muy entusiasmada y preguntó: ¿"Qué quiere que haga?" Adler respondió, "Si usted hace algo por alguien más, todos los días durante catorce días, al término de ese tiempo, su depresión habrá desaparecido".

Ella objetó: "¿Por qué debo hacer algo por alguien, cuando nadie hace nada por mí?" Adler respondió en broma: "Bueno, quizá le tome veintiún días" y continuó, "Si no puede pensar en nada que desee hacer por otra persona, únicamente piense en lo que podría hacer si se sintiera con deseos de hacerlo". Adler sabía que el solo hecho de pensar en hacer algo por alguien, le ayudaría a encontrar el camino para mejorar.

Es extremadamente importante enseñar el interés social a los niños. ¿Cuán bueno puede ser el aprendizaje académico si los jóvenes no aprenden a contribuir como miembros de una sociedad? Rudolf Dreikurs decía a menudo: "No hagan por un niño nada que él pueda hacer por sí mismo". La razón es que los despojamos de las oportunidades para desarrollar, a través de sus propias experiencias, la creencia de que son capaces. Cuando hacemos demasiado por ellos pueden desarrollar la creencia de que se les debe cuidar y que merecen ser especialmente servidos.

El primer paso al enseñar la responsabilidad social, es enseñarles a tener seguridad en sí mismos; entonces, estarán listos para ayudar a otros y sentirse extremadamente competentes cuando lo hacen. Cuando los adultos toman el papel de "padres perfectos" o "maestros perfectos", los niños aprenden a esperar que el mundo les sirva, en lugar de que ellos sirvan al mundo. Estos son los niños que piensan que el no hacer las cosas a su manera es algo injusto y cuando los demás se niegan a servirles, sienten lástima de sí mismos o buscan venganza dañando y destruyendo. Al intentar vengarse, siempre se lastiman tanto como perjudican a otros.

Al otro extremo están los padres y maestros que están demasiado ocupados para enseñar a los niños habilidades sociales y de vida útiles para un buen carácter. Estos mismos adultos son los que se molestan cuando los niños no se "comportan adecuadamente". No estoy segura de dónde creen que estos niños aprenden una conducta respetuosa. Muchos adultos "culpan" a los niños por su conducta, en lugar de tomar responsabilidad (no sentirse culpables) de la parte que les corresponde en tal ecuación de mala conducta.

La Disciplina Positiva ayuda a niños y adultos a terminar con estos círculos viciosos, alentando la responsabilidad social. Generalmente los padres y maestros no son conscientes de la cantidad de cosas que efectúan por los niños, cuando ellos podrían hacerlo por sí mismos, o bien, no se toman el tiempo necesario para enseñarlos a contribuir a su hogar o el salón de clases. Hagamos un inventario. Maestros, ¿cuántas cosas hacen en el salón de clases que podrían realizar los niños?. Padres, ¿cuántas cosas están haciendo por sus hijos porque es más rápido en lugar de ayudarles a sentirse capaces con el hecho de contribuir?

En el libro *Disciplina Positiva en el salón de Clases*[1] mis coautores y yo hablamos sobre la importancia de implicar a los estudiantes en

---

[1] Nelson, Lott, Glenn, *Positive Discipline in the Classroom,* 3ª edición, Three Rivers Press, New York, N.Y. 2000

idear todos los trabajos necesarios en el salón de clases. El maestro puede participar, pero es sorprendente la cantidad de cosas que los niños imaginan y realizan cuando se les invita a hacerlo. Una vez que la lista está completa, pida voluntarios para cada trabajo, asegúrese que haya cuando menos una actividad por alumno, puede haber incluso un "inspector de trabajo". Es importante establecer (con la participación de los alumnos) un sistema de rotación de trabajos y, así, nadie permanece con los trabajos menos atractivos durante mucho tiempo. Es obvio cómo el trabajo compartido incrementa el sentimiento de pertenencia, enseña habilidades para la vida y permite a los niños experimentar la responsabilidad social.

6.- Igualdad

La gente, por lo general, no tiene problema con el concepto de igualdad, mientras no se relacione con los niños. Si es así, entonces surgen varias objeciones: "¿Cómo pueden ser los niños iguales a todos, si no tienen la misma experiencia, conocimientos o responsabilidad?" preguntan.

Como se enfatizó en el capítulo anterior, la igualdad no significa ser lo mismo. Para Adler quería decir que todas las personas tienen el mismo derecho a la dignidad y al respeto. La mayoría de los adultos están dispuestos a aceptar que los niños son iguales a ellos en valor; esta es una de las razones por las que la Disciplina Positiva no incluye humillación. Las técnicas degradantes son contrarias a los conceptos de igualdad y respeto mutuo.

7.- Los errores son maravillosas oportunidades para aprender

En nuestra sociedad se nos enseña a avergonzarnos por nuestros errores. Pero nadie es perfecto, lo que necesitamos es tener el valor para cambiar estas creencias sobre nuestra imperfección. Este es uno de los conceptos más alentadores, y uno de los más difíciles de lograr en nuestra sociedad. No existe un solo ser humano perfecto en el mundo y, sin embargo, todos exigen perfección de sí mismos y de los demás, especialmente de los niños.

Cierre sus ojos y recuerde los mensajes que recibía de sus padres y maestros sobre sus errores cuando era niño, ¿cuáles eran? Para hacer este ejercicio más provechoso, sería mejor que los escribiera. Cuando cometía una equivocación, ¿recibía usted el mensaje de que era tonto, inadecuado, malo, decepcionante, torpe? Cierre otra vez sus ojos y evoque un momento específico en el que haya sido reprendido por una falla, ¿qué decisión tomó con respecto a usted mismo y al futuro? Recuerde que no estaba consciente de que tomaba una resolución en ese momento, pero al mirar hacia atrás, generalmente son obvias las disposiciones que tomó. Algunas personas deciden ser malas o inadecuadas; otras, no arriesgarse por temor a la humillación si sus esfuerzos no se acercan a la perfección; muchos se convierten en adictos a la aprobación y buscan complacer a los adultos a costa de su autoestima; y otros deciden esconder sus equivocaciones y hacen cualquier cosa para ser atrapados en el error. ¿Son éstos los mensajes y las decisiones sanas que motivan el desarrollo productivo de las habilidades para la vida? Por supuesto que no.

Cuando los padres y maestros mandan un mensaje negativo a los niños por cometer un error, realmente desean motivarlos a mejorar por su propio bien, pero no se han tomado el tiempo para pensar en los resultados a largo plazo de sus métodos. Muchas veces, la educación que imparten padres y maestros se basa en el miedo. Los adultos están temerosos de no realizar bien su trabajo si no obligan a los niños ha hacer bien las cosas; muchos se interesan más en la opinión de sus vecinos que en el aprendizaje de sus hijos; otros tienen miedo de que los niños nunca aprendan a hacer bien las cosas si no les infunden temor y humillación; la mayoría siente aprensión porque no saben qué más hacer y sospechan que si no infunden culpa, vergüenza y dolor en los niños, estarán actuando permisivamente. A menudo los adultos cubren sus miedos actuando de forma más controladora.

Hay otra manera –y no es permisiva– que realmente motiva a los niños a ser mejores sin pagar el precio de lastimar su autoestima. Necesitamos enseñarlos a sentirse alentados por sus errores y tomarlos como oportunidades para aprender. ¿No sería maravilloso escuchar a un adulto diciéndole a un niño: "Cometiste un error, es fantástico, ¿qué podemos aprender de él?" Y digo, podemos porque, a veces, somos aliados en las equivocaciones que cometen los niños. Muchas se llevan a cabo porque no nos tomamos el tiempo para entrenarlos y alentarlos; a menudo provocamos rebeldía en lugar de inspirar superación. Cambie su perspectiva sobre la imperfección, para que ellos aprendan de usted, que los errores son realmente oportunidades para aprender. Los niños aprenden a ver los errores como oportunidades para el aprendizaje, y lo ponen en práctica, durante las juntas familiares (tema expuesto en los capítulos ocho y nueve). Muchas familias han encontrado útil, durante la cena, invitar a los demás a compartir un error del día y el aprendizaje que de él obtuvieron. Una vez a la semana, durante la junta del salón de clases (las cuales se efectúan diariamente) algunos maestros dan tiempo a todos los estudiantes para que compartan un error y su respectiva enseñanza. Es necesario que los niños se expongan diariamente al valor de los errores y que aprendan de ellos en un ambiente seguro.

Otro de los principales temas en este libro, del cual leerá una y otra vez, es aprender a utilizar los retos de disciplina como oportunidades para aprender. Sin embargo, primero es necesario que los adultos cambien su creencia negativa sobre los errores, así, pueden adquirir lo que Rudolf Dreikurs llamaba "el valor de ser imperfecto". Utilizar las "Tres 'R' de la Recuperación" es una excelente manera de adquirir el valor de ser imperfecto:

Las tres "R" para recuperarse de los errores

1. Reconocer: "Cometí un error".
2. Reconciliar: "Lo siento".
3. Resolver: "Trabajemos juntos en una solución".

Es mucho más fácil hacerse responsable de los errores cuando los vemos como oportunidades de aprendizaje. Si los percibimos como algo malo, nos sentiremos inadecuados y desalentados, volviéndonos defensivos, evasivos, insensatos y críticos de nosotros mismos y de los demás. Por otro lado, cuando los errores se miran como ocasiones para aprender, reconocerlos será una aventura emocionante: "¿Qué podría yo aprender de ellos? Perdonarse a sí mismo es un elemento importante para la primera R (reconocer).

¿Ha notado usted lo dispuestos que están los niños a perdonar cuando nosotros estamos dispuestos a disculparnos? Alguna vez se ha disculpado con un niño? Si es así, ¿cómo le respondió? Suelo hacer esta pregunta durante mis conferencias por todo el mundo, y la respuesta es universal. Cuando los adultos se disculpan sinceramente, los niños casi siempre dicen: "No te preocupes". Ellos pueden sentirse enojados y resentidos en respuesta a un comportamiento irrespetuoso (y probablemente los adultos lo merezcan) y, de un minuto a otro cambian a una actitud de completo perdón en cuando el adulto dice: "lo siento".

Las primeras dos "R" de la recuperación –reconocer y reconciliar– crean una atmósfera positiva para la tercera "R", trabajar en las soluciones. Tratar de trabajar en las soluciones en un ambiente de hostilidad, es totalmente improductivo.

Al igual que la mayoría de los adultos y los niños, aún cuando sé que es lo mejor, no siempre hago lo que sé. Como seres humanos, es común que nos sintamos emocionalmente atrapados y perdamos nuestro sentido común (de vuelta a nuestro cerebro de reptil), entonces reaccionamos irreflexivamente. Algo que me encanta de los principios de la Disciplina Positiva es que no importa cuántos errores comenta, ni cuántos desastres provoque con mis errores, siempre puedo regresar a los principios, aprender de mis errores, acabar con los desastres que originé y lograr que las cosas sean mejor que antes.

Ya que cometo muchos errores, las "Tres "R" de la Recuperación "es uno mis conceptos favoritos. Mi mejor ejemplo es el día que le dije a mi hija de entonces ocho años: "Mary, eres una mocosa malcriada" (¿cómo se puede mantener gentileza, firmeza, dignidad y respeto con tal afirmación?)

Mary, quien estaba familiarizada con las Tres "R" de la Recuperación, respondió: "Bueno, después no vengas a decirme que lo sientes." En total reacción dije, "No te preocupes, no lo haré"

Mary corrió a su habitación azotando la puerta. Pronto regresé a mi cerebro racional, me di cuenta de lo que había hecho y fui a su habitación a disculparme, pero ella todavía estaba enojada y no estaba lista para una reconciliación. Tenía su copia de una edición reciente de Disciplina Positiva y estaba muy ocupada subrayando, miré sobre su hombro y vi que había garabateado "falso" en una columna. Salí de la habitación pensando que probablemente habría otro *libro preferido* de mamá llenando las librerías cualquier día de éstos. Supe que había cometido un error.

Después de cinco minutos aproximadamente, Mary se acercó tímidamente a mí y puso sus brazos a mi alrededor: "Lo siento, mamá".

Le respondí: "Mi amor, yo también lo siento. De hecho, cuando te llamé mocosa malcriada, yo misma estaba siéndolo. Estaba enojada contigo porque perdí el control de tu comportamiento, pero perdí también el control de mi propio comportamiento, discúlpame."

Mary comentó: "Está bien mamá, actué como una malcriada". Entonces le dije: "Veamos qué fue lo que yo hice para provocar que actuaras de esa manera". Mary contestó, "veamos qué hice yo".

He visto que esto sucede una y otra vez, cuando los adultos se hacen responsables de lo que hicieron para crear un conflicto (y cualquier problema requiere cuando menos de dos personas), los niños generalmente están dispuestos a seguir el modelo y hacerse responsables de su parte.

Unos días más tarde, escuché que Mary decía por teléfono a una amiga: "¡eres una tonta!", pronto se dio cuenta de lo que había hacho y dijo, "lo siento, cuando te llamo tonta, yo estoy siendo la tonta".

Mary había interiorizado los principios de la recuperación y había aprendido que los errores no son más que maravillosas oportunidades para aprender.

8.- Asegúrese de que el mensaje de amor sea comprendido

La señora De Alba, una madre soltera, me telefoneó porque tenía problemas con su hija de catorce años, Paulina. La señora De Alba temía que su hija estuviera experimentando con drogas. Había encontrado un paquete de cervezas en el piso dentro del armario de Paulina. Confrontó a su hija con el paquete de cervezas en la mano y preguntó: "¿Qué es esto?", su tono de voz indicaba claramente que no estaba interesada en una respuesta, era una pregunta abierta, diseñada para entrampar y humillar. La pregunta creó inmediatamente distancia y hostilidad.

Paulina contestó con sarcasmo: "A mí me parece que es un paquete de cervezas, mamá". La batalla se intensificaba: "No te hagas la lista conmigo, jovencita, cuéntame qué es esto." Paulina contestó inocentemente: "Mamá, no sé de qué estas hablando". La señora De Alba estaba lista para soltar la trampa: "Encontré esto en el piso de tu armario, así que más te vale que me lo expliques todo". Paulina pensó rápidamente y dijo: "¡Ah, se me había olvidado por completo!, una amiga me pidió que se lo escondiera". La mamá dijo sarcásticamente: "¡Sí claro! ¿y piensas que yo voy a creer eso?" Entonces Paulina se irritó: "¡No me importa si lo crees o no!", y se fue a su habitación azotando la puerta.

Quise ayudar a la señora De Alba a que encontrara el principio fundamental del mensaje de amor: "¿Por qué le molestó encontrar el paquete de cervezas?" Ella pensó que mi pregunta era tonta, porque replicó indignada: "porque no quiero que se meta en problemas". "¿Por qué no quiere que se meta en problemas?", cuestioné. Creo que la señora De Alba lamentaba en ese momento haber llamado para pedir ayuda, ya que contestó totalmente irritada, "porque no quiero que arruine su vida". Como ella todavía no había descubierto el principio fundamental del mensaje de amor, insistí, "y por qué no quiere que arruine su vida?"

Finalmente llegó al punto: "¡Porque la amo!", exclamó. Hice la última pregunta suavemente, "¿Cree que Paulina obtuvo ese mensaje?"

Ella se sintió mortificada al tiempo que se iba dando cuenta que ni siquiera había estado cerca de transmitir el mensaje de amor a su hija. La semana siguiente, la señora De Alba llamó para reportar la manera ñeque utilizó las "Tres erres de la recuperación" y los "Cuatro pasos para obtener cooperación". La noche siguiente, cuando Paulina regresó a casa, su madre la saludó en la puerta y con una actitud amorosa le preguntó, "¿Podemos hablar?" Ella respondió agresivamente, "¿De qué quieres que hablemos?" Es importante recordar que a los niños les toma tiempo escuchar y confiar en un cambio de actitud por parte de los adultos, la señora De Alba comprendía esto y en lugar de reaccionar a la agresión, entró en el mundo de su hija y trató de imaginar cómo podría sentirse; "Apuesto que anoche cuando empecé a gritarte por las cervezas, pensaste que probablemente no me importabas". Paulina se sintió tan comprendida que comenzó a llorar, y con acusación y temor en su voz dijo; "Así es, he sentido que sólo soy una molestia para ti y que únicamente mis amigos se interesan por mí".

La mamá respondió: "Entiendo que te sientas así, cuando me acerco a ti con mis miedos y mi enojo en lugar de hacerlo con amor,¿de qué otra manera podrías sentirte?" Paulina relajó inmediatamente su actitud agresiva, la conducta amorosa de su madre finalmente la estaba tocando.

Cuando la señora De Alba se dio cuenta de ello, continuó diciendo, "Lamento mucho la manera en que te traté ayer". La distancia y hostilidad habían cambiado a cercanía y confianza. Paulina respondió: "No te preocupes mamá, pero en verdad se las estaba escondiendo a una amiga". Entonces la señora De Alba dijo, "Paulina, te amo y a veces me asusta que puedas hacer cosas que te lastimen. Entonces mis miedos me dominan y olvido decirte que es solamente porque te amo". Abrazó a Paulina y le dijo, "¿me darías otra oportunidad? ¿Podemos empezar a hablar para resolver juntas los problemas con amor e interés la una por la otra?" y Paulina contestó, "Sí mamá, me parece muy bien".

La señora De Alba contó que empezaron sus juntas familiares esa misma noche. Se sentía agradecida por ese ambiente de amor y cooperación que había cambiado totalmente la relación entre su hija y ella.

Usted notará que los ejemplos en este capítulo ilustran cómo la mala conducta de los adultos (falta de conocimientos o habilidades), contribuyen a la mala conducta de los niños. Cuando los adultos cambian su comportamiento, los niños también lo hacen, y en todos los casos, los adultos experimentan más alegría además de resultados positivos, cuando recuerdan asegurarse de transmitir el mensaje de amor.

Estos ocho conceptos adlerianos básicos proporcionan el fundamento para comprender el comportamiento y desarrollar las actitudes y los métodos necesarios para implementar la Disciplina Positiva, y con ella, ayudar a los niños a desarrollar las habilidades de vida que necesitan en el mundo exterior.

REVISION

Herramientas de Disciplina Positiva

1. Gánese a los niños, en lugar de utilizar su poder para ganarles a los niños.
2. Proporcione oportunidades para que los niños desarrollen y practiquen las "Siete Percepciones y Habilidades Significativas" con el fin de incrementar su autovaloración.
3. Deje de "decir" y empiece a "preguntar" de tal manera que invite los niños a participar en la solución de problemas.
4. Utilice los "Cuatro Pasos para Obtener Cooperación".
5. Recuerde que el sentimiento detrás de lo que usted hace o dice, es más importante que lo que haga o diga.
6. Involucre a los niños en idear las labores que se necesitan realizar y un plan para llevarlas a cabo.
7. Evite mimarlos para que los niños puedan desarrollar confianza en sus propias capacidades.
8. Enseñe y practique que los errores son maravillosas oportunidades para aprender.
9. Enseñe y practique las "Tres "R" de la Recuperación".
10. Asegúrese de transmitir el mensaje de amor.

Preguntas

1. ¿Cuál es la diferencia entre ganarle al niño y ganarse al niño?
2. ¿Cuáles son los Cuatro Pasos para Obtener Cooperación? Piense en algún reto de conducta que esté experimentando con el niño ¿cómo puede usted emplear los pasos en esta situación?
3. ¿Cuáles son las actitudes importantes necesarias para el enfoque positivo de ser eficiente con los niños?

4. ¿Qué significa ser seres sociales?

5. ¿Cuál es el principal objetivo de toda conducta?

6. ¿Por qué los niños a menudo se comportan de manera contraproducente para lograr su objetivo principal?

7. ¿Qué es lo que un niño busca comunicarnos con su mala conducta?

8. ¿De qué manera diferente podríamos actuar si recordamos el mensaje oculto detrás de la mala conducta de los niños?

9. ¿Qué es la responsabilidad social y por qué es importante que los niños la desarrollen?

10. ¿Qué quería decir Adler con igualdad?

11. ¿Por qué la humillación está fuera de lugar en un enfoque positivo?

12. ¿Cuál es el propósito de los errores?

13. ¿Por qué es importante tener el valor de ser imperfecto?

14. ¿Por qué sería útil enseñar a los niños que los errores son oportunidades de aprendizaje y no algo vergonzoso?

15. ¿Cuáles son las "Tres "R" de la Recuperación"? Discútalo.

16. ¿Cuál es el concepto clave que abre todas las puertas? Comparta un ejemplo de cómo algo que se hizo con un niño, pudo ser diferente si se hubiera comenzado con un mensaje de amor.

3

La Importancia del Orden de Nacimiento

COMPRENDER LA IMPORTANCIA que tiene el orden en que van naciendo los niños, incrementa nuestro entendimiento sobre cómo pueden poseer una percepción equivocada sobre sí mismos, basada en la interpretación de su posición familiar. Es otra manera de entrar en su mundo y mejorar nuestra comprensión de su realidad. Los niños siempre toman decisiones y se forman creencias sobre sí mismos, sobre los demás y sobre el mundo, fundamentándolas en sus experiencias de vida. Su conducta se basa, entonces, en dichas decisiones y en lo que creen que necesitan para sobrevivir o triunfar. Es común entre ellos compararse con sus hermanos y decidir que si un hermano es bueno en cierta área, su opción para sobrevivir es una de las siguientes:

- Desarrollarse en un área completamente diferente.
- Competir y tratar de ser mejor que otro hermano.
- Ser rebelde o vengativo.
- Darse por vencido porque cree no poder competir.

Estar dentro de una familia es como estar en una representación teatral. Cada posición por orden de nacimiento es como una colocación diferente el la obra, con características distintas y autónomas. Por lo tanto, si un hermano ya ha ocupado cierta posición, como la del "niño bueno", los otros hermanos sentirán la necesidad de encontrar otros papeles que representar como el niño rebelde, académico, atlético, social, etcétera.

Parece no tener sentido. ¿Por qué dos niños no pueden entender que ambos pueden ser buenos en algo? Es importante señalar que existen excepciones para cualquier regla general. A veces todos los niños de una familia sobresaldrán en la misma área, especialmente cuando el ambiente es de cooperación y no de competencia. Sin embargo, la mayoría de los niños creen que necesitan ser diferentes para ser valiosos. Es inútil buscarle sentido a esto, simplemente debemos entender que, por lo general, los niños sacan ciertas conclusiones basándose en su posición de acuerdo con el orden en el que nacieron.

Podría parecer más lógico para los niños tener similitudes con sus hermanos porque nacieron de los mismos padres, pero la realidad es otra.

A menudo, los hijos de una misma familia son extremadamente diferentes, aún cuando tengan iguales padres, hogar y vecindario. Por supuesto que el ambiente familiar no puede ser completamente el mismo para cada uno, pero el factor que contribuye más ampliamente a las diferencias dentro de las familias, es la interpretación que cada niño le da al ambiente en que vive. La mayoría de las interpretaciones nacen de la manera en que ellos se comparan con sus hermanos.

Como vimos en el capítulo anterior, los niños son buenos receptores pero malos intérpretes; esto se evidencia en el estudio del orden de nacimiento, La realidad de la situación no es tan importante como la interpretación, y el comportamiento se basa en ésta. Los niños nacidos en el mismo orden, a menudo hacen interpretaciones similares sobre sí mismos y la manera en que creen necesitar comportarse para pertenecer y ser importantes en la vida. Es por eso que encontramos características y comportamientos semejantes.

Existen muchas otras teorías que nos ayudan a entender estas singularidades, como la "Teoría de los nueve temperamentos", estudiada por Chess y Thomas[1]. Ellos descubrieron que los niños nacen con ciertas características que permanecen toda su vida. Estas particularidades y la manera en que se relacionan con la Disciplina Positiva se discuten en el libro *Disciplina Positiva para preescolares*[2]. La "Teoría de la prioridad del estilo de vida", desarrollada por la psicóloga israelí Nira Kefir, describe otro factor que influye en las personalidades de los niños. Esta teoría detalla la manera en que los adultos eligen una prioridad que definirá su estilo de vida para el control, el placer, la superioridad o la comodidad que motivan su conducta cuando se encuentran bajo tensión. La forma en que estas prioridades vitales estimulan determinadas decisiones y comportamientos de los niños, se discute en el capítulo diez.

El propósito de aprender sobre el orden de nacimiento (o cualquiera de las teorías mencionadas), no es etiquetar o estereotipar, sino más bien ayudarnos a mejorar el conocimiento y comprensión de nosotros mismos y de los niños para ser más competentes en nuestras relaciones.

El Hijo Mayor

LAS SIMILITUDES más predecibles se encuentran entre los hijos mayores, porque es la posición que tiene el menor número de variables. Por ejemplo, existen muchas maneras de ser un hijo de en medio porque se puede ser el de en medio de tres o de siete hermanos. Los hijos menores tienen casi tantas similitudes

---

[1] Chess, Stella, M.D, y Alexander Thomas, M.D. *Know Your Child,* New York Basic Books, Una división de Harper Collins Publishers, 1987.
[2] Nelsen, Jane, Erwin, Cheryl, y Duffy, Roslyn, *Positive Discipline for Preschoolers*, 3ª Edition, Three Rivers Press, New York, N.Y. 2000.

predecibles como los hijos mayores. Los hijos únicos tendrán semejanzas con hijos mayores o hijos menores, dependiendo de cómo se les trate, si fueron mimados como un hijo menor o se les dio más responsabilidad como un hijo mayor.

No todos los hijos mayores formarán exactamente las mismas conclusiones, ni serán exactamente iguales, tampoco los hijos de en medio, ni los menores. Somos seres únicos y tenemos tantas diferencias como similitudes, pero aquellos que ocupan la misma posición en el orden de nacimiento, a menudo adoptan características similares.

Antes de seguir leyendo, cierre sus ojos y piense en varios adjetivos que vengan a su mente para describir a los hermanos mayores, menores y de en medio que conozca. Es fácil describir a un hijo mayor: responsable, líder, mandón (aún cuando en su interior desean que los demás sean mejores por su propio bien), perfeccionista, crítico (de sí mismo y de los demás), conformista, organizado, competitivo, independiente, reacio a tomar riesgos y conservador. Debido a que los hijos mayores son los primeros, a menudo creen equivocadamente que deben ser los pioneros o los mejores para poder ser importantes. Esto puede manifestarse de maneras diferentes; para algunos es vital finalizar su tarea escolar antes que los demás, aunque se haga con descuido; otros, pueden ser los últimos en terminarla porque se toman mucho tiempo para hacerla mejor.

El Hijo Menor

LA PRIMERA CARACTERÍSTICA en la que pensamos para describir al hijo menor, es "malcriado". Muchos hijos menores son mimados tanto por los padres como por los hermanos y esto facilita que piensen, erróneamente, que deben seguir manipulando para sentir que pertenecen y son importantes. A menudo se les entrena para utilizar sus encantos y lograr que los demás realicen cosas por ellos. Con frecuencia, los hijos menores son creativos y cariñosos, y mucha de su creatividad, energía, inteligencia y encanto, se canaliza para lograr influencia a través de la manipulación.

Los hijos menores se encuentran, ordinariamente, en una posición confusa: favorecidos por los padres y resentidos por los hermanos. El mayor riesgo para los niños mimados es que interpretan la vida como injusta cuando no se les atiende o se les da lo que desean. Con frecuencia se sienten lastimados por esta injusticia y se piensan con derecho de hacer berrinches, sentir lástima de sí mismos o buscar vengarse de una manera destructiva o dolorosa para los demás. Pueden desarrollar la creencia de: "Me siento amado solamente si los demás me cuidan".

Los hijos menores pueden también tener dificultades para adaptarse a la escuela, ya que la maestra no sólo debe continuar con el servicio recibido en casa, sino que además, debe aprender por ellos. Conscientemente dicen: "Maestra, ¿me amarras las cintas por favor?"; inconscientemente, y mediante sus acciones están afirmando: "Y mientras lo haces, por favor aprende por mí". *No puedo* y *Enséñame* son simples demandas que a menudo significan "Hazlo por mí".

Como directora de una escuela primaria, conversé con varios niños que tenían dificultades para adaptarse a un ambiente de aprendizaje. Siempre les preguntaba: "¿Quién te viste en las mañanas?" Como podrá usted suponer, habitualmente había alguien más que seguía haciéndose responsable de vestirlos. Si no era mamá, era papá o algún hermano mayor que él.

Como instructora para el desarrollo de los niños en una comunidad escolar, tuve muchos alumnos que trabajaban en escuelas preescolares y guarderías. Durante diez años, los estudiantes hicieron encuestas entre los niños con los que trabajaban y rara vez encontraron que se vestían solos en las mañanas.

Los niños ya pueden vestirse solos desde que tienen dos o tres años de edad si cuentan con ropa que sea fácil de poner y se les enseña cómo hacerlo. Cuando los padres continúan vistiendo a sus hijos después de los tres años, los despojan de la oportunidad de desarrollar responsabilidad, autosuficiencia, y confianza en sí mismos. Lejos de desarrollar la creencia de que son capaces, sienten que los demás deben hacer las cosas por ellos. Sin tener confianza en sus propias habilidades, es menos probable que sean buenos estudiantes o que desarrollen las habilidades necesarias para triunfar en la vida.

Si mimar a los niños es realmente tan perjudicial, entonces ¿por qué lo siguen haciendo los padres? Muchos creen que es la mejor manera de demostrarles amor. He escuchado argumentos de cómo los niños tendrán años por delante para adaptarse al mundo tan frío y cruel, así que, ¿por qué no hacerles la vida fácil y placentera tanto tiempo como sea posible? Estos padres no están conscientes de lo difícil que es cambiar creencias, hábitos y características una vez establecidos. Las creencias que desarrollamos cuando niños, se convierten en nuestro "anteproyecto de vida" para cuando somos adultos – aún cuando esas creencias ya no tengan sentido.

Otra razón que tienen los padres para mimar a sus hijos es porque les resulta más sencillo, satisface su necesidad de ser necesitados, creen que es lo que se supone que los "buenos padres" deben hacer, quieren asegurarse que sus hijos no experimentarán la difícil niñez que ellos tuvieron o se sienten presionados por amigos y familiares. En realidad no piensan en los efectos a largo plazo cuando, a sus hijos, no les dan la oportunidad de practicar las habilidades para la vida, porque ellos pueden hacerlo de manera más fácil, rápida y mejor. Nunca dejaré de sorprenderme cuando me dicen: "sencillamente para de dejar que hagan las cosas por sí mismos". Estos mismos padres, se sentirán en un futuro, decepcionados y frustrados cuando descubran que sus hijos no desarrollaron mejores actitudes y habilidades de vida, ¿acaso creen que éstas se desarrollan automáticamente? Los padres que desean lo mejor para sus hijos, tendrán que reevaluar sus prioridades de tiempo.

Es necesario que comprendamos que las "súper madres" no son buenas para los niños. Es importante que eduquemos a los padres haciéndoles ver que el mayor daño que les hacen a sus hijos es cuando los miman. Esta es la razón por la que Dreikurs, como lo vimos en el capítulo anterior, dijo: "Nunca hagas por un niño lo que él puede hacer por sí mismo". Esto no significa que nunca deba hacer nada por él, sino que el niño es engañado cuando no sabe lo capaz que puede llegar a ser si no se le mima.

Los niños aprenden valiosas habilidades de vida cuando los padres se dan el tiempo para entrenarlos y después les permiten desarrollar responsabilidad y confianza en sí mismos al ponerlas en práctica. Es un error pensar que los niños siempre podrán aprenderlas más tarde, entre más tiempo esperen, más difícil será cambiar sus interpretaciones sobre la vida y lo que creen necesario hacer para sentir que pertenecen y que son importantes.

Muchos hijos menores eligen una interpretación de la vida completamente diferente y se vuelven altamente competitivos, a menudo creen, equivocadamente, que deben alcanzar y superar a quienes estén arriba con el objetivo de ser importantes, y siendo adultos, buscan sobrepasar sus logros para seguir probando su valía.

El Hijo de En Medio

ES MÁS DIFÍCIL generalizar las características de los hijos de en medio, debido a las diversas posiciones. Generalmente se sienten aplastados, sin los privilegios del hermano mayor, ni los beneficios del menor. Esto es suficiente para adoptar la interpretación equivocada de que deben ser diferentes, de alguna manera, para poder ser importantes. Esta diferencia puede tomar la forma de rebasar las metas o de quedarse muy por debajo de ellas; de ser una "mariposa sociable" o un "tímido alelí", de ser un "rebelde con causa" o simplemente un "rebelde", y muchos son más despreocupados que sus hermanos. La mayoría de los hijos de en medio, tienen mucha empatía para el que sufre – ya que se identifican -, son conciliadores y los demás buscan en ellos su simpatía y comprensión; por lo general son mucho más liberales que sus conservadores hermanos mayores.

El hijo Único

COMO YA SE EXPLICÓ antes, los hijos únicos pueden poseer características similares a los mayores o a los menores, con algunas diferencias importantes. Si son educados como hermanos mayores, imprimirán menos intensidad a la perfección, porque no sienten la presión de alguien que venga empujando por atrás y que amenace su puesto. Sin embargo, el que sean menos perfeccionistas, no significa que no lo sean. Los hijos únicos tienen, generalmente, las mismas expectativas de sí mismos, que las que creen que tienen sus padres. Debido a que han sido hijos solos en la familia, de ordinario desean y agradecen la soledad…o le temen. Podría ser más importante para ellos ser los únicos que ser los primeros.

De los primeros astronautas, todos eran hijos mayores o psicológicamente hijos mayores (como se explica más adelante) o hijos únicos. Neil Armstrong, hijo único, tuvo la extraordinaria experiencia de ser el primer hombre en pisar la luna.

¿Cómo puede contribuir esta información para comprender a los niños y ser más eficientes con ellos? Reflexionar sobre el orden de nacimiento de los niños nos permitirá hacer suposiciones más claras sobre su mundo y su punto de vista. Con optimismo, esta conciencia auxiliará a los padres y maestros a evitar los mimos, proporcionar a los hijos mayores oportunidades de sentirse bien cuando pierden o no son siempre los primeros, ayudar a los hijos de en medio a sentirse menos aplastados y, en términos generales, entrar en el mundo de cada niño.

Existen muchos factores que explican las excepciones a las reglas generales. Una de ellas es el género, si el primero y segundo hijos son de diferentes sexos, es posible que ambos desarrollen las características del hijo mayor, especialmente si existe una división marcada de los papeles de género en la familia, cada uno asumirá las responsabilidades del hijo mayor dentro de esta función sexual. Es decir, si el mayor es varón, tendrá las características del hijo mayor en el papel masculino, si la segunda es mujer, también desarrollará las cualidades de hija mayor pero en su función femenina.

Sin embargo, si los dos primeros de tres o más hijos son del mismo sexo, es posible que las diferencias entre ellos dos sean extremas. Los dos hijos mayores del mismo sexo son, por lo general, completamente opuestos y entre menos diferencia haya en edad, más marcadas serán las diferencias. Lo cual nos lleva al segundo factor que explica las excepciones en las reglas generales.

Cuando existen cuatro años o más de diferencia entre los niños, influyen menos el uno en el otro. Sienten menos competencia cuando existe una brecha en edades. Si hay cinco niños en una familia con más de cuatro años entre cada uno, todos desarrollarán características parecidas a hijos únicos o mayores. Se convierten en "psicológicamente mayores" o "psicológicamente menores". En una familia donde hay hijos con edades de diecinueve, diecisiete, quince, nueve, siete, tres y uno, existe realmente un solo hijo mayor, pero los niños de nueve y tres años son psicológicamente hijos mayores porque los hermanos que están antes de ellos son mayores por más de cuatro años. Hay también un solo hijo menor y dos psicológicamente menores —el de quince y el de siete— porque fueron los hijos menores durante cuatro años o más antes de que los siguientes hermanos nacieran. Cuando un niño ha estado en una posición por más de cuatro años, ya se ha formado varias interpretaciones sobre la vida, sobre sí mismo y la manera en que buscará pertenecer y ser importante. Esto pude modificarse al cambiar la estructura de la familia, pero por lo general no se altera enteramente. Es interesante observar lo que sucede cuando un hermano mayor abandona el hogar para asistir a la universidad. Es posible que el segundo hijo cambie considerablemente –tomando mayor responsabilidad, pero sin la intensidad del perfeccionismo. Las familias mixtas crean dinámicas que pueden entenderse mejor con el conocimiento del orden de nacimiento, pues puede ser inquietante para un hijo mayor o menor ser destronado de su puesto cuando llega un nuevo miembro a la familia. Un niño que alguna vez fue el hijo mayor, de pronto se convierte en el menor o en el de en medio. Un hijo menor puede perder su posición del "hijo consentido" cuando de pronto se une a la familia un niño más pequeño que él. Ayudaría mucho si estos niños se sienten comprendidos e involucrados en juntas familiares (vea el capítulo nueve) porque así pueden sentir que pertenecen y son importantes, al ser respetados y tomados en cuenta para la solución de problemas.

Otra excepción es que a veces, los niños cambian arbitrariamente las características de su posición. Un segundo hijo, por ejemplo, se esfuerza mucho y logra sobrepasar al primero, entonces el mayor podría darse por vencido y abandonar sus características típicas, el perfeccionismo se abandona y entonces este niño ha decidido: "Si no puedo ser el mejor o el primero, entonces ¿para qué luchar?" Los hijos mayores que se han rendido para darle lugar al menor, a menudo se convierten en desertores de la vida.

Muchos padres nos comentan cómo esta explicación les ha ayudado a comprender la condición de sus hijos mayores, quienes han sido destronados por un segundo hijo. Así, este entendimiento les sirvió de base para estimular al hijo mayor (en lugar de enojarse o frustrarse).

Un hijo menor que se ha vuelto altamente competitivo deja vacante el puesto del niño mimado; ordinariamente, el niño que antecede al menor, tomará el lugar para ocupar el puesto, adoptando las características de su hermano.

Ambiente Familiar

OTRO FACTOR QUE CONTRIBUYE a las excepciones es el ambiente familiar, ya que esto puede incrementar o disminuir las diferencias. En familias donde se valora y alienta la competencia (como en muchas familias norteamericanas), las diferencias se incrementarán. En familias donde se valora la cooperación, las diferencias disminuirán. Muchos padres no se dan cuenta que ellos mismos generan un ambiente competitivo en la familia cuando difieren en los métodos de formación. Las parejas que están de acuerdo en los métodos de formación, crean un ambiente cooperativo en su familia.

Como se mencionó antes, una regla general en la que casi siempre se puede confiar es que los dos hijos mayores serán muy diferentes entre sí, si son del mismo sexo y no hay mucha diferencia de edades. Sin embargo, tuve la oportunidad de experimentar una clara excepción a esta regla.

Mientras hacía una "entrevista adleriana sobre el estilo de vida" con una mujer que tenía una hermana sólo dieciocho meses mayor que ella, mi primera suposición era que debían ser extremadamente opuestas en características. La entrevista comprobó que esta suposición era errónea, porque en realidad eran muy similares.

Cuando llegamos a la pregunta de cómo eran sus padres, le pedí que me permitiera adivinar antes de que ella respondiera. Supuse que sus padres eran amorosos y cooperativos con cada una, estaban de acuerdo con las técnicas de educación y las niñas sentían que eran amadas y tratadas justamente. Ella me preguntó cómo lo sabía, y es que basé esa suposición en mi conocimiento de los efectos del ambiente familiar. Cuando dos hermanas con una diferencia de dieciocho meses son tan similares en lugar de ser opuestas, podemos suponer que los padres crearon una atmósfera de cooperación y no de competencia.

Utilice la Información sobre el Orden de Nacimiento[3]

EN UN DISTRITO ESCOLAR se utilizó esta información para ayudar a que el personal se diera cuenta del gran número de hijos menores –reales o psicológicos– que tenían en sus clases para niños con problemas de aprendizaje. De aquí surgió una valiosa pregunta sobre los problemas de aprendizaje: ¿las dificultades son psicológicas o conductuales? Si son psicológicas, ¿estamos dejando de lado muchos problemas de aprendizaje en niños mayores porque ellos aprenden para sobre compensar? Los niños menores, ¿utilizan sus impedimentos para obtener un servicio especial?

En una escuela primaria, un grupo de alumnos parecía estar volviendo locos a los maestros. Cuando estos estudiantes pasaron a segundo grado, la profesora consideró la posibilidad de retirarse. Cuando estuvieron en tercero, su maestra difícilmente pudo esperar a que llegaran las vacaciones de verano. Finalmente, en el cuarto grado, la profesora realizó una encuesta sobre el orden de nacimiento y supo que el 85 por ciento de los alumnos eran hijos menores.

Muchos de ellos pasaban gran tiempo expuestos a la impotencia y buscando atención especial. A través de juntas de salón de clases, esta maestra logró que los niños mejoraran significativamente mientras aprendían a ayudarse –a sí mismos y a los demás– perfeccionando sus habilidades para resolver problemas.

Claudia Flores, una maestra de quinto grado, hizo su tesis de maestría sobre el orden de nacimiento y los grupos de lectura.

---

[3] Recuerde, esta información no debe utilizarse para incrementar nuestros sentimientos de superioridad o para presumir que tenemos razón sobre los demás, ni tampoco para estereotipar o etiquetar. Simplemente ayuda a comprender por qué a menudo los niños poseen interpretaciones equívocas sobre la manera de buscar pertenencia e importancia; así podremos encontrar formas más útiles de ayudarlos (o de abstenernos de hacerlo). Este conocimiento también puede utilizarse para enfocarnos en las aptitudes, ya que siempre es necesario buscar y apreciar las diferentes formas en las que cada individuo es único.

Encontró que hay un elevado porcentaje de hijos mayores y de hijos únicos en los grupos de lectura de nivel alto, y de hijos menores en los grupos de nivel bajo. La maestra Flores realizó grabaciones de las dinámicas del grupo mientras hacía preguntas. En el nivel alto, todos los niños levantaban la mano en franca competencia por ser los primeros en contestar. En el de nivel medio, eran más calmados, aunque generalmente alguien tenía una respuesta. Pero en el grupo de nivel bajo, expresaban que no habían entendido y necesitaban más ayuda.

Claudia Flores tenía un alumno en su clase (al que llamaremos Ernesto) con el nivel más bajo de lectura. Estaba preocupada pues creía que el niño podía tener un retraso mental; para auxiliarlo, solicitó una evaluación psicológica. Después le realizó una "Entrevista adleriana sobre estilo de vida" y supo que era el hijo menor, e incluso algo más interesante, tenía tres hermanas mayores, Georgina, Roberta y Paula. La maestra se enteró que en su familia, le llamaban el "rey Ernesto".

Con esta información, la maestra Flores elaboró algunas suposiciones sobre el valor de los niños varones en esa familia y la posibilidad de que hubiera mimos exagerados. ¿Por qué querría Ernesto hacer cualquier cosa por sí mismo, incluso aprender, si nunca había experimentado la responsabilidad? Su presentimiento se confirmó cuando recibió el reporte de la psicóloga, él había utilizado toda su inteligencia para perfeccionar sus encantadoras habilidades de manipulación.

Confrontó amablemente a Ernesto y le dijo que lo sabía un joven capaz de estar en un grupo de lectura más alto, entonces lo transfirió a uno de estos grupos. Ernesto rebasó las expectativas de la maestra y supo que ya no podía seguir engañándola. El mayor problema fue que las hermanas del niño pensaban que la maestra no lo entendía y esperaba demasiado de su pequeño hermano.

Es importante notar la actitud de Claudia Flores cuando informó a su alumno que su juego había terminado. En lugar de reprenderlo

61

("sé que puedes hacerlo mejor"), le dijo: "Ernesto, he descubierto que eres un joven muy capaz. Te cambiaré al grupo de lectura de nivel alto porque tengo toda la confianza de que lo harás muy bien".

¿Cuántos de nosotros odiábamos cuando nuestros padres nos decían: "Podrías hacerlo mejor si cuando menos lo intentaras"? Generalmente detrás de esta frase había regaño y molestia. Esta actitud es desalentadora para todos los niños por diversas razones. Es devastador para la mayoría de los hijos mayores decirles que pueden hacer mejor las cosas si lo intentan. La razón por la que un hijo mayor podría no estar haciendo las cosas lo mejor posible, es que esforzarse demasiado por ser perfecto, a menudo causa que estén demasiado tensos para desempeñarse bien. Sería desalentador decirle a un hijo de en medio decirle que podría hacer mejor las cosas si lo intentara, debido a su errónea interpretación de que no es posible ser mejor que sus hermanos mayores, pues ellos ya tienen esa área asegurada. Con frecuencia, a los hijos menores no les gusta escuchar que podrían hacer mejor las cosas, ya que piensan que tienen mayor pertenencia e importancia cuando los demás los cuidan y atienden. El enfoque de la maestra Flores funcionó con Ernesto gracias a que se efectuó con una actitud de estímulo y no de molestia.

El conocimiento del orden de nacimiento puede ayudarlo, como padre o maestro, a entrar en el mundo del niño. El simple hecho de hacerle saber a la otra persona que usted puede ver, comprender y respetar su punto de vista, es alentador. "Puedo entender cómo te sientes" es diferente a la acusación y la culpa que transmite una frase como: "bien, no me extraña que actúes de esa manera porque eres el hijo mayor (el de en medio, menor o único)".

Comprender el orden de nacimiento le ayudó a mi esposo Barry a detener el ciclo de perfeccionismo que nuestro hijo Mark había desarrollado. Mark es el hijo mayor y no soportaba perder ningún juego cuando tenía alrededor de ocho años de edad. Su padre contribuía a esta actitud, ya que siempre lo dejaba ganar en el Ajedrez porque no le gustaba que el niño se enojara y llorara. Después de aprender sobre el orden de nacimiento, Barry de se dio cuenta que era más importante dejar que Mark experimentara un poco con las derrotas, así que empezó a ganar cuando menos la mitad de los partidos. Mark se enojaba al principio, pero después comenzó a perder con más gracia. Su padre sintió que había logrado un gran avance un día que jugaba béisbol con Mark, pues éste no atrapó la bola y, en lugar de enojarse, nuestro hijo utilizó su sentido del humor y comentó: "Buen tiro, papá. Pésima atrapada, Mark".

Orden de Nacimiento y Matrimonio

EL CONOCIMIENTO DEL ORDEN de nacimiento también puede ayudar a los padres a comprenderse y alentarse mutuamente. Como podrá suponer, a menudo existe una atracción entre las personas que son hijos mayores y las que son hijos menores. A los hijos menores les gusta que los cuiden; a los mayores les gusta cuidar, así parecerían una pareja perfecta. Sin embargo, como decía Adler, "Dime tus quejas y te diré por qué te casaste con él o ella". Todas las características que atraen al principio, terminan por irritar.

Así que, quien creció como hijo mayor se cansará con el tiempo de ser siempre el responsable y terminará por criticar a su irresponsable esposo(a), olvidando que esta cualidad le parecía atractiva al principio. También el que creció como hijo menor, se cansará de que lo cuiden y le digan qué hacer, excepto cuando así lo espere, el problema es que cuando lo desea, generalmente la otra parte no quiere hacerlo.

Cuando dos personas que crecieron como hijos mayores se casan, a menudo lo hacen porque admiran las cualidades que también les gustan de sí mismos. El problema comienza cuando no se ponen de acuerdo en quien mandará o quien realmente sabe la mejor manera de hacer las cosas.

Dos personas que crecieron como hijos menores se casan porque reconocen lo divertido de estar juntos, pero más tarde pueden estar resentidos porque el otro no lo cuidó.

Para quienes tienen características de hijos de en medio, es más fácil o más difícil adaptarse a cualquier situación, dependiendo de cuán rebeldes o dóciles sean.

Todas las combinaciones pueden tener éxito si hay comprensión, respeto mutuo, cooperación y sentido del humor. Una buena amiga mía, hija menor de su familia, se casó con un hombre que también era el hijo menor. Al salir de vacaciones y llegar a su destino, él preguntó a su esposa: "¿Hiciste las reservaciones en el hotel?" Ella extrañada respondió: "No, ¿no las hiciste tú?" Se rieron y buscaron un hotel donde hospedarse.

Orden de Nacimiento y el Estilo de Enseñanza

LOS ESTILOS DE ENSEÑANZA también pueden variar dependiendo del orden de nacimiento. Los maestros que fueron hijos mayores, a menudo disfrutan estar al mando, generalmente organizan proyectos interesantes y complicados para sus alumnos, prefieren estructura y orden, y son más felices cuando los niños se sientan en bancas ordenadas y hacen lo que se les ordena. Pero como esta escena no es tan típica en la realidad, muchos se sienten frustrados hasta que aprenden métodos para poner orden en el salón de clases sin ser autoritarios. Les es fácil percibir los beneficios a largo plazo de un enfoque positivo para los niños y para sí mismos.

Ejercicio de Grupo

EL SIGUIENTE EJERCICIO es una excelente forma de experimentar las similitudes y diferencias de quienes ocupan la misma posición con respecto al orden en el que nacieron.

Divida el grupo en pequeños equipos que tengan el mismo orden de nacimiento. Proporcione lápiz y papel, y dé las siguientes instrucciones: "Cada uno piense en adjetivos que los describan como personas, compártalos con su equipo y si la mayoría está de acuerdo en que las características se ajustan a cada miembro, escríbanlas en el papel".

Dediquen aproximadamente diez minutos a este ejercicio y después pida a cada equipo que pegue su papel en la pared con cinta adhesiva. Ahora pregunte, en cuánto concuerdan sus hallazgos con la información expuesta en este capítulo. Asegúrese de discutir los siguientes puntos:

- Factores que cuentan para las excepciones y singularidades.
- La importancia de enfatizar las características positivas de cada posición con respecto al orden de nacimiento.
- Las maneras en que se puede utilizar la información para mejorar la comprensión hacia los niños y hacia nosotros mismos.
- Lo destructivo de utilizar esta información para etiquetar o estereotipar.

Pregunte también si alguien obtuvo una mejor visión de las razones por las que podría haberse formado ciertas interpretaciones con respecto a sí mismo, y creencias equivocadas sobre lo que necesitaba hacer para sentir que pertenecía y era importante.

Considere la posibilidad de escuchar las canciones de Wayne Freiden y Marie Hartwell, sobre el orden de nacimiento[4]. Ellos

---

[4] Wayne S. Freiden y Marie Hartwell Walter, *Family Songs* (Disponibles en archivos descargables en MP3 en www.focusingonsolutions.com).

escribieron una canción para cada una de las siete posiciones del orden de nacimiento. Un ejemplo de uno de los versos de la canción "Número uno" es:

Qué difícil es ser el número uno
Y después no es nada divertido
La vida era tan bella, cuando éramos tres
Mamá, Papá y Yo
Y ahora llegó otro
Y no me gusta nada
Regrésenlo al hospital
Y olvidémonos del asunto.

REVISION

Preguntas

1. ¿Cuál es el principal propósito de comprender el orden de nacimiento y de qué manera le puede ayudar al trabajar con los niños?
2. ¿Cuáles son las elecciones más comunes que hacen los niños cuando se comparan con sus hermanos?
3. ¿Cuáles son algunas maneras de dar mal uso al conocimiento del orden de nacimiento?
4. ¿Cuáles son las características típicas de cada posición, respecto al orden de nacimiento?
5. ¿Cuáles son los riesgos de mimar y por qué algunos padres lo hacen?
6. ¿Cuáles son los factores que intervienen en las excepciones de las reglas generales sobre el orden de nacimiento?

4

Una Nueva Visión de la Mala Conducta

UNA DE MIS ESCENAS FAVORITAS de la película *Kramer vs. Kramer* muestra al pequeño Seth furioso, gritando a su padre, "¡Te odio!". Éste lo levanta en brazos y lo lleva a su dormitorio, lo avienta en la cama y vocifera, "¡Yo también te odio, mocoso!"

¿Era cierto? Por supuesto que no, se amaban y mucho. Entonces, ¿qué pasaba?

Seth se sentía herido, pues su padre había estado trabajando sin prestarle atención. El señor Kramer tenía el tiempo limitado para entregar el trabajo y se enojó mucho cuando una bebida se derramó sobre su proyecto. Reaccionó de forma que su hijo sintió culpa, vergüenza y dolor. A un nivel subconsciente Seth sintió que no pertenecía a ese lugar, y que era insignificante. Por eso le dijo a su padre que lo odiaba. El padre reaccionó vengativamente, y entonces cayeron en un ciclo de venganza. El padre contribuyó en buena parte a este episodio de mala conducta, era igualmente, o más responsable.

Ser Responsable no Implica Culpa ni Vergüenza

CONFORME VAYAMOS TENIENDO una nueva visión sobre la mala conducta, los resultados pueden ser alentadores para los niños y los adultos si usted no asume que responsabilidad es lo mismo que culpa o vergüenza. Es más útil si ve la responsabilidad como liberación –algo que está basado en la consciencia y que se puede cambiar si se desea– y no como algo de lo que se sienta culpa. Cuando se dé cuenta que usted puede estar siendo causa de la mala conducta de sus hijos o alumnos, tendrá información para cambiar su parte, y así ayudar al niño o niña ha cambiar la propia.

¿Qué es la Mala Conducta?

SI USTED OBSERVA, verá que la mala conducta no es otra cosa que falta de conocimiento (o conciencia), falta de habilidades efectivas, falta de desarrollo de una conducta adecuada, falta de motivación o, a menudo, cuestión de un incidente que nos invita a regresar a nuestros cerebros primitivos con los que la única opción es la lucha de poderes o retraernos y no comunicarnos. A menudo, los adultos también carecen de conocimiento, conciencia y habilidades, y regresan a sus cerebros primitivos, tanto como los niños. Esta es la razón por la que la lucha de poderes entre niños y adultos es tan común – se requiere de cuando menos dos personas para que la lucha de poderes exista. Y los adultos, con frecuencia están tan desalentados como los niños.

¿Vería usted la mala conducta diferente si la tomara como "conducta por falta de motivación", "conducta por falta de habilidades", "conducta de cerebro de reptil" o "conducta adecuada a la edad"?[1]

La mayoría del tiempo los niños están actuando de acuerdo a su edad, no portándose mal. Muchos padres y maestros no tienen suficiente conocimiento sobre el comportamiento humano y el

---

[1] *Positive Discipline, The First Three Years*, 2a Edición, 2006, y *Positive Discipline for Preschoolers*, 3ª Edición, 2006 por Jane Nelsen, Cheryl Erwin y Roslyn Duffy (Three Rivers Press, New York, N.Y.) ambos están llenos de información sobre la conducta adecuada a la edad y la conducta que se desarrolla adecuadamente, y cómo se relaciona con la paternidad.

desarrollo de los niños, y por lo tanto tratan una conducta adecuada para la edad como si fuera una mala conducta. Es muy triste saber que muchos niños están siendo castigados por una conducta que es cronológicamente normal. Por ejemplo, los niños pequeños son castigados por ser "desobedientes", cuando sus cerebros no se han desarrollado lo suficiente para comprender qué se espera de ellos. No cuentan con el idioma o las habilidades sociales para obtener lo que desean – especialmente cuando lo que desean parece irracional, inconveniente o inadecuado para los adultos. Es realmente triste ver cuando a un niño pequeño se le castiga apartándolo, cuando ni siquiera ha desarrollado la capacidad de comprender realmente el concepto de causa y efecto.

¿Cuántas veces los niños se portan mal porque están cansados o tienen hambre? ¿De quién es la responsabilidad? (A menudo es debido a las circunstancias que no pueden cambiarse, lo cual es una excelente razón para sentir compasión por el niño y por usted misma, en lugar de utilizar la etiqueta de mala conducta). Quizá los niños no han sido respetuosamente involucrados en la creación de rutinas. Quizá los adultos no se han dado cuenta que dar órdenes es una invitación a la rebeldía y a la lucha de poderes, mientras que las preguntas abiertas (otra herramienta de Disciplina Positiva) invitarían a la cooperación. Puede ser muy emocionante pensar en términos de responsabilidad y de enfocarse en las soluciones (y de los errores como oportunidades para aprender) en lugar de pensar en términos de mala conducta y castigo.

Podría parecer que estoy abogando para que los padres y maestros no hagan absolutamente nada respecto a una conducta que, aunque por edad puede ser normal, es socialmente inapropiada (generalmente llamada mala conducta). No, no es lo que quiero decir. Lo que estoy diciendo es que los padres y maestros son adultos, y queremos que los niños aprendan a controlar su conducta, por lo tanto nosotros debemos aprender a controlar la nuestra. Haciendo conciencia, podemos ser quienes tomemos responsabilidad de nuestra propia conducta y cambiemos de tal manera que generemos mejoras en la conducta de los niños sin dañar su autoestima. Somos nosotros quienes debemos tomar un tiempo fuera para tranquilizarnos hasta que podamos actuar cuidadosamente en lugar de reaccionar de manera imprudente. Estoy sugiriendo que cuando menos compartamos la misma responsabilidad por nuestra conducta y aprendamos a utilizar métodos que sean alentadores y efectivos a largo plazo porque cumplen con los Cuatro Criterios para una Disciplina Efectiva, descritos en el capítulo uno.

Entre más comprendamos sobre comportamiento –tanto el nuestro como el de los niños– mas eficientes podremos ser como padres y maestros. Una buena forma de comenzar es entrando al mundo de los niños para entender más sobre la conducta por falta de motivación.

Como Rudolf Dreikurs dijo muchas veces, "Un niño mal portado, es un niño desalentado". Dreikurs descubrió cuatro metas inadecuadas o equivocadas que los niños adoptan cuando se sienten desalentados. Éstas se llaman *equivocadas* porque se fundamentan en creencias erróneas sobre como lograr pertenencia e importancia.

Cuando Rudolf Dreikurs las explicaba, a menudo le preguntaban, "¿Cómo puede encajonar así a los niños?" a lo que el solía responder, "No lo encajono, los busco ahí dentro".

Las cuatro creencias y metas equivocadas del comportamiento

1. Atención inapropiada –Creencia equivocada: "Pertenezco sólo cuando tengo tu atención".
2. Poder mal dirigido – Creencia equivocada: "Pertenezco sólo cuando estoy al mando o al menos no te permito que estés tú al mando".
3. Venganza –Creencia equivocada: "No pertenezco pero al menos te puedo lastimar".

4. Deficiencia asumida –Creencia equivocada– "Me rindo. Es imposible pertenecer".

La principal meta de todos los seres humanos es el sentido de pertenencia e importancia. Los niños (y muchos adultos) adoptan una o más de las cuatro metas porque creen que:

*   La atención o el poder les ayudará a alcanzar ese sentido de pertenencia e importancia.
*   La venganza les dará cierta satisfacción a cambio del dolor que experimentan por no sentir que pertenecen o que no son importantes.
*   Darse por vencidos es la única opción porque realmente creen que son inadecuados.

Tabla de Metas Equivocadas

La meta del Niño es:	Si el Padre / Maestro se siente:	Y tiende a reaccionar:	Y si la respuesta del niño es:	La creencia detrás del comportamiento del niño es:	Las respuestas productivas y estimulantes de padres / maestros incluyen:
Atención excesiva (para mantener ocupados a los demás u obtener servicio especial)	Fastidiado, irritado, preocupado, culpable.	Con advertencias, ruegos, haciendo cosas que el niño puede realizar por si mismo.	Detenerse momentáneamente y más tarde retomar la misma u otra mala conducta.	Yo cuento (pertenezco) sólo cuando notas mi presencia o cuando obtengo un servicio especial, soy importante únicamente cuando te mantengo ocupado conmigo.	Distraer al niño involucrándolo en una actividad útil. "Te amo y___"(por ejemplo:"Me importas y te dedicaré tiempo más tarde"). No proporcionar servicios especiales. Decir las cosas una sola vez y después actuar. Planear momentos especiales. Establecer rutinas. Darse tiempo para entrenar al niño. Organizar juntas familiares / de salón de clases. Tocar sin hablar. Establecer señales no verbales.
Poder (ser el jefe)	Provocado, desafiado, amenazado, derrotado.	Luchando, rindiéndose, pensando:"No te puedes salir con la tuya" o "Te obligaré a hacerlo", queriendo tener la razón.	Intensificar su mala conducta, complacer desafiantemente, sentir que ganó cuando el padre/maestro está alterado, ejercer poder pasivo.	Yo cuento sólo cuando soy el jefe o tengo el control, o pruebo que nadie puede mandarme: "No puedes obligarme".	Reconocer que no puede forzar al niño y pedir ayuda. No pelear y no rendirse. Retirarse del conflicto y tranquilizarse. Ser firme y gentil. Actuar, no hablar. Decidir lo que hará. Dejar que las rutinas manden. Desarrollar respeto mutuo. Dar opciones limitadas. Pedir al niño su ayuda para establecer algunos límites razonables. Dar seguimiento y continuidad a las acciones. Estimular. Utilizar juntas familiares /de salón de clases.
Venganza (desquitarse)	Lastimado, decepcionado, increíble, disgustado. Desesperado, perdido, inútil, deficiente.	Con represalias, desquitándose o pensando: "¿Cómo pudiste hacerme esto a mí?"	Tomar represalias, lastimar a otros, destruir cosas, desquitarse, intensificar la misma conducta o elegir otra arma.	Creo que no cuento, por lo tanto, lastimo a los demás porque yo me siento herido, no puedo ser aceptado ni amado.	Abordar sentimientos de dolor: "Tu conducta me dice que te sientes lastimado. ¿Podemos hablar de eso?". Evitar los castigos y represalias. Hacer correcciones. Alentar virtudes. Utilizar juntas familiares /de salón de clases.
Deficiencia asumida (darse por vencido y que lo dejen en paz).	Desesperado, perdido, inútil, deficiente.	Dándose por vencido, haciendo las cosas por el niño, sobreprotegiéndolo.	Volver a intentar en un futuro, ser pasivo, no mejorar, no responder.	No creo que pueda contar (pertenecer); por lo tanto, convenzo a los demás de que no esperen nada de mí. Soy inútil e incapaz; no vale la pena que intente nada porque no haré nada bien.	Mostrar confianza. Dar pequeños pasos. Evitar toda crítica. Alentar cualquier intento positivo del niño, por más pequeño que sea. Enfocarse en lo positivo. No compadecer. No rendirse. Establecer oportunidades para triunfar. Enseñar habilidades / enseñar el cómo. Disfrutar de la compañía del niño. Basarse en los intereses del niño. Estimular, estimular, estimular. Utilizar juntas familiares / de salón de clases.

LOS NIÑOS NO ESTÁN concientes de sus creencias equivocadas. Si usted les pregunta por qué se portan mal, le dirán que no lo saben o le darán cualquier otra excusa. Más adelante le explicaré como utilizar la revelación de metas para ayudar a los niños a que hagan conciencia de sus metas equivocadas sin sentirse avergonzados o amenazados.

Todos queremos atención, y no hay nada malo en ello, el problema viene cuando los niños buscan atención inadecuada. En otras palabras, buscan pertenecer de manera irritante. La conducta es irritante porque surge de su subconsciente creencia equivocada "Pertenezco sólo cuando soy el centro de atención". Esta creencia subconsciente añade un sentimiento de urgencia y persistencia a la conducta que los demás encuentran irritante. Puede ser muy alentador para los niños que buscan atención inadecuada, redirigirlos de tal manera que obtengan atención de forma cooperativa. Esto invita a los niños a volver a experimentar el sentido de pertenencia que están buscando y les enseña, estimulantemente, cómo obtenerlo de una manera más constructiva.

Si los estudiantes lo están fastidiando, asígneles un trabajo (como recoger papeles, llamar a los que tienen la mano levantada, o ser el alumno encargado de tareas disciplinarias). Una madre encontró la manera de redirigir la mala conducta de su hija de cuatro años de interrumpirla mientras ella hablaba por teléfono. Una vez que sonó el teléfono, interrumpió a su interlocutor el tiempo suficiente para darle a su hija su reloj y decirle, "¿Ves el segundero que se mueve todo el tiempo? Obsérvala hasta que haya dado tres vueltas completas, y entonces habré terminado de hablar".

La niña observó atentamente el segundero mirando de repente a su madre, quien colgó el teléfono antes de que transcurrieran los tres minutos. Entonces la niña dijo, "Mami, todavía te queda tiempo, tienes más tiempo".

Todos queremos poder, el poder no es malo, depende de cómo se utilice. Cuando los niños tienen la creencia equivocada (por supuesto subconscientemente) que pertenecen sólo cuando están al mando, su uso de poder parece mala conducta. Cuando los niños actúan desde la creencia equivocada de poder mal dirigido, no están aprendiendo a usarlo de manera constructiva y necesitan ser redirigidos para que lo utilicen de maneras socialmente aceptables.

Cuando los maestros o padres se encuentran inmersos en una "lucha de poderes" con un niño, lo más eficiente es salirse de tal batalla. Admita lo que está sucediendo. "Me parece que estamos en una lucha de poderes. Ahora me doy cuenta que estoy contribuyendo al problema. Supongo que te sientes abrumado, y no quiero hacer eso, pero necesito tu ayuda. Propongo que tomemos un periodo de enfriamiento y más tarde vemos cómo podemos solucionar esto de una manera que sea respetuosa para ambos".

Al igual que el padre en *Kramer vs. Kramer*, parece ser natural del ser humano, regresar el golpe cuando nos sentimos heridos. Es por eso que los ciclos de venganza son tan comunes. Y nuevamente, parece irónico que los adultos quieran que los niños controlen su conducta, cuando a ellos se les dificulta tener control sobre la propia. Sin embargo, es importante que controle su propia conducta para poder romper el ciclo de venganza. Cuando usted se sienta dolido en lugar de devolver el golpe, valide los sentimientos del niño. "Debes sentirte muy dolido en este momento, puedo entenderlo. Probablemente me sentiría igual si estuviera en tu lugar".

Validar los sentimientos es una poderosa forma de romper el ciclo de venganza, pero es necesario que se le dé seguimiento con la solución del problema. "Cuando ambos nos sintamos mejor, ¿por qué no nos reunimos y hablamos al respecto?"

Es importante notar que tal vez no haya sido usted quien lastimó al niño – o que el niño tuvo la percepción de ser lastimado cuando usted quería ser servicial, no hiriente. También es importante comprender que el castigo (aunque esté pobremente disfrazado de consecuencia lógica) sólo fortalece el ciclo de venganza.

Los niños que actúan desde su meta equivocada de deficiencia asumida (debido a una creencia equivocada sobre sus capacidades), pueden no causar muchos problemas durante el día, pero pueden perseguirlo de noche cuando usted tiene tiempo de pensar respecto a cómo ellos parecen haberse dado por vencidos. Cuidado con los niños que dicen "No puedo" solo para llamar su atención, los niños que actúan desde una deficiencia asumida, en realidad creen que no pueden. Con una mayor conciencia sobre las creencias equivocadas, puede usted decirle al niño que actúa para obtener atención inadecuada, "Cariño, confío en que puedes hacerlo solo". Sin embargo, a un niño que actúa desde su creencia y metas equivocadas de deficiencia asumida, será necesario que se tome usted el tiempo para enseñarle pequeños pasos. No haga todos los pasos, porque hacer demasiado por ellos es darles la impresión de que son deficientes. Un ejemplo sería decirle: "Yo dibujaré la mitad del circulo, y tu puedes dibujar la otra mitad" o "Yo te enseño cómo atarte un zapato, y después tu me enseñas lo que has aprendido y me haces saber si necesitas más ayuda".

¿Por qué es importante identificar la meta equivocada? Identificar la meta (y la creencia) equivocada sirve para tomar acciones más provechosas y ayudar a los niños a alcanzar su verdadera meta de pertenecer y ser importantes.

Identificar la creencia detrás de la conducta y la meta equivocada no siempre es fácil, ya que el niño puede utilizar la misma mala conducta para alcanzar cualquiera de las cuatro metas. Por ejemplo, puede negarse a hacer su tarea escolar con el objetivo de obtener atención ("Mírame, mírame"), mostrar poder ("No puedes obligarme"), buscar venganza ("Me duele saber que mis calificaciones son más importantes que yo, por lo tanto también te lastimo"), o expresar su sentimiento de deficiencia ("Realmente no puedo"). Reconocer la meta es esencial para saber qué hacer, ya que la intervención adecuada y el estímulo serán diferentes en cada meta.

Ponga atención a la palabra *estímulo*, es importante. Afirmamos que un niño mal portado es un niño desalentado. El desaliento viene de la creencia y el sentimiento de que no se pertenece y se es insignificante. El concepto primordial no es si las creencias se basan en hechos o en la imaginación; la conducta radica en lo que el niño cree que es verdad, no en lo que es verdad.

Claves para Identificar las Creencias y Metas Equivocadas

EXISTEN DOS CLAVES que los adultos pueden utilizar para identificar las metas equivocadas:

Clave número uno

Los sentimientos de reacción de los adultos ante la mala conducta. Esto puede parecer extraño al principio, quizá usted se pregunte por qué sus sentimientos le harán saber la meta equivocada del niño, pero practique la observación de sus sentimientos y se dará cuenta de cómo funciona.

Los primeros sentimientos que los adultos experimentan al confrontarse con la conducta correspondiente a cada una de las cuatro metas equivocadas son los siguientes (vea la segunda columna de la Tabla de Metas Equivocadas de la Pág 72):

- Si usted se siente irritado, preocupado, culpable o fastidiado, es probable que la meta del niño sea la atención inadecuada.
- Si se siente amenazado (usted quiere estar al mando tanto como el niño), desafiado, provocado o derrotado, es probable que la meta del niño sea el poder. Si usted reacciona con poder, se verá involucrado en una lucha de poderes.
- Si se siente lastimado ("¿Cómo es posible que el niño

haga semejante cosa cuando me esfuerzo por ser un buen padre o maestro?", decepcionado, sin fe o hastiado, es probable que la meta del niño sea la venganza. Si usted cubre su sentimiento primario con enojo, en lugar de validar los sentimientos del niño, se verá involucrado en un ciclo de venganza.

Es necesario que se pregunte, "¿Qué hay detrás de mi enojo o frustración?, ¿me siento dolido, decepcionado, amenazado o asustado?" Observe la Tabla de Metas Equivocadas, revise la columna de los sentimientos, y decida con cual se identifica. Muchos padres y maestros nos han comentado que tienen una copia de esta tabla en su escritorio o refrigerador como un recurso muy útil. Les ayuda a recordar los fundamentos de la mayoría de las conductas y a ser más eficientes en ayudar a los niños durante los momentos de tensión.

Clave número dos

La respuesta del niño cuando usted le pide que detenga su mala conducta. (Revise la cuarta columna de la Tabla de Metas Equivocadas).

- Atención inadecuada: El niño se detiene por un momento, pero generalmente pronto asume la misma conducta o cualquier otra para llamar su atención.
- Poder mal dirigido: El niño continúa con la mala conducta y puede desafiar verbalmente o resistirse pacíficamente a su petición de detenerse. A menudo esto conlleva a una lucha de poderes entre el niño y usted.
- Venganza: El niño se vengará haciendo algo destructivo o diciendo algo ofensivo. A menudo esto conduce a un ciclo de venganza entre el niño y usted.

• Deficiencia asumida: El niño es pasivo y espera que pronto usted se dé por vencido y lo deje en paz. A veces estos niños "actúan" (quizá siendo los bufones de la clase) para cubrir sus sentimientos de deficiencia académica.

Estas claves nos ayudan a "romper el código" de lo que ellos intentan decir realmente con su mala conducta. Pero, aún cuando nosotros entendamos esto, no es fácil actuar conforme a ello. Cuando nos enfrentamos con una mala conducta es mucho más sencillo (y normal) reaccionar con emociones secundarias como el enojo y la frustración, que detenernos a pensar qué trata de decirnos.

En los talleres de Disciplina Positiva hacemos una actividad vivencial llamada "La Selva" adaptada de una actividad de John Taylor, de su libro, *Person to Person*[2].

En esta actividad, unos adultos se paran sobre sillas mientras otros juegan el papel de niños que los miran desde abajo y les dicen; "Soy un niño y lo único que deseo es pertenecer". Se les pide a los adultos en las sillas que imaginen que los "niños" se están portando mal y que digan frases punitivas y desalentadoras tales como: "Deja de interrumpirme, ¿no ves que estoy ocupado? ¿Por qué no puedes ser como tu hermano?, ¿Cómo puedes ser tan egoísta?, ¿Por qué mejor no limpias tu cuarto o haces tu tarea? ¿Cuántas veces te lo he dicho?, etcétera".

Después preguntamos a cada uno cómo se sintieron, qué pensaban y qué decidían como adultos y como niños. Es una experiencia muy emocional, pero nada de lo que hagamos es más poderoso que ver, oír y experimentar los efectos inmediatos y a largo plazo que implica el reaccionar ante una conducta en lugar de romper el código y comprender lo que el niño realmente necesita.

---

[2] Taylor, John, *Person to Person*, R&E Publishers, Saratoga, CA, 1984

Después de la actividad preguntamos: "¿Qué aprendieron?" El grupo expresa varias lecciones, pero la más importante es que un niño que se porta mal, realmente está diciendo "Soy un niño y sólo quiero pertenecer". Cuando no comprendemos las creencias y metas equivocadas, reaccionamos ante la conducta en lugar de responder a la creencia detrás de la conducta.

Una vez que los adultos entiendan que un niño mal portado es un niño desalentado, estarán listos para trabajar sobre las maneras de alentarlo. Estimular es la manera más segura de cambiar una mala conducta. Un niño estimulado no necesita portarse mal.

Por favor, lea nuevamente esta última frase: *un niño mal estimulado no necesita portarse mal*. Este es el concepto más difícil de comprender para padres y maestros, porque estamos acostumbrados a tratar de motivar al niño para que mejore a través del castigo, de sermones y otras formas de culpa, vergüenza y dolor.

Recientemente recibí una llamada telefónica de una querida amiga, quien se sentía mal porque crió a sus once hijos creyendo que la manera de motivarlos era humillándolos cuando cometían errores o no hacían las cosas como "debían". Ahora está tratando de anular los efectos de baja autoestima e ira producidos en varios de ellos.

Motivar no es "premiar una mala conducta", como muchos creen. La motivación suprime la necesidad de portarse mal.

Metodos Efectivos de Estimulación para cada Meta Equivocada

NO SIEMPRE EXISTE una sola manera de resolver los problemas de conducta. En grupos de estudio, los participantes pueden idear sugerencias viables basadas en los principios que aprenderán en este libro. El padre o maestro que busca consejo puede, entonces, elegir la sugerencia que le parezca más aceptable.

La mayoría de los problemas pueden ser mejor resueltos en juntas familiares o escolares porque los niños desarrollan el sentido de pertenencia e importancia mientras aprenden a enfocarse en la solución respetuosa de problemas. Sin embargo, la Disciplina Positiva incluye habilidades y herramientas alternativas cuando se desea o requiere una acción más inmediata. Los siguientes principios generales para respuestas útiles a cada meta equivocada, será analizados más detalladamente en capítulos posteriores. En éste, los resumimos para destacar que existen muchas soluciones diferentes para cualquier problema o meta de mala conducta.

Una vez que haya leído todo el libro, y comprendido los conceptos de la Disciplina Positiva, es posible que desee regresar a este resumen para tomarlo como referencia de los métodos apropiados para cada meta. Todos so adecuados cuando se fundamentan en las actitudes básicas de la estimulación, la comprensión y el respeto mutuo, como ya se mencionó en capítulos anteriores.

Atención indebida

Recordemos que todos necesitamos atención. Pero la atención indebida no estimula a los niños.

- Guíelo hacia una conducta de colaboración. Asígnele una tarea que le proporcione atención positiva en el salón de clases o que le permita ser útil de alguna manera (por ejemplo, darle un cronómetro para que tome el tiempo mientras usted habla por teléfono).
- Haga algo inesperado (un gran abrazo, a menudo es bueno).
- Establezca un programa para pasar un tiempo especial con el niño regularmente; en la escuela, de vez en cuando es suficiente.
- Sonría como acostumbra, de tal manera que comunique

que no va a caer en provocaciones y después diga: "estoy esperando a que llegue nuestro tiempo especial a las seis".

• Establezca con anticipación señales no verbales con el niño: una mano en el corazón para indicar "te amo" o detrás de la oreja como manifestación de que usted está listo para escuchar en cuanto terminen sus gemidos.

• Evite hacer servicios especiales.

• Dé seguridad y muestre confianza: "Te amo y sé que puedes manejar esto solo".

• Ignore la mala conducta mientras acaricia al niño (continúe su conversación mientras toca al niño en el hombro).

• Durante los momentos agradables, tómese tiempo para entrenar y ensayar otras maneras de comportarse (por ejemplo, usar palabras en lugar de quejarse).

• Cierre la boca y actúe (por ejemplo, deje de persuadirlo, levántese del sofá, tome al niño de la mano y llévelo al baño a que se cepille los dientes. Puede intentar hacerle cosquillas para mantener el tono firme pero divertido.

• Exprese con palabras su amor e interés.

Poder mal dirigido

Recuerde que el poder no es algo malo, puede utilizarse de manera constructiva y no destructiva.

• Retírese de las luchas de poder para dar lugar a un periodo de enfriamiento, y después haga algo de lo siguiente.

• Admita que usted no puede obligar al niño a nada y busque su ayuda para encontrar una solución que funcione para ambos.

• Utilice los *Cuatro Pasos para Obtener Cooperación* (capítulo 2)

• Continúe con una sesión de solución de problemas, enfrentándolos uno por uno.

- Guíe al niño para que utilice el poder de manera cons-tructiva.
- Involúcrelo en la búsqueda de soluciones.
- Decida lo que usted hará y no lo que el niño debería hacer. ("Continuaré con la lección hasta que todos estén listos". "Lavaré la ropa que esté en el cesto de la ropa sucia, y no la que esté tirada en el suelo". "Me detendré a un lado del camino hasta que dejen de pelear"). Es muy importante que estas acciones se hagan con gentileza y firmeza. Es especialmente efectivo mantener su boca cerrada – evite recordatorios y sermones.
- Establezca un programa para pasar un tiempo especial con el niño regularmente en casa u ocasionalmente en la escuela.
- Involucre a los niños en crear rutinas y después permita que éstas manden.
- Ofrezca opciones limitadas.
- Invite a los niños a poner el problema en la agenda de las juntas familiares o escolares.
- Exprese verbalmente su amor e interés.

Venganza

Recuerde que los niños cubren sus sentimientos de dolor (los cuales los hacen sentir impotentes) buscando venganza (la cual les da un sentido de control)

- Apártese del ciclo de venganza evitando la represión.
- Permanezca en actitud cordial mientras termina el periodo de enfriamiento.
- Averigüe sobre lo que lastimó al niño y muestre empatía. Valide los sentimientos de dolor del niño.

- Utilice la honestidad emocional para compartir sus sentimientos: "Me siento_____con respecto a_____por que_____y me gustaría_____".
- Preste cuidadosa atención. Entre al mundo del niño reflexionando lo que escucha, "Pareces dolido". Al escuchar reflexivamente incluya preguntas como: "¿Puedes decirme más al respecto?", ¿y después, qué pasó?, "¿cómo te sentiste?". El objetivo es evitar que usted exponga su punto de vista y comprenda el del niño.
- Utilice las Tres "R" de la Recuperación (capítulo 2).
- Utilice los Cuatro Pasos para Obtener Cooperación (capítulo 2)
- Comprometa al niño en la solución de problemas, uno por uno.
- Demuestre su interés y busque estimularlo.
- Establezca un programa para pasar un tiempo especial con el niño regularmente en casa u ocasionalmente en la escuela.
- Exprese verbalmente su amor e interés.

Deficiencia asumida

Recuerde que los niños no son deficientes, pero continuarán actuando deficientemente hasta que abandonen la creencia de que lo son.

- Tómese tiempo para entrenar, dando los pasos básicos necesarios para que el niño experimente el éxito.
- Demuestre pequeños pasos que el niño pueda duplicar, "Yo dibujo la mitad del circulo, y tu dibujas la otra mitad".
- Disponga pequeños triunfos. Busque algo que el niño pueda hacer y proporciónele oportunidades para compartir su experiencia.

- Reconozca cualquier intento positivo, por pequeño que sea.
- Enfóquese en los aciertos.
- No se rinda.
- Dedique un tiempo especial al niño regularmente.
- En el salón de clases, estimúlelo a que elija un amigo o compañero como consejero para que le ayude.
- Exprese verbalmente su amor e interés.

Para destacar que la misma conducta podría representar todas las metas equivocadas, veamos el ejemplo de los niños que no quieren trabajar.

Si su meta es la atención indebida, usted se habrá sentido fastidiado. Cuando les dice a los niños que hagan su trabajo, ellos lo harán por un rato. Para ayudarles, simplemente ignore el trabajo no terminado y muestre reconocimiento en las áreas donde sí cooperan. Esto les enseñará que el no realizar su trabajo no es una buena manera de obtener su atención. Usted puede darles la opción de cuándo terminar su trabajo: ahora o después de la escuela. Es posible cambiar su mala conducta pidiéndoles que le ayuden con alguna actividad tan pronto terminen su trabajo. O podría decirles que les guiñará el ojo y les sonreirá cada vez que usted vea que no están trabajando. Esto es especialmente provechoso si considera este arreglo con ellos antes de hacer la "Revelación de Metas" (lo cual se explicará más adelante). Podría parecer que guiñar el ojo y sonreír reforzará su deseo de atención, sin embargo, ayuda a los niños a sentir que pertenecen y son importantes y pronto dejarán de sentir la necesidad de obtener atención de esa manera.

Podría también dejar que los niños experimenten las consecuencias de no hacer su trabajo, y después dar seguimiento utilizando preguntas abiertas como: "¿Qué sucedió?", ¿cómo se sienten con respecto a los resultados?, ¿qué aprendieron de esto? ¿Cómo les gustaría que fuera?, ¿qué pueden hacer para obtener lo que desean?.

Si la meta de los niños es el poder mal dirigido, usted sentirá que su poder está amenazado o debatido y deseará demostrarles que puede obligarlos a hacer lo que usted quiere. Cuando les dice a estos niños que hagan su trabajo, ellos contestarán que no lo harán o lo ignorarán pasivamente. Si usted insiste en ganar imponiendo castigos, los niños pueden atacar con más poder para probarle que "no puede obligarlos", podrían cambiar súbitamente su meta a la venganza (es doloroso ser el perdedor). La manera de ayudar a estos niños, es retirarse de la lucha de poderes.

Los niños que quieren poder se inspiran generalmente en un adulto que está implicado en la lucha, por eso es su responsabilidad cambiar esta atmósfera. Cuando en verdad se busca respeto mutuo y cooperación, basados en la comprensión y toma de decisiones compartidas, los niños notarán la diferencia y, al confiar en ésta, entonces cooperarán (lo cual toma algo de tiempo).

Al examinar la solución de problemas con los niños, admita ante ellos que usted ha estado participando en una lucha de poderes. Afirme que realmente desea cambiar la relación entre ustedes y comience a resolver los problemas con respeto mutuo y comprensión. Pida ayuda al niño para que le indique cuándo cree que usted trata de ejercer su poder o de manipularlo. Compártale su deseo de trabajar juntos para encontrar soluciones comunes. Recuerde que los niños están más dispuestos a llevar a cabo las soluciones cuando se les involucra en las decisiones.

Las juntas familiares y escolares son útiles para resolver los problemas relacionados con el poder. Los niños que luchan por mantener su poder, a menudo poseen buenas características de liderazgo. Afírmeles que aprecia estas cualidades y pida su ayuda en algunas actividades de liderazgo. Una maestra entrenó a algunos niños para que fueran consejeros de sus compañeros con el objetivo de que ayudaran a otros con sus problemas escolares (vea el Apéndice II).

Una herramienta para los maestros es otorgar una calificación baja por el trabajo incompleto. Es importante conservar una actitud cordial y firme –no de poder. Después dé seguimiento haciendo preguntas abiertas, como se mencionó anteriormente. Para ayudar al niño a comprender que tiene poder sobre lo que le sucede y para cambiar las cosas si así lo desea.

Si la meta del niño es la venganza, usted se sentirá lastimado o disgustado. No entenderá por qué el niño no hace su trabajo cuando usted se ha esforzado tanto como padre o maestro. Cuando le hace indicaciones, él puede decir algo hiriente como "te odio", o podría hacer algo destructivo como romper los papeles.

Para ayudar al niño, no tome represalias. Aborde los sentimientos de dolor y permanezca en actitud cordial, mientras dice: "Sé que estás molesto, por lo tanto no podemos discutir esto ahora, pero me gustaría hablar contigo más tarde". Después del periodo de enfriamiento, puede utilizar los Cuatro Pasos para obtener Cooperación, o podría ignorar el problema y compartir intereses especiales (capitulo 7). Es probable que necesite utilizar la "Revelación de Metas" para llegar a los sentimientos de dolor.

Si la meta del niño es la deficiencia asumida, usted puede sentirse incapaz de ayudarlo. Así, cuando usted le pide que haga su trabajo, el niño parece retraerse y solo está esperando que lo deje en paz. (Esta es una diferencia importante entre las metas de deficiencia asumida y atención. Un niño que busca atención, puede actuar deficientemente, pero se complace cuando obtiene su atención, un niño que asume que es deficiente, desea que lo dejen en paz).

Para ayudar a este niño, asegúrese que sepa cómo hacer el trabajo. Tómese el tiempo necesario para entrenarlo, aunque crea que él ya debió haber entendido porque ya se lo ha explicado varias veces. La diferencia entre un niño que no hace su trabajo para obtener atención y otro que no lo hace porque asume su deficiencia, es que el primero sabe cómo hacerlo y solo trata de manipular debido a su creencia equivocada de que no pertenece a menos que usted le ponga atención, y el segundo está desmotivado porque realmente cree que no puede hacer las cosas y no desea su atención. Ya que la conducta puede ser similar en los niños con estas dos metas, es importante que observe para saber cuándo un niño trata de mantenerlo a usted ocupado o cuándo realmente preferiría que usted se alejara.

Otra posibilidad es preguntarle si quiere que usted le ayude, o si desea que elegir a un compañero para que lo auxilie. O quizá podría buscar un nivel donde el niño se sienta adecuado y dejar que trabaje ahí. Asegúrese de arreglar la situación para que tenga éxito.

No se dé por vencido. Este niño tal vez haga el trabajo sólo para quitarse a usted de encima, pero cualquiera que sea la razón, si realiza su trabajo, obtendrá cierto logro y se sentirá estimulado. Es importante pasar un tiempo especial con él.

Revelación de Metas

YA QUE LOS NIÑOS no están concientes de sus metas equivocadas, la Revelación de Metas es una manera de ayudarles a percatarse de sus creencias erróneas.

La Revelación de metas debe ser conducida por maestros, consejeros o padres entrenados como educadores. Es esencial ser objetivos y cordiales durante el proceso. Es casi imposible para los padres ser objetivos con sus propios hijos, por lo que es probable que este método no funcione con ellos.

Debido a que la objetividad y cordialidad son esenciales, le Revelación de Metas no debe realizarse en momentos de conflicto. Es mejor hablar con el niño a solas mientras usted aprende este procedimiento. La gente entrenada a menudo lo hace en grupos o frente a una audiencia. Adler y Dreikurs eran famosos por llevar a cabo este procedimiento con un niño frente a una audiencia, de tal manera que todos, incluyendo al niño, podían aprender de ello. Sin embargo, yo recomiendo que cuando usted haga esto con los niños, elija un momento de privacidad en el que ambos se encuentren tranquilos.

Primero pregunte al niño si sabe por qué está empeñado en una conducta determinada. Mencione específicamente la conducta, por ejemplo, "Mary, ¿sabes por qué estás paseando por el salón, cuando deberías estar en tu asiento?"

Generalmente los niños contestan "No lo sé", y en realidad no lo saben a un nivel conciente. Con la Revelación de Metas comprenderán lo que está sucediendo. Pero aunque den alguna razón, no será la verdadera.

Si le da alguna razón, usted responde, "Yo tengo otras ideas. ¿Te parece bien si trato de adivinar? Tú me dices si tengo razón o no".

Si le responde que no sabe, pregúntele si puede adivinar como se explicó antes. Si lo propone objetiva y amistosamente, el niño se sentirá intrigado y ansioso de conocer sus suposiciones. Después haga lo que Dreikurs llamaba preguntas de podría ser dándole tiempo para que responda cada una.

- ¿Podría ser que la razón por la que paseas en el salón es que quieres mi atención y mantenerme ocupado contigo? (Atención Indebida).
- ¿Podría ser que la razón por la que paseas en el salón es que deseas demostrarme que tú puedes hacer lo que quieras? (Poder mal dirigido).
- ¿Podría ser que la razón por la que paseas en el salón es que te sientes lastimado y quieres desquitarte conmigo o con alguien más? (Venganza)
- ¿Podría ser que la razón por la que paseas en el salón es que sientes que no puedes hacer nada bien y ni siquiera deseas intentarlo? (Deficiencia asumida).

Existen dos respuestas que le harán saber si su suposición es correcta y si el niño se ha percatado concientemente de su meta. La primera es un reflejo de reconocimiento, esto significa que el niño sonríe involuntariamente, aunque mientras lo hace diga que no. Si la respuesta es no, pero no existe el reflejo de reconocimiento, continúe con la siguiente pregunta, sin embargo, el reflejo de reconocimiento (sonrisa involuntaria mientras se niega la suposición) le revelará que está usted en lo correcto. La otra respuesta es un simple sí. Una vez que obtenga un reflejo de reconocimiento o una respuesta afirmativa, no es necesario que continúe con las demás preguntas. Entonces puede involucrar al niño en una discusión sobre otras formas de lograr el sentido de pertenencia e importancia. Si la meta es la atención, explíquele que todos necesitamos atención y guíelo hacia formas constructivas de buscarla. Por ejemplo, "¿Me puedes ayudar a pensar en otras formas de obtener atención que también sean útiles para los demás?". También es posible que usted esté de acuerdo en prestarle atención por su conducta diciéndole que le guiñará el ojo y sonreirá un determinado número de veces, previamente acordado, para que él sepa que tiene su atención. Hagan esta conspiración entre ustedes dos. Para muchas personas esto parecería premiar la mala conducta, pero en realidad es lo que Dreikurs llamaba "escupir en la sopa", el hecho de tener conciencia de ello, lo hace menos atractivo.

Si la meta es el poder, admita que usted no tiene el poder para obligarlo a que se comporte de diferente manera y pídale su ayuda para diseñar un plan de respeto mutuo y comprensión. "Tienes razón, no puedo obligarte, ¿cómo podemos ambos emplear nuestro poder de manera respetuosa para resolver este problema?" Pedir ayuda, es una importante frase cuando la meta, tanto del niño como del adulto, se dirige de una lucha de poderes hacia un poder fecundo.

Si la meta es la venganza, muestre su interés en comprender lo que usted o alguien más ha hecho para lastimar al niño. "Lo siento no me di cuenta de que te estaba lastimando. ¿Me perdonas?" o

"Lamento que te sientas herido por esta situación. Probablemente yo me sentiría igual si me hubiese sucedido a mí". Escuchar sin juzgar, puede ser uno de los procedimientos más estimulantes para esta meta. No racionalice, explique o trate de cambiar la percepción del niño, sólo escuche reflexivamente. Una vez que él se sienta comprendido, estará más dispuesto a escuchar su punto de vista y trabajar en las soluciones.

Si la meta es la deficiencia asumida, tranquilícelo diciéndole que comprende cómo se siente porque, a veces, usted también se desalienta. Continúe con este procedimiento con expresiones de confianza en las habilidades del niño y planee pequeños pasos viables que le aseguren el éxito. "Sé que tu no crees que puedes hacerlo; y yo deseo hacer cualquier cosa que sea necesaria para ayudarte a lograrlo".

La Revelación de Metas puede ser su tercera clave para identificar la meta equivocada. Existe un video en el que Dreikurs entrevista a un niño y parece muy seguro de que la meta del niño es el poder. Dreikurs insiste en obtener un reflejo de reconocimiento haciendo preguntas de "podría ser" de diferentes maneras para indicar poder, pero continuamente obtiene una respuesta negativa y ningún reflejo de reconocimiento. Finalmente, continúa con las preguntas que indican venganza y el niño acepta que se siente herido por lo que sus padres han hecho.

Los maestros pueden utilizar este método para incrementar su comprensión y mostrar su interés por el niño. Una vez que se conoce la meta, es posible utilizarla como tema de discusión y para la solución de problemas.

Grado de Desaliento

LOS NIÑOS NO COMIENZAN necesariamente con la primera meta que es la atención para después llegar a la deficiencia asumida. Los más pasivos podrían ir directamente a ella si se les trata severamente o si, por alguna otra razón, creen no pertenecer y no ser importantes.

Los niños suficientemente valientes nunca podrían llegar a la deficiencia asumida, pero a menudo son empujados a la venganza por los adultos que insisten en ganar la lucha de poderes.

La señora Fernández nos comentó por qué estaba tan complacida de aprender las Cuatro Metas Equivocadas del Comportamiento y los remedios correctivos. Su hijo mayor, Alberto, era extremadamente difícil, siempre hacía cosas hirientes o destructivas. Nos relató un ejemplo.

En una ocasión, toda la familia (papá, mamá, Alberto, su hermano menor Ramón y la bebé Marta) pasó el día buscando casa. Alberto y Ramón se quejaban de que estaban aburridos y acalorados, y pedían regresar a casa. Marta, de dos años, estaba contenta en el regazo de su madre y dormitaba cuando se sentía cansada.

Al día siguiente, los Fernández deseaban continuar su búsqueda y pensaron que Alberto y Ramón se quedarían contentos a cargo de su vecina. Era un día hermoso y podían jugar con sus amigos del vecindario. Ya que Marta no había tenido problemas y era demasiado pequeña, decidieron llevarla consigo. Cuando estaban listos para salir, Alberto dijo a sus padres que quería acompañarlos; su madre le recordó lo mal que lo había pasado el día anterior y trató de convencerlo de que estaría más contento quedándose en casa. Alberto insistió, pero la mamá fue firme en su decisión, e incluso les dio a Alberto y a Ramón, una moneda para comprar una paleta helada a modo de soborno. Alberto no estaba satisfecho, pero de todos modos lo dejaron.

Cuando regresaron, la señora Fernández estaba consternada; Alberto había tomado un cuchillo y cortado el asiento de la silla alta de Marta. Su primera reacción fue sentirse herida mientras se preguntaba cómo, su hijo, había podido hacer algo así, pero rápidamente cubrió su dolor con enojo, golpeó a Alberto y lo mandó a su habitación.

En ese tiempo, la señora Fernández asistía a un grupo de estudio de padres de familia y llevaba un diario para recordar las situaciones en las que quería trabajar con el grupo. Tan pronto empezó a escribir, fue lo suficientemente objetiva para ver las cosas desde el punto de vista de Alberto y comprendió por qué su meta equivocada había sido la venganza. Utilizó los Cuatro Pasos para Obtener Cooperación (capítulo 2):

Fue a la habitación de Alberto y le preguntó, "¿Tú crees que la razón por la que llevamos a Marta y no a ti, fue porque es nuestra favorita?"

Alberto contestó con lágrimas, "Sí".

Ella le dijo: "Entiendo por qué te pareció así y apuesto que eso no te hizo sentir muy bien". Alberto comenzó a llorar.

La señora Fernández lo abrazó y esperó a que se calmara. "Creo que puedo entender lo que sentiste. Cuando tenía trece años, mi madre se llevó a mi hermana de dieciséis a Nueva York, yo quería ir pero me dijeron que era demasiado pequeña. No lo creí, pensaba que no me llevaban porque mi madre la amaba más a ella que a mí". Alberto parecía compasivo, entonces su mamá le preguntó, "¿Te gustaría saber por qué quería dejarte en casa?" Alberto asintió con la cabeza y ella dijo, "Ayer me sentí mal de que estuvieras tan aburrido y acalorado. No era agradable buscar casa mientras te sentías tan mal. Supuse que lo mejor para todos era que te quedaras a jugar con tus amigos y no te aburrieras. ¿Puedes comprender por qué pensé que te estaba haciendo un favor?

Alberto respondió, "Creo que sí".

La mamá agregó, "Entiendo por qué pudiste haber pensado que amábamos más a Marta que a ti, pues la llevamos con nosotros y a ti no, pero eso no es verdad. Te quiero mucho y hubiera preferido dejar a Marta en casa también, pero sabía que ella no podría salir a jugar con sus amigos de la misma forma en que lo harías tú."

La señora Fernández siguió abrazando a Alberto durante un rato y después preguntó, "¿Qué crees que debemos hacer para reparar la silla de tu hermana?"

Alberto respondió con entusiasmo, "Yo puedo arreglarla", a lo que su madre contestó, "Apuesto que sí".

Ambos hicieron un plan, utilizando parte de la mesada de Alberto para comprar una pieza de vinilo. Cortaron un patrón y juntos lo engraparon a la silla. La silla quedó mejor de lo que estaba... al igual que su relación. (Este es otro ejemplo de cómo los errores pueden proporcionar oportunidades para hacer que las cosas sean mejor que antes).

La señora Fernández se dio cuenta de que ella y su hijo habían caído en un ciclo de venganza. Él creía, erróneamente, que no era amado (falte de sentido de pertenencia e importancia) y esto lo hirió e inspiró para decidir la meta equivocada de lastimar. Alberto haría algo hiriente o destructivo, pero la señora Fernández tendía a cubrir su dolor con enojo y a desquitarse de Alberto con más castigos.

Ella se percató del daño a la silla y de que el castigo no la repararía, también sabía que no podía ignorar tal comportamiento. Castigar le dio la sensación de que no dejaría al niño "salirse con la suya", pero después comprendió que este proceder no produciría los resultados perdurables que deseaba.

Al advertir que la meta equivocada de Alberto era la venganza, la señora Fernández pudo manejarla adecuadamente para dar paso a resultados positivos a largo plazo. Cuando Alberto hiciera algo destructivo, ella reconocería el dolor y la molestia de su hijo y manejaría la situación para hablar con él más tarde. Después de un periodo de enfriamiento, daría los Cuatro Pasos para Obtener la Cooperación, como en este ejemplo, y llegarían a una solución que los acercara, en lugar de continuar con el ciclo de venganza y mala conducta.

Todo esto sucedió hace varios años. La señora Fernández ha comentado que ella y Alberto tienen una excelente relación. Su hijo ya no es hiriente ni destructivo, y a ella le asusta pensar cómo serían las cosas si hubieran continuado con su ciclo de venganza.

Trabajando con Adolescentes

ESTOY SEGURA que usted reconocerá que, incluso los adultos, a menudo adoptamos estas metas y creencias equivocadas. Sin embargo, no es tan sencillo ubicar a los niños en una de estas clasificaciones después de cumplir los once o doce años.

Muchos adolescentes con problemas de conducta, poseen metas equivocadas de atención, poder, venganza o deficiencia asumida, pero intervienen también otros factores.

La presión por parte de sus compañeros es extremadamente importante. Los niños pequeños son influenciados por la presión de sus compañeros, pero para ellos la aprobación de los adultos es aún más importante. Para los adolescentes, la aprobación de los compañeros es más importante que la de los adultos y se convierte en una de sus metas equivocadas. Los adolescentes también atraviesan por un proceso importante de individualización, están explorando quienes son separados de sus padres, y esto, a menudo, se convierte en rebeldía mientras ponen a prueba los valores de sus padres. Esta rebeldía, raras veces dura hasta los veintes, a menos que los padres se vuelvan controladores y punitivos.

Una reciente investigación realizada por David Walsh y Nat Bennett[3] muestra que durante la adolescencia se da un rápido crecimiento del cerebro en la corteza prefrontal que provoca cierta confusión en los adolescentes. A menudo los adolescentes malinterpretan el lenguaje corporal de quienes los rodean como agresivo cuando en realidad no lo es. Como si ser adolescente no fuera lo suficientemente difícil, el cerebro los enreda afectando sus percepciones y su comunicación. Es muy útil para los padres

---

[3] David Walsh y Nat Bennett *Why do They Act that Way: A Survival Guide to the Adolescent Brain for You and your Teen*, Free Press, New York, NY, 2004

reconocer que la corteza prefrontal no madura hasta los veinticinco años (las compañías de seguros lo saben) y que se requiere de mayor conciencia de ser claros y no hacer suposiciones, cuando se está educando a adolescentes.

Los métodos excesivamente controladores pueden ser desastrosos con los adolescentes, quienes generalmente están incluso menos dispuestos que los niños a asumir una postura inferior y sumisa. Cuando los adolescentes han sido sometidos a comportamientos controladores por parte de los adultos, son muy recelosos de la palabra *Cooperación*, pues la interpretan como "rendirse", y tienen razón, eso es lo que muchos adultos quieren decir con "cooperación".

La motivación, que trataremos más adelante en el capítulo siete, es tan importante para los adolescentes como lo es para los niños. Cuando Lynn Lott y yo escribimos el libro *Estoy de tu lado: Cómo resolver conflictos con su hijo o hija adolescente*, se vendió moderadamente durante dos años, después cambiamos el título a *Disciplina Positiva para Adolescentes*[4] y se vendieron más copias en dos meses que las vendidas en dos años con el título anterior. ¿Qué significa esto? No lo sabemos de cierto, pero parece que los padres no se dan cuenta de lo fundamental que es dar a entender a sus hijos que están de su lado. Muchos padres y adolescentes han trazado líneas de batalla, y los padres parecen más interesados en controlar a sus hijos. Esto es triste porque sabemos que es absolutamente imposible controlar a los adolescentes –es demasiado tarde. Entre más trate de controlarlos, más desafiantes y/o mentirosos se vuelven.

La única manera de obtener su cooperación es a través del respeto mutuo y la igualdad en la solución de problemas. Las juntas familiares y escolares enseñan responsabilidad social e involucran a los adolescentes en el proceso de toma de decisiones. Cuando se les trata con cordialidad, firmeza, dignidad, respeto y se les involucra para resolver problemas, generalmente, regresan a los valores familiares alrededor de los veinte años – y habrán aprendido más de las importantes habilidades de vida que necesitarán cuando ya no estén bajo la autoridad de los adultos.

REVISION

Las cuatro metas discutidas en este capítulo se llaman metas equivocadas porque conducen a una conducta inadecuada debido a falsas creencias sobre cómo tener un sentido de pertenencia e importancia. Las Cuatro Metas Equivocadas representan cuatro creencias equivocadas que los niños adoptan cuando sienten que no pertenecen y no son importantes.

A veces es difícil para nosotros, como padres y maestros, recordar que los niños que se portan mal nos están hablando en código —están tratando de decirnos que desean pertenecer y ser importantes, mientras su conducta inspira frustración en lugar de amor e interés. Algunos expertos creen que reforzaremos la mala conducta si respondemos positivamente.

Aceptar este concepto intelectualmente es una cosa, pero ponerla en práctica es otra muy diferente, por las siguientes razones:

1. La mayoría de los adultos no se sienten dispuestos a ser positivos cuando un niño se está portando mal.

2. La mayoría de los adultos no comprenden a cabalidad, cómo es que su propia conducta invita a la mala conducta en los niños y por lo tanto se resisten a aceptar su parte de responsabilidad en el espectáculo. Hacer conciencia sin generar culpa es un enorme paso para resolver el problema.

3. Los pocos adultos capaces de responder a una mala conducta con estimulación positiva, a menudo, son rechazados. Esto es porque los niños (como muchos de nosotros) no siempre son receptivos a la estimulación cuando más la necesitan, están demasiado trastornados emocionalmente para aceptarla. Dé cabida a un periodo de enfriamiento y después vuelva a intentarlo. El niño más necesitado de amor, es el que se comporta de manera más desagradable.

Comprender las Cuatro Metas Equivocadas del Comportamiento ayuda a los adultos a recordar que los niños realmente están diciendo con su mala conducta "Sólo quiero pertenecer". También nos apoya a resolver el problema de formas estimulantes mientras enseñamos a los niños las habilidades necesarias para la vida.

Recuerde que el castigo puede detener al momento la mala conducta, pero no resolverá permanentemente el problema. Únicamente si se le estimula para que sienta que pertenece y es importante, obtendrá resultados positivos duraderos.

Si el estímulo no puede darse o no se acepta en el momento de la mala conducta, es esencial proporcionarlo después de un periodo de enfriamiento. Tenga también en mente que se necesitan dos personas para una lucha de poderes o un ciclo de venganza. Es conveniente que observe sus propias metas equivocadas y tome acciones para cambiarlas con el objeto de emprender actitudes y conductas más alentadoras.

Herramientas de Disciplina Positiva

1. Acepte la responsabilidad (sin culpa) de su parte en la ecuación de la mala conducta.
2. Comprenda y responda con motivación a las Cuatro Metas Equivocadas del Comportamiento.
3. Vuélvase experto en "romper el código" para comprender lo que realmente el niño está queriendo decir con su mala conducta – "Soy un niño y sólo quiero pertenecer".
4. Utilice las claves que le ayudan a comprender las metas equivocadas del comportamiento. ¿Qué es lo que usted siente? ¿Qué hace el niño en respuesta a lo que usted hace?
5. Para Atención Indebida: Revise todas las herramientas sugeridas en la Pág 80.
6. Para el Poder Mal Dirigido: Revise todas las herramientas sugeridas en la Pág 81.

7. Para la Venganza: Revise todas las herramientas sugeridas en la Pág 82.

8. Para la Deficiencia Asumida: Revise todas las herramientas sugeridas en la Pág 83.

9. Utilice la Revelación de Metas de una manera cordial para ayudar a los niños a hacer conciencia de sus metas equivocadas.

10. Cuatro Pasos para Obtener Cooperación.

Preguntas

1. ¿De qué manera los adultos pueden ser "responsables" de lo que ellos llaman "mala conducta del niño"?

2. ¿Cuáles son otros términos que podrían ser utilizados para lo que ahora se llama mala conducta?

3. ¿Cuáles son las Cuatro Metas Equivocadas del Comportamiento?

4. ¿Cuál es la creencia equivocada para cada meta equivocada?

5. ¿Por qué es importante identificar la meta?

6. ¿Cuáles son las dos claves que ayudan a los adultos a identificar la meta?

7. ¿Cuál es el primer sentimiento como reacción ante cada una de las cuatro metas? Responda esta pregunta individualmente por cada meta.

8. ¿Cómo responden los niños cuando se portan mal dentro de cada una de las cuatro metas cuando usted les pide que se detengan? Dé una respuesta por cada meta.

9. ¿Cuáles son algunas de las respuestas o acciones efectivas que usted puede tomar para ayudar a corregir la mala conducta en cada meta?

10. ¿Por qué se dice que son equivocadas, las cuatro metas?

11. Los niños no basan su conducta en lo que es verdad, entonces ¿en qué la basan?

12. ¿Qué es lo que un niño trata de decir con su mala conducta?

13. ¿Por qué es difícil recordar lo que nos trata de decir el niño?

14. ¿Por qué los niños podrían rechazar su intento de ser positivo cuando se están portando mal?

15. ¿Qué tipo de niños necesitan más amor, generalmente?

16. ¿Qué es lo más importante que usted puede hacer para ayudar a un niño a superar lo que motiva su mala conducta?

5

Cuidado Con las
Consecuencias Lógicas

D URANTE AÑOS yo defendí el uso de las consecuencias lógicas. Sin embargo, continuamente me frustraba cuando escuchaba a padres y maestros dándome ejemplos de las consecuencias que ellos imponían. A mí me parecían castigos.

Algunos padres y maestros parecen pensar que pueden disfrazar un castigo llamándolo consecuencia lógica. Sin embargo, cuando señalo que la mayoría de las consecuencias lógicas son castigos pobremente disfrazados, ellos me dan la razón. Yo creía que había sido la primera en descubrir este fenómeno hasta que volví a leer el libro Los Niños, El Reto y encontré la siguiente frase de Dreikurs[1]. "Cuando empleamos el término 'consecuencias lógicas', con frecuencia los padres lo malinterpretan como una nueva manera de imponer sus órdenes a los niños. Estos niños lo ven como es –un castigo disfrazado".

¿Se ha preguntado en qué piensan los niños al ser castigados (aún cuando lo llamemos consecuencia lógica)? Algunos pueden decidir que no valen o que son malos; otros eligen no repetir la mala conducta que provocó el castigo, pero lo hacen porque tienen

---

[1] Dreikurs, Rudolf y Soltz, V. *Children the Challenge*, New York, Pluma, p. 80

miedo y se sienten intimidados, no por haber desarrollado principios relacionados con lo correcto y lo incorrecto. Estos niños, quienes pueden convertirse en adictos a la aprobación, siempre tratan de probar que valen porque muy en el fondo han decidido que no son lo suficientemente buenos. Otros piensan en la forma de derrotarlo a usted o evitar se sorprendidos en el futuro. Muchos piensan en vengarse. A menudo, los niños que son castigados hacen cosas para desquitarse rápidamente. Después de experimentar el castigo, generalmente se quedan con una sensación de injusticia, y en lugar de dirigir su atención a la conducta que lo provocó, encaminan su enojo hacia el adulto que se los impuso o los hizo sentirse avergonzados.

Algunos adultos piensan erróneamente que la mala conducta continúa porque el castigo no fue suficientemente severo para aprender la lección. Por lo tanto, el siguiente es más duro y los niños encuentran maneras más inteligentes de desquitarse, perpetuando el ciclo de venganza. Es posible que los padres no reconozcan la gravedad de los ciclos de venganza, hasta que sus hijos son adolescentes y se rebelan por completo mediante situaciones extremadamente dolorosas, como fugarse, involucrarse en drogas, embarazándose o cualquier otro doloroso evento. Lo irónico es que, a través de la venganza, el niño se lastima tanto a sí mismo como a sus padres.

No estoy diciendo que el castigo (aún cuando lo llamemos consecuencia lógica) no funcione, cualquiera que haya tratado con niños sabe que esto detendrá la mala conducta, cuando menos por un momento. Por esta razón los adultos pueden pensar que ganan muchas batallas, sin embargo, han perdido inevitablemente la guerra de la disciplina, cuando los niños sienten deseos de desquitarse, cuando buscan pasar desapercibidos o cuando se llenan de miedos y se sienten insignificantes.

Una vez más, debemos tener cuidado con lo que "funciona" y considerar los resultados a largo plazo. Mientras, para los adultos, ganar sea lo más importante, seguirán formando niños perdedores.

La mayoría de los padres se alarman cuando piensan en los resultados a largo plazo del castigo. Nunca fue su intención crear circunstancias en las que sus hijos desarrollaran rebeldía y se sintieran insignificantes. En realidad creían que el castigo inspiraba a sus hijos a portarse mejor y ser mejores personas. Pensar en los resultados a largo plazo es un concepto completamente nuevo para muchos padres. Sin embargo, aquellos que se toman tiempo para pensar en los efectos a largo plazo de lo que están haciendo, se emocionan cuando descubren métodos disciplinarios más alentadores que son efectivos a largo plazo para ayudar a los niños a desarrollar capacidad personal y aprender valiosas habilidades sociales y de vida.

Debido a que he visto que es más común el mal uso de las consecuencias naturales y lógicas, que su empleo efectivo, ahora abogo por no usarlas –al menos casi nunca. Yo las eliminaría por completo, si no fuera porque sé que, utilizadas adecuadamente, pueden ser un método efectivo y alentador para emplear con los niños. Sin embargo, las consecuencias lógicas serán de las últimas en la lista de herramientas en nueve de diez casos. Muchas familias y maestros me han dicho que el ambiente en su casa y salón de clases cambió dramáticamente cuando dejaron de enfocarse en las consecuencias y empezaron a enfocarse en las soluciones (capítulo 6).

Existen tres razones para discutir las consecuencias lógicas (y naturales), aun cuando acabo de decir que son de las últimas en mi lista de herramientas. De hecho, solamente las consecuencias lógicas son las últimas en mi lista. Las consecuencias naturales proporcionan una excelente experiencia de aprendizaje para los niños cuando los adultos no interfieren, como suelen hacerlo.

1. Hay momentos en los que las consecuencias naturales y lógicas son adecuadas, útiles y efectivas.

2. Las consecuencias lógicas es una de las herramientas más utilizadas en hogares y escuelas. Los padres y maestros encuentran muy útil saber qué es una consecuencia lógica y cómo emplearla adecuadamente.

3. Las consecuencias naturales y lógicas pueden ser respetuosas y alentadoras para los niños, aunque con frecuencia se hace mal uso de ellas. Cuando se utilizan apropiadamente, los niños pueden aprender mucho de ellas porque les ayuda a desarrollar formalidad y responsabilidad con dignidad y respeto.

Consecuencias Naturales

UNA CONSECUENCIA NATURAL, es cualquier cosa que sucede naturalmente, sin la intervención del adulto. Cuando usted se para bajo la lluvia, se moja; cuando no come, siente hambre; cuando olvida su abrigo, se resfría. No se permite alardear. Los adultos alardean al sermonear, reprender, decir "te lo dije", o cualquier otra cosa que añada culpa, vergüenza o dolor al que ya sufrió el niño naturalmente con la experiencia. De hecho, alardear reduce el efecto de aprendizaje que puede ocurrir al experimentar una consecuencia natural; el niño deja de procesar la experiencia y se concentra en absorber la culpa, vergüenza y dolor o en defenderse de ellos. En vez de alardear, muestre empatía y comprensión por lo que el niño está experimentando: "Apuesto que fue difícil pasar hambre (mojarte, ver tan mala calificación, darte cuenta que perdiste tu bicicleta)". Cuando parezca apropiado, en lugar de protegerlos, añada, "Te amo y confío en que podrás manejarlo". Puede ser difícil para los padres ser solidarios con sus hijos sin rescatarlos o sobreprotegerlos, pero es una de las actitudes más alentadoras que puede usted tomar para ayudarlos a desarrollar percepciones de capacidad. Veamos un ejemplo de cómo funcionan las consecuencias naturales.

Jaime, un niño de primer año, olvidaba su almuerzo todos los días. La madre interrumpía sus múltiples actividades para llevarle el almuerzo a la escuela. Después de estudiar sobre las consecuencias naturales, ella decidió que Jaime aprendería, si experimentaba la consecuencia natural de olvidarlo. Primero lo discutió con su hijo, informándole que confiaba en que se haría responsable. También le comunicó que ya no llevaría su almuerzo a la escuela si lo olvidaba, pues sabía que él aprendería de sus errores. Es importante y respetuoso discutir con los niños, por anticipado, cuando planea cambiar su conducta y permitir que experimenten las consecuencias naturales de sus elecciones.

Por un tiempo no resultó como ella esperaba, pues la maestra de Jaime se encargó de prestarle dinero para el almuerzo cuando él lo olvidaba en casa. Fue hasta que la madre de Jaime y su maestra se pusieron de acuerdo para dejar que él aprendiera de las consecuencias naturales de su conducta, que Jaime se hizo responsable de su almuerzo.

Sin embargo, Jaime puso a prueba el plan y la siguiente vez que lo olvidó, le preguntó a su maestra si le prestaba dinero, ella respondió: "Lo siento Jaime, pero acordamos que tú debías solucionar el problema solo". Telefoneó a su madre y le pidió que le llevara su almuerzo, pero ella también le recordó, cordial y firmemente que debía resolver el problema por sí mismo. Jaime puso mala cara durante un rato, aunque uno de sus amigos le compartió medio emparedado.

Después de ese día, Jaime rara vez olvidaba su almuerzo y cuando lo hacía, encontraba a alguien que le compartiera algo de comer. Para cuando pasó a segundo año, no sólo se hizo responsable de su almuerzo, sino que, además, él mismo lo preparaba.

Muchos adultos no son muy tolerantes ante los quejidos, las rabietas y las desilusiones de sus hijos. Para la madre de Jaime no fue fácil escuchar a su hijo quejándose, y le fue muy difícil dejarlo experimentar su enojo. Notó que sintió algo de culpa porque su hijo tenía hambre, pero recordó que olvidar el almuerzo era solamente un pequeño error, uno de los tantos que Jaime cometería en su vida. Si no continuaba con su plan, él no aprendería la habilidad de ser más organizado en las mañanas, y los buenos sentimientos de manejar por sí mismo un problema. En lugar de eso, aprendería que cada vez que las cosas no funcionen, él podría quejarse y entonces lograr que alguien más resolviera sus problemas. Viéndolo de este modo, la madre de Jaime pudo mantener la calma.

Decida lo que Usted Hará

ESTE EJEMPLO de consecuencia natural, también podría llamarse, decida lo que usted hará y no lo que obligará hacer al niño. Debido a que las consecuencias naturales y lógicas son, con frecuencia, tan mal usadas y abusadas, daré varios ejemplos de consecuencias con otro nombre, que incrementan el respetuoso uso de las consecuencias.

Otra madre se dio cuenta que era efectivo decidir lo que ella haría para ayudar a su hija de once años, Julieta, a hacerse responsable de su ropa. Su madre la reñía constantemente por no colocar sus prendas sucias en el cesto. Julieta no hacía caso pero se quejaba constantemente porque la ropa que quería usar, no estaba limpia. Su madre, a menudo, se rendía y lavaba apresuradamente aquello que la niña quería ponerse, haciéndole un servicio especial para rescatar a Julieta del sufrimiento.

Cuando la madre de Julieta aprendió que estaba dañando a su hija en lugar de ayudarla, decidió permitir que Julieta experimentara la consecuencia natural, decidiendo lo que ella haría. Cordial, pero firmemente le dijo a su hija que confiaba en su habilidad para hacerse responsable de su ropa. Le explicó que, a partir de ese momento, lavaría sólo la ropa que estuviera en el cesto, los días designados para ello. Al decidir lo que ella haría, en lugar de tratar de obligar a su hija a hacer algo, dejó que Julieta experimentara la consecuencia natural de no colocar sus prendas sucias en el cesto antes del día designado para lavar ropa.

Julieta quiso poner a prueba el plan de su madre. Unos días más tarde, quiso usar unos pantalones que, intencionalmente, no colocó en el cesto. Cuando se quejó, su madre, comprensivamente, dijo, "Imagino lo desilusionada que estás porque no están limpios", y cuando Julieta le suplicó que los lavara, su madre le contestó, "Estoy segura que podrás encontrar otra solución", y se metió al baño a darse una ducha para evitar discutir durante el momento del conflicto. Julieta estaba molesta, tuvo que usar otros pantalones ese día, pero pasó mucho tiempo antes de que volviera a olvidar colocar su ropa sucia en el cesto.

Algunas personas podrían llamar a esto consecuencia lógica, porque la madre estuvo involucrada. Sin embargo, como usted notará, su implicación consistió en "permanecer fuera de la situación" aunque mostrando empatía, motivación y permitiendo que su hija experimentara las "consecuencias naturales" que ocurrían cuando su ropa sucia no era puesta en el cesto.

Aun cuando las consecuencias naturales son, a menudo, una manera de ayudar a los niños a aprender responsabilidad, hay momentos cuando éstas no son prácticas:

1. *Cuando un niño está en peligro.* Los adultos no deben permitir que un niño experimente las consecuencias naturales de jugar en la calle, por ejemplo.

Cuando se expone esto, inevitablemente alguien lo utiliza como razón para pegarle al niño: "Tuve que golpearlo para que aprendiera a no correr en medio de la calle". Yo le pregunto a esta madre si estaría dispuesta a dejar que su hijo pequeño jugara en una calle muy transitada sin supervisión, después de haberle pegado para "enseñarle" a cuidarse. La respuesta siempre es negativa, entonces pregunto cuántas veces será necesario golpear al niño antes de que se sienta lo suficientemente segura para permitirle jugar sin supervisión en una calle transitada. La mayoría de los padres coinciden en que no les dejarían jugar hasta que tengan entre seis y ocho años de edad sin importar cuantas veces les hayan pegado para "enseñarlos" a no acercarse a la calle. Esto ilustra el hecho de que la madurez o la aptitud son la clave –no los golpes– para aprender ciertas responsabilidades.

Tómese el tiempo para entrenarlos

Los adultos necesitan encontrar tiempo para entrenar a los niños, mientras éstos maduran, pero es más útil y menos humillante utilizar las consecuencias lógicas, en lugar de castigos, para ayudarles a desarrollar responsabilidad. En este caso, una consecuencia lógica sería llevar al niño a la casa o al patio trasero cada vez que quiera correr en la calle (otra vez, decidiendo lo que usted hará). Algunas personas lo llaman distracción. La supervisión, distracción y redirección son tres de las mejores herramientas que puede usted utilizar con los niños pequeños. Mientras tanto, puede tomarse el tiempo para entrenarlos hasta que el cerebro del niño madure lo suficiente para comprender el concepto de causa y efecto. Esto implica enseñarle los riesgos que existen cada vez que crucen una calle juntos. Antes de cruzar, pídale que mire a ambos lados de la calle para cerciorarse de que no venga ningún automóvil. Pregúntele qué pasaría si atravesaran cuando se aproxima un auto, pídale que le indique el momento en el que cree que es seguro cruzar. De este modo el niño aprenderá mucho más, que a base de golpes, aunque no esté listo para jugar sin supervisión todavía.

2. Cuando las consecuencias naturales interfieren con los derechos de otras personas. Los adultos no deben permitir las consecuencias naturales de dejar que un niño aviente piedras a otro, por ejemplo.

Esta es una de las razones por las que la supervisión es especialmente importante con los niños menores de cuatro años. La única forma de prevenir situaciones potencialmente peligrosas con niños de esta edad, es supervisarlos, de tal manera que usted podrá entrar (supervisar) y prevenir un incidente peligroso.

3. *Las consecuencias naturales no son eficaces cuando el resultado de la conducta de los niños, no les parece, a ellos mismos, un problema.* Por ejemplo, para los niños no implica ningún problema si no se bañan, no se cepillan los dientes, no hacen su tarea o comen toneladas de comida chatarra.

Consecuencias Lógicas

LAS CONSECUENCIAS LÓGICAS son diferentes de las naturales ya que éstas requieren de la intervención de un adulto –u otros niños en las juntas familiares o escolares. Es importante decidir qué tipo de consecuencia crearía una experiencia provechosamente aleccionadora, que pueda motivar a los niños a elegir la cooperación responsable.

Por ejemplo, Linda golpeaba en su escritorio con el lápiz mientras hacía su trabajo y esto molestaba a los otros niños. La maestra le dio elegir entre dejar de golpear el escritorio, o entregarle el lápiz a ella y terminar su trabajo en casa (comúnmente es bueno darle al niño la opción de detener su conducta o de experimentar una consecuencia lógica). Por supuesto que existen otras soluciones. A menudo los niños no se dan cuenta que su conducta está molestando a otros. La maestra pudo simplemente, pedirle a Linda que dejara de golpear el escritorio o buscar con ella una solución, o acordar pedirle ayuda al grupo durante la junta escolar. Si la consecuencia puede sentirse semejante a un castigo, es mejor que elija buscar una solución.

Daniel llevó a la escuela un coche de juguete. Su maestra lo llamó aparte y le preguntó si quería que fuera ella o la directora quien cuidara su juguete hasta que terminaran las clases. Daniel eligió dejárselo a su maestra. (Es una buena idea, cuando sea posible, hablarles en privado sobre las consecuencias para no exhibirlos ante sus compañeros).

Darles opciones y conversar en privado sobre las consecuencias, no son las únicas pautas para la aplicación de las consecuencias lógicas. Si así fuera, sería legítimo darles a los niños la opción de decidir entre detener su mala conducta o ser golpeados. "Las Cuatro "R" de las Consecuencias Lógicas" es una fórmula que identifica los criterios para asegurarnos que las soluciones son consecuencias lógicas y no castigos.

Las cuatro 'R' de las consecuencias lógicas

1. Relación
2. Respeto
3. Racionalidad
4. Revelación anticipada

Relación. Esto significa que la consecuencia debe estar relacionada con la conducta. *Respeto*. Significa que la consecuencia no debe implicar culpa, vergüenza o dolor y debe hacerse cumplir cordial y firmemente. *Racionalidad*. Significa que la consecuencia no debe implicar alarde de su parte y debe ser justa desde el punto de vista del niño y del adulto. *Revelación anticipada*. Significa simplemente que –dejar que el niño sepa lo que va a suceder (o lo que usted hará) si elige determinada conducta.

Si cualquiera de estas Cuatro "R" no está presente en la solución, entonces ya no puede llamarse consecuencia lógica.

Cuando un niño escribe sobre el escritorio, es fácil concluir que la consecuencia *relacionada* sería que limpiara, pero ¿qué pasa si falta cualquiera de las otras tres "R"?

Si el maestro no es respetuoso y añade humillación a su orden de limpiar el escritorio, ya no es una consecuencia lógica. El profesor Martínez pensaba que utilizaba una consecuencia lógica cuando le dijo a Isabel delante de todo el grupo. "Me sorprende que hayas hecho una cosa tan tonta. Ahora, limpia ese escritorio o les diré a tus padres lo desilusionado que estoy de ti". En este ejemplo, el respeto se eliminó y el maestro añadió alardeo y humillación.

Si un maestro no es *razonable* y pide que el alumno limpie todos los escritorios del salón para asegurarse de que aprenda la lección, ya no es una consecuencia lógica. La racionalidad ha sido eliminada para dar paso al poder, asegurando sufrimiento. Esto se da, generalmente, por la falsa creencia de que los niños sólo aprenden cuando sufren.

Si la consecuencia no es *revelada con anticipación* es más fácil interpretarla como castigo. Revelar anticipadamente una consecuencia, cuando se es posible, le añade una dimensión de respeto y elección.

Cuando un niño derrama la leche, la consecuencia lógica *relacionada* es que limpie. No hay *respeto* si usted dice: "¿Cómo puedes ser tan torpe? Es la última vez que te permito servir la leche". Un comentario más respetuoso sería: "¡Vaya!, ¿qué necesitas hacer al respecto?!" Es sorprendente con qué frecuencia el niño conoce la consecuencia lógica (solución) y lo dispuesto que está a cumplirla si se le pide respetuosamente. Si no sabe qué responder, podría deberse a que usted no se ha tomado el tiempo para entrenarlo y, por lo tanto, su expectativa u orden no sería *razonable*. Manejar el asunto *respetuosamente*, también demuestra que los errores son excelentes oportunidades para aprender. No sería *razonable* asegurarse de que el niño sufra por sus errores diciendo: "Para asegurarme de que aprendas, quiero que talles todo el piso",

De hecho si los adultos eliminan una de las Cuatro "R" y por lo tanto las consecuencias no son relacionadas, respetuosas, razonables y previamente reveladas (cuando sea adecuado), los niños pueden experimentar las "Cuatro "R" del Castigo", que se explicaron en el capítulo uno. Sin embargo, quisiera repetirlas para mostrar cómo se relacionan con el mal uso de las consecuencias:

1. Resentimiento– "Es injusto. No puedo confiar en los adultos"
2. Revancha– "Ahora ganan ellos, pero me voy a desquitar".
3. Rebeldía– "Les mostraré que puedo hacer lo que yo quiera".
4. Retraimiento, en su forma de cobardía– "La próxima vez, no me atraparán" o en su forma de baja autoestima – "Soy una mala persona".

A los padres y maestros no les gusta admitirlo, pero a menudo, la razón principal por la que utilizan el castigo es para demostrar su poder y ganarles a los niños o vengarse haciéndolos sufrir. El pensamiento subconsciente detrás de esta idea es: "Soy el adulto y tu el niño. Harás lo que yo diga o si no la pagarás".

Este concepto fue retratado en una tira cómica que mostraba a una madre mirando a su esposo mientras éste perseguía a su hijo con un palo en la mano. La madre le decía: "¡Espera, dale otra oportunidad!". El padre contestaba: "¡No, porque probablemente no vuelva a hacerlo!". Obviamente, es más importante para este padre (y para muchos adultos) hacer sufrir al niño por su mala conducta, que ayudarle a cambiarla.

El sufrimiento no es un requisito para las consecuencias lógicas.

Por ejemplo, un niño puede disfrutar limpiar su escritorio, (y esto está bien, pues el propósito de una consecuencia lógica es detener la mala conducta y encontrar una solución, no vengarse haciéndolos sufrir). Otro nombre de las consecuencias lógicas es la redirección.

Redirección

UNA CONSECUENCIA LÓGICA es muy efectiva cuando redirige al niño hacia una conducta útil (provechosa).

Antonio era irrespetuoso y desobediente en clase cuando el profesor Mendoza daba la lección. El maestro lo castigó forzándolo a escribir treinta veces la frase "Tendré buenos modales y no seré irrespetuoso mientras esté en el salón de clases". Por desgracia, Antonio no pensaba: "¡Qué bien! Realmente necesito este castigo, me enseñará a no hablar en clase". Al contrario, se sintió resentido y se rebeló negándose a escribir. El señor Mendoza pensaba, como muchos adultos, que si el castigo no funcionaba, era sólo porque no era lo suficientemente severo, así que duplicó el número de frases.

Antonio se sintió aún más resentido y rebelde, y se negó a realizarlo. Su madre le advirtió que lo más probable era que el maestro volviera a duplicarlas (fuera o no justo) y que probablemente lo suspenderían. Antonio dijo: "No me importa, no lo voy a hacer". La frase se elevó a 120 repeticiones y la madre fue llamada a junta. Muchos maestros creen que si el castigo no funciona, es porque los padres no lo apoyan. En este caso era cierto, pues la madre de Antonio no creía en la efectividad de los castigos.

Durante la junta, la madre aceptó que ciertamente, Antonio había sido irrespetuoso y desobediente, y que esto debía corregirse, pero pensaba que una consecuencia lógica sería más eficaz y sugirió al profesor: "Ya que Antonio hizo algo para que su trabajo fuera desagradable, ¿qué le parece si lo mantenemos haciendo algo que ayude a que su trabajo sea más agradable?

El maestro preguntó: "¿Cómo qué?". Ella sugirió que Antonio se encargara de limpiar el pizarrón, vaciara los botes de basura o diera alguna lección.

Antonio se interesó en esta sugerencia y hasta opinó: "Claro, podría dar la clase de verbos transitivos e intransitivos".

El maestro Mendoza dijo: "Sí, tu entiendes el tema y muchos de los alumnos no lo han comprendido todavía", después miró a la madre de Antonio y afirmó: "Pero él lo disfrutará".

El profesor no quería llevar a cabo la sugerencia para cambiar la mala conducta en una conducta colaboradora, porque temía premiarla y motivar a Antonio a continuarla.

Este es un excelente ejemplo del falso concepto de que, para hacer que los niños sean mejores, primero tenemos que hacerlos sentir peor. Es probable que el maestro Mendoza también represente a aquellos que piensan que es más importante que los niños paguen por lo que han hecho, que hacer que aprendan de lo que han hecho. Lo afirmaré otra vez, la realidad es exactamente lo contrario. Los niños son mejores cuando se sienten mejor. Como lo verá en ejemplos posteriores, muchos maestros se han percatado que redirigir la mala conducta hacia una actitud de colaboración, ha funcionado para motivar a los niños a detener o disminuir, en gran medida, la mala conducta.

Otra razón por la que es difícil utilizar las consecuencias lógicas, es que requieren de pensamiento, paciencia y autocontrol, es decir, actuar en lugar de reaccionar. Para muchos adultos es más fácil pedir autocontrol a los niños, que asumirlo ellos mismos.

Consecuencias Lógicas y Las Metas Equivocadas del Comportamiento

OTRO PRINCIPIO IMPORTANTE para el uso de las consecuencias lógicas es considerar las metas equivocadas del comportamiento. Las consecuencias lógicas pueden ser útiles en momentos de conflicto solamente si la meta es la atención. Cuando la meta es el poder o la venganza, las consecuencias lógicas serían provechosas durante la sesión de solución de problemas, después de un *período de enfriamiento* y después de *haber obtenido la cooperación del niño*. Nuevamente, este es un principio que Dreikurs nos enseñó (quien fue el primero en introducir y popularizar el concepto de las consecuencias lógicas para estimular una mejor conducta). Dijo, "Las consecuencias lógicas no pueden ser aplicadas en una lucha de poderes a menos que se haga con extremo cuidado porque generalmente se degeneran en actos punitivos de represalias. Por esta razón las consecuencias naturales son siempre provechosas, mientras las consecuencias lógicas pueden ser un arma de dos filos".[2]

Por ejemplo, a un niño que no trabaja en clase, la maestra puede decirle: "Debes terminar tu trabajo antes del descanso o puedes irte a la banca de trabajo durante el receso", (notemos lo respetuoso que es tener una opción como parte de una consecuencia lógica). Si su meta es la atención, quizá el niño sonría y haga su trabajo. Si es el poder, lo más probable es que se niegue a trabajar para demostrar "no puedes obligarme", a menos que usted haya ganado su cooperación discutiendo, anticipadamente, este patrón de comportamiento y preguntándole cuál opción prefiere. Si la meta es la venganza, puede ser que el niño se niegue a trabajar para herir sus sentimientos porque él mismo se siente herido. Si la meta es la deficiencia asumida, lo que necesita este niño es más entrenamiento y no una consecuencia lógica.

En otras palabras, lo que se requiere para el uso válido de las consecuencias lógicas, es comprender la conducta de los niños y los resultados a largo plazo. Recuerde que es posible que las consecuencias lógicas no sean las más adecuadas en determinadas circunstancias. Quizá el trabajo que usted pide no tiene tanta importancia; tal vez el maestro no ha invitado a los niños a integrarse en la planeación del trabajo y en buscar maneras de hacerlo interesante para los alumnos, acaso el profesor necesite

---

[2] Op cit, pag, 84

implicar a los estudiantes en una discusión sobre qué ejecutar y cómo y por qué realizarlo. No hay nada mejor que hacer que participen los alumnos en la solución de problemas para ganarse su interés y cooperación. Las consecuencias lógicas son solamente una herramienta, y a menudo, quizá no sea la mejor para la situación.

Un Cambio de Actitud, Puede ser Necesario

CUANDO APRENDÍ por primera vez estos conceptos, me encontraba en medio de las clases de psicología y creía importante ser abierta, honesta y espontánea. El problema era que la reacción abierta, honesta y espontánea ante la mala conducta de mis hijos era amenazar, gritar y golpear. Pensaba que no era honesto o espontáneo actuar cordialmente cuando sentía la necesidad de ser firme, ya que generalmente me sentía enojada por su comportamiento. Sin embargo, razoné: no era demasiado pedir que yo controlara mi conducta, si esperaba que mis hijos controlaran la suya. Me llevó mucho tiempo entrenarme, pero los resultados valieron este esfuerzo.

Mi primera experiencia con las consecuencias lógicas fallaron porque olvidé ser cordial y firme a la vez y no conocía las Cuatro "R" de las Consecuencias Lógicas. No fui cordial, fui firme pero humillé.

Informé a mis hijos por anticipado que si llegaban tarde a cenar, se irían a dormir sin tomar alimento hasta el día siguiente, y agregué que no los buscaría para cenar ni limpiaría la cocina más de una vez (decidiendo lo que yo haría y lo que no haría). La primera ocasión que llegaron tarde, en lugar de ser cordial y firme, los regañé y añadí: "Se los dije". Convertí una consecuencia lógica en castigo y después me pregunté por qué no había sido efectiva.

Si hubiera dado el seguimiento adecuado, habría dicho: "Siento mucho que se hayan perdido la cena. ¿Cuál es nuestra regla sobre lo que deben hacer si se preparan algo de comer?" (Esto último en caso de haber acordado, anticipadamente, ciertas reglas como limpiar el desorden).

Con el tiempo, logré utilizar con éxito las consecuencias lógicas porque aprendí todos los principios, incluyendo el hecho de acordar anticipadamente las reglas con mis hijos.

Acordar Anticipadamente con los Niños

DURANTE AÑOS había regañado a mis hijos para que se vistieran por las mañanas. Después de estudiar estos conceptos, tuvimos una junta familiar y decidimos que el desayuno se serviría de ocho a ocho treinta, quien no estuviera vestido y listo a esa hora, esperaría para comer hasta la hora del almuerzo. Gracias a que habían estado involucrados en la decisión, las primeras semanas se mostraron ansiosos de cooperar, incluso Kenny, de siete años, quiso preparar su ropa al estilo de los bomberos para vestirse rápidamente en la mañana.

Pero también fue el primero en poner a prueba el plan. Una mañana a las 8:31, entró en pijamas a la cocina, y mirando el reloj pidió su desayuno. Yo le dije: "Lo siento Kenny, el desayuno se terminó, estoy segura que podrás esperar hasta el almuerzo". Kenny dijo que no esperaría y se subió a la alacena para tomar cereal. Tuve que apretar mis dientes para permanecer cordial mientras lo bajaba con firmeza. Lloró, hizo una rabieta durante cuarenta y cinco minutos, deteniéndose sólo para volver a trepar al mueble varias veces, y cada vez que lo hacía, yo lo bajaba cordial y firmemente. Finalmente, Kenny salió de la cocina. En ese momento yo no estaba segura de que hubiera funcionado y recordé que castigar era mucho más fácil que atravesar por todo lo anterior durante cuarenta y cinco minutos –aún cuando lo habría castigado una y otra vez por la misma razón.

De pronto dar seguimiento con cordialidad y firmeza pareció ser efectivo. Las siguientes dos semanas, todos estaban vestidos y listos para la hora del desayuno, pero después, Kenny decidió volver a probar el plan. Cuando llegó a la mesa, todavía en pijamas, a las 8:31, yo repetí lo que había dicho la última vez: "Lo siento Kenny, el desayuno terminó, estoy segura que puedes esperar hasta el almuerzo". Pero pensé: "Ay no, no creo ser capaz de permanecer otros cuarenta y cinco minutos siendo cordial y firme mientras él hace una rabieta".

Para mi satisfacción, solo tuve que bajarlo de la alacena una sola vez, antes de que el mascullara al tiempo que salía a jugar: "De todos modos no quería desayunar…"

Fue la última vez que mis hijos no estuvieron todos vestidos antes del desayuno. ¡Había funcionado!

Este ejemplo es una ilustración de otros dos conceptos discutidos anteriormente:

1. A menudo las cosas empeoran antes de mejorar porque los niños ponen a prueba los planes y resulta difícil, pero provechoso, permanecer cordiales y firmes durante este periodo de prueba.

2. El castigo puede dar resultados rápidos, pero las consecuencias lógicas, adecuadamente utilizadas, son uno de los métodos no punitivos que ayudan a los niños a desarrollar autodisciplina y cooperación.

Aunque las consecuencias lógicas funcionaron en este caso, otros métodos pudieron ser aún mejores. Tan pronto como el entusiasmo por el plan disminuyó, pudimos haberlo discutido de nuevo en otra junta familiar. Como lo explico en el capítulo nueve sobre las juntas familiares, éstas funcionaron bien al disminuir el interés por las tareas domésticas. Yo podría haberme sentado con Kenny y preguntarse qué estaba sucediendo, cómo se sentía y qué ideas tenía para resolver el problema. Pude haberlo abrazado y decirle que realmente lo necesitaba para seguir nuestro plan y así poder tener una mañana tranquila.

Con frecuencia, las consecuencias lógicas se utilizan cuando puede ser más efectivo otro método. Una clave para esto es pensar en los efectos a largo plazo. Si la solución de problemas le enseña a su hijo más que las consecuencias lógicas, entonces utilice mejor ese método. Por otro lado, el simple hecho de permitir que su hijo experimente las consecuencias de sus elecciones, puede enseñarle valiosas lecciones de vida. El siguiente es un ejemplo en el que una consecuencia natural o lógica habría sido provechosa, pero no se utilizó ninguna.

Gina perdió su guante de softball. La consecuencia natural habría sido que jugara sin él, sin embargo, su madre es una "mamá perfecta" y no soportaba la idea de que su hija aprendiera de sus experiencias de vida. Las "mamás perfectas" quieren tener todo bajo control, y la madre de Gina utilizaba la técnica de "regáñalos y después sácalos de apuros". Así que tras un sermón moralizador (mismo que Gina había escuchado ya muchas veces) sobre cómo debía cuidar sus cosas y cómo era posible que anduviera por ahí siendo tan irresponsable, la llevó a la tienda a comprar otro guante (como siempre prometiendo que no volvería a hacerlo). El no permitir que Gina experimentara la consecuencia natural, no sería tan malo si su madre la hubiera sustituido por una consecuencia lógica, haciendo que Gina ganara el dinero para comprar el guante nuevo. Pero la madre de Gina es como muchas otras madres y su intervención no tiene nada de lógico. La niña estaba bien entrenada para ser irresponsable, aunque su madre hiciera un gran escándalo al respecto.

Muchos padres y maestros utilizan la frase "Te lo he dicho cien veces", pero es necesario que se den cuenta de que los incompetentes, no son precisamente los niños. Ellos saben lo que les funciona; los adultos necesitan aprender que decir las cosas cien veces no es productivo. Los niños nunca aprenderán a ser responsables mientras los adultos no les permitan serlo, repitiendo recordatorios o resolviendo los problemas por ellos en lugar de hacerlo con ellos.

La señora Solís había ordenado a sus hijos cientos de veces que guardaran sus juguetes. Después de aprender estos conceptos, les comentó cordialmente, que a partir de ese momento, si no alzaban sus juguetes, ella lo haría –decidiendo lo que ella haría–, y añadió que cada juguete que levantara, lo colocaría fuera de su alcance hasta que demostraran que se harían responsables de sus juguetes guardando los demás.

Tenga en cuenta que, con frecuencia, el problema de los juguetes fuera de lugar se relaciona con la gran cantidad de juguetes comprados por los padres. Cuando este es el caso, a los niños no les importa que usted los guarde y se los retire permanentemente. Estos padres deben responsabilizarse del problema y hacer algo al respecto (dejar de comprar demasiados juguetes) en lugar de esperar cooperación por parte de sus hijos.

La señora Solís aprendió cuáles eran los juguetes que realmente les gustaban a sus hijos y cuáles eran resultado de comprar demasiados. Cuando los juguetes se quedaban fuera, ella decía una sola vez: "¿quieren recogerlos o desean que lo haga yo?", los niños guardaban sólo aquellos que les interesaban y los otros ella los depositaba en la repisa más alta del armario y ahí se quedaban en el olvido. Cuando todos los juguetes que los niños no querían habían sido retirados, la madre les dijo que ya no les iba a visar, sino que simplemente retiraría los que estuvieran fuera de su lugar. No tuvo que hacerlo demasiadas veces, porque los niños corrían para ganarle. Cuando sus hijos le pedían algunos que habían sido retirados, ella se los daba sólo después de haber recogido juguetes durante una semana.

Este ejemplo ilustra otro principio que es útil para comprender las consecuencias lógicas. Es necesario que los niños aprendan que hay una responsabilidad que acompaña a los privilegios. Con esta fórmula, el entendimiento es muy simple.

Privilegio = Responsabilidad
Falta de Responsabilidad = Pérdida del Privilegio

Tener juguetes es un privilegio, la responsabilidad que acompaña a este privilegio, es cuidarlos. La consecuencia lógica obvia de no ser responsables, es perder el privilegio de poseer juguetes. La señora Solís también demostró lo útil que resulta comunicar, respetuosamente, una decisión a sus hijos y, después, darle seguimiento y cumplir lo que dijo que haría.

La señora Solís añadió un beneficio a esta historia. Los únicos juguetes que ahora compra, son aquellos que sus hijos desean lo suficiente como para ahorrar de su mesada y poder contribuir, cuando menos, con la mitad del costo. Así, el problema ya no es tan serio, pues los niños parecen ser más cuidadosos con los objetos que ellos mismos compran.

Aún cuando los padres y maestros se convencen del valor de las consecuencias naturales y lógicas, éstas pueden ser un método muy difícil de utilizar. En momentos de racionalidad, los adultos saben que su meta principal es inspirar a los niños para que sean gente responsable y feliz. Sin embargo, es muy fácil reaccionar y quedar atrapados en luchas de poderes y ceder ante la tentación de ganarles a los niños, en lugar de ganarse a los niños. A los padres y maestros no les gusta admitir que el castigo se siente bien para ellos porque les da la sensación de poder que sienten perder cuando los niños se portan mal. Además, creen que es su deber hacer que los niños se comporten adecuadamente. Olvidan que la fuerza no es buena para motivar el desarrollo de habilidades de vida que les dará un buen carácter. También olvidan que el principal propósito de la disciplina es motivar a los niños a ser mejores.

Esto nos lleva a otro principio indiciado aquí en varias ocasiones: *Las consecuencias lógicas no son la mejor solución para todos los problemas.* Muchos padres y maestros se entusiasman tanto con ellas que tratan de encontrar una consecuencia para cualquier conducta. No sé cuántas veces he escuchado esta pregunta: "¿Qué consecuencia lógica sería adecuada para esta situación?" Yo respondo: "Si no hay una consecuencia lógica obvia (relacionada), entonces es probable que su uso no sea adecuado en esta situación". Existen otros métodos que podrían ser más efectivos: juntas familiares, enfocarse en soluciones y no en consecuencias, crear rutinas, ofrecer opciones limitadas, pedir ayuda, enfrentar la creencia detrás de la mala conducta, decidir qué es lo que usted hará y no lo que obligará hacer a sus hijos, dar seguimiento a sus decisiones con dignidad y respeto, abrazar, ayudar a los niños a explorar las consecuencias de sus decisiones en lugar de imponérselas, o utilizar otros conceptos que se discuten a lo largo de este libro.

REVISION

Herramientas de Disciplina Positiva

1. Piénselo. ¿Son las "consecuencias lógicas" realmente castigos pobremente disfrazados?
2. Cuidado con lo que funciona. Considere los efectos a largo plazo de sus métodos disciplinarios.
3. Evite "alardear". Exprese empatía y comprensión por lo que el niño está experimentando.
4. No imponga consecuencias naturales, pero permita que los niños experimenten las consecuencias naturales de sus elecciones sin añadir culpa, vergüenza o dolor – y sin rescatarlos.
5. Decida lo que usted hará en lugar de lo que obligará a sus hijos hacer.
6. Ofrezca opciones siempre que sea posible.
7. Considere las Cuatro "R" de las Consecuencias Lógicas.
8. Considere las Cuatro "R" del Castigo para comprender los resultados a largo plazo de sus métodos disciplinarios.
9. Recuerde que es una loca idea pensar que tiene que hacer sentir mal a los niños para que sean mejores.

10. Los niños son mejores cuando se sienten bien.

11. Redirija la conducta hacia una conducta positiva.

12. Si usted espera que los niños controlen su conducta, déles ejemplo de autocontrol.

13. Las consecuencias lógicas son inapropiadas para la mayoría de las metas equivocadas.

14. Dé seguimiento cordial y firmemente.

15. Ayude a los niños a explorar las consecuencias de sus elecciones a través de preguntas abiertas.

16. Las consecuencias lógicas no son la mejor manera para manejar la mayoría de los problemas.

17. Utilice la fórmula: Privilegio = Responsabilidad. Falta de responsabilidad = pérdida del privilegio.

18. Enfóquese en las soluciones para mejorar el ambiente familiar y escolar.

Preguntas

1. ¿Cómo tratan de disfrazar el castigo muchos padres y maestros?

2. ¿En qué piensan muchos niños cuando son castigados?

3. ¿Cuáles son los resultados inmediatos del castigo?

4. ¿Cuáles son los resultados a largo plazo del castigo?

5. ¿Por qué a veces debemos tener cuidado con lo que funciona?

6. Si los adultos insisten en ganar, ¿en qué posición dejan a los niños?

7. ¿Cuál es la definición de consecuencia natural? Dé algunos ejemplos.

8. ¿Qué parte juegan los adultos en las consecuencias naturales?

9. ¿Cuál es la definición de consecuencia lógica?

10. ¿Cuáles son las Cuatro "R" de las Consecuencias Lógicas?

11. ¿Cómo puede convertirse en castigo una consecuencia lógica si falta cualquiera de las Cuatro "R"? Dé un ejemplo.

12. Cuando los niños no experimentan las Cuatro "R" de las Consecuencias Lógicas, ¿Cuáles son las otras Tres "R" que pueden experimentar?

13. ¿Cuál es la creencia equivocada de los adultos cuando utilizan su poder para garantizar sufrimiento?

14. ¿Por qué es importante ser cordial y firme al mismo tiempo?

15. ¿Por qué a veces es difícil ser cordial y firme al mismo tiempo?

16. ¿Por qué el no hacer nada, a veces, es lo mejor que puede hacer?

17. ¿Son las consecuencias lógicas la mejor solución para todos los problemas de conducta?

18. ¿Para qué meta equivocada son efectivas, generalmente, las consecuencias lógicas, aún durante los momentos de conflicto?

19. ¿Cuáles son las dos cosas que deben suceder antes de utilizar las consecuencias lógicas durante una sesión de solución de problemas, cuando la meta equivocada es el poder o la venganza?

20. ¿Para qué meta equivocada no deben utilizarse las consecuencias naturales o lógicas?

21. ¿Cómo puede ayudarle a los niños a explorar las consecuencias de sus elecciones en lugar de imponérselas?

22. En nueve de diez casos, en lugar de las consecuencias, ¿en qué podría usted enfocar su atención?

6

Enfocandose en las Soluciones

EL CAMBIO PARA ENFOCARSE en las soluciones requiere de pequeños ajustes en la actitud y las habilidades, pero la diferencia es enorme. Incluso los pequeños cambios pueden ser difíciles cuando estamos acostumbrados a pensar de cierta forma, pero una vez que hacemos el cambio, nos preguntamos, "¿Por qué no lo pensé antes?" Y entonces se ve tan sencillo.

La disciplina tradicional se enfoca en enseñar a los niños lo que deben y lo que no deben hacer porque alguien "lo dice". La Disciplina Positiva se enfoca en enseñar a los niños qué hacer porque ellos han sido invitados a analizar la situación y a usar algunos principios básicos, como el respeto y la colaboración para encontrar soluciones. Son participantes activos en el proceso, no receptores pasivos (y a menudo renuentes). Los niños empiezan a elegir mejorar su conducta porque tiene sentido para ellos y porque se sienten bien de ser tratados con respeto y de tratar respetuosamente a los demás.

Cuando nos enfocamos en las soluciones, los niños aprenden a llevarse con los demás y a obtener herramientas que se llevan para el siguiente reto. No, por supuesto que no siempre lo hacen bien de inmediato, (los adultos tampoco aprenden siempre a la primera), pero aprenden. El reto para los adultos es deshacerse de la loca idea de que aprendemos mejor cuando lastimamos primero. Repito esto tantas veces porque está muy arraigado en nuestra cultura la idea de que debemos lastimar a los niños para enseñarles lo que está bien y lo que está mal.

Enfocarse en las soluciones es preguntarnos: *¿Cuál es el problema y cuál la solución?*

Los niños son excelentes para solucionar problemas y tienen muchas ideas creativas para ello cuando los adultos se toman el tiempo para entrenarlos y proporcionarles las oportunidades de utilizar sus habilidades.

Las Tres "R" y Una 'U' para Enfocarse en las Soluciones es muy similar a las Cuatro 'erres' de las Consecuencias Lógicas presentadas en el capítulo anterior. De hecho las primeras tres son idénticas, solo la U es diferente. Sin embargo, el enfoque es muy distinto porque el énfasis está en ayudar a la gente a resolver el problema en lugar de hacerla pagar (a través del castigo) por el problema.

Tres 'R' y una 'U' para enfocarse en las soluciones

1. Relación
2. Respeto
3. Racionalidad
4. Utilidad

El siguiente es un extracto del libro Disciplina Positiva en el Salón de Clases[1] que ilustra la enorme diferencia que existe al dar sugerencias cuando los estudiantes se enfocan primero en consecuencias lógicas y después en las soluciones:

Durante una junta escolar, se les pidió a los estudiantes de quinto grado que idearan consecuencias lógicas para dos estudiantes que

---

[1] Nelsen, Lott, Glenn, *Positive Discipline in the Classroom,* 3ª edición, New York, Three Rivers Press, 2000

no escuchaban la campana del receso y llegaban tarde a clase. La siguiente, es la lista de consecuencias:

1. *Hacerlos escribir sus nombres en el pizarrón.*
2. *Hacerlos quedarse después de clases la misma cantidad de minutos que se retrasaron.*
3. *Quitarles del receso del día siguiente la misma cantidad de minutos que se retrasaron.*
4. *Quitarles el receso del día siguiente por completo.*
5. *Gritarles.*

Después se les pidió a los alumnos que se olvidaran de las consecuencias lógicas e idearan algunas soluciones que ayudaran a sus compañeros a llegar a clase a tiempo. La siguiente es la lista de soluciones:

1. *Todos podrían gritar al mismo tiempo "¡Campana!"*
2. *Los alumnos retrasados podrían jugar cerca de la campana.*
3. *Los alumnos retrasados podrían observar a los demás cuando se estén retirando.*
4. *Ajustar el volumen de la campana para que suene más fuerte.*
5. *Los estudiantes podrían elegir algún compañero que les recuerde la hora de regresar a clase.*
6. *Alguien podría palmear sus hombros cuando suene la campana.*

La diferencia entre estas dos listas es profunda. La primera parece y suena a castigos, pues se enfoca en el pasado y en hacer pagar a los niños por su error. La segunda lista parece y suena a soluciones, pues se enfoca en ayudar a los niños a mejorar en el futuro. El enfoque está en ver los problemas como oportunidades para aprender. En otras palabras la primera lista está diseñada para herir, la segunda para ayudar.

Jody McVittie, una Asociada Certificada de Disciplina positiva en Everett, Washington, compartió la siguiente historia sobre una junta escolar donde los estudiantes cambiaron de soluciones "humillantes" a soluciones "útiles" con un poco de impulso.

Asistí como observadora a una junta escolar y llegué después de que ellos habían establecido sus quejas y habían empezado la sesión de solución de problemas. El problema que estaban discutiendo era que un estudiante sin nombre había tomado el lápiz de Alex sin permiso. El alumno líder de la junta pasó un objeto para rolarlo en el grupo de tal manera que todos pudieran dar ideas sobre cómo resolver el problema. Al principio las sugerencias eran consecuencias: "Ella podría quedarse sin receso". "La maestra podría mover su banca".

Rápidamente me di cuenta que todos sabían quien era la agresora, aunque no había sido nombrada. También parecía claro que era una "agresora frecuente" y que algunos de los niños estaban "cansados" de esta situación. Progresivamente ella se iba haciendo cada vez más pequeña en su asiento.

Les pregunté a todos si estarían dispuestos a considerar otro enfoque al este problema que yo les ofrecería como consultora. Todos estaban deseosos de escuchar ideas. No creo que nadie disfrute del proceso de hacer sentir mal a alguien. Les hice ver que aunque nadie había mencionado nombres, todos sabían, e incluso yo sabía, de quien estaban hablando. Ellos lo reconocieron. Entonces les pregunté si podían adivinar si Johanna se sentía mejor o peor después de sus sugerencias. El grupo reconoció que probablemente ella se sentía peor. Les recordé que habían acordado trabajar para ser útiles y no hirientes, en las juntas y les sugerí que en vez de enfocarse en consecuencias, debían enfocarse en soluciones.

Las soluciones son una forma de resolver provechosamente los problemas que se nos presentan y al sugerir soluciones todo el grupo puede obtener ideas de cómo prevenir problemas similares. Le pregunté a Johanna y al resto del grupo si estarían dispuestos a intentarlo. Todos estuvieron de acuerdo y empezaron las sugerencias.

Esta vez las sugerencias incluían cosas como: "Ella podría pedir prestado el lápiz". "Todos podríamos formar una reserva de lápices para el grupo". "Ella podría dejar algún objeto en garantía por el lápiz y después recuperarlo al devolver el lápiz, para que Alex no se preocupe de que su lápiz no va a regresar". Era sorprendente ver como Johanna volvía a "crecer" sobre su asiento. Después de que el pequeño pingüino que estaban utilizando como objeto para hablar, había dado toda la vuelta alrededor del grupo y todos los que habían deseado contribuir, lo habían hecho, yo apoyé al estudiante líder para que preguntara a Johanna y Alex cuál solución acordarían llevar a cabo. El secretario leyó la lista de soluciones y Alex y Johanna acordaron que ella le pediría prestado su lápiz y reportarían al grupo cómo había funcionado la solución una semana después.

La solución parece obvia, respetuosa y alentadora. El asunto quedó resuelto. Lo más interesante para mi fue observar cómo Johanna se encogía y volvía a crecer. Después pensé: "¿Qué aprendió el grupo de esto?" Mi percepción es que esta "agresora frecuente" se sintió apoyada y bienvenida por el grupo, quizá por vez primera. Parecía motivada por la simple sugerencia de que preguntara antes de tomar las cosas.

¿Habrá tenido problemas otra vez? Probablemente, pero ahora ella y el resto del grupo, tienen las herramientas para resolver problemas de tal manera que dejen un mensaje "eres parte de nosotros" en lugar de "tu no eres parte de nosotros y necesitamos excluirte".

Cuando los niños y los adultos empiezan a idear soluciones por primera vez, se dará cuenta que muchas de las sugerencias son punitivas. En ocasiones es útil interrumpir el proceso y sugerir que se enfoquen en las soluciones. Otra opción es esperar hasta el final y hacer la lista de sugerencias y pedirle a cada miembro de la familia o del salón de clases que elimine todas las sugerencias que no concuerden con las Cuatro "R" y una U para Enfocarse en las Soluciones. A veces los maestros y los padres también les piden a los niños que eliminen cualquier cosa que sea humillante o impráctica. Después de haber eliminado todas las sugerencias humillantes e imprácticas, las personas que tengan el problema pueden elegir la solución que crean más útil. El sentimiento de respeto e interés se incrementa enormemente cuando la gente puede elegir una solución en vez de que alguien más les diga lo que tienen qué hacer – o de que el grupo vote por una solución que otro estudiante debe experimentar.

A menudo se ha dicho que, cuando se da la oportunidad, los niños son mejores resolviendo problemas. El siguiente es un ejemplo de esto:

En otra escuela primaria había algunos problemas con el patio que utilizaban los de primero y segundo grados. Los niños eran escandalosos y agresivos cuando jugaban por parejas con la pelota. Los maestros no tenían muchas ideas sobre cómo resolver el problema, y los supervisores del patio se sentían cada vez más frustrados por lo "incontenibles" que eran los niños. Parecía una tarea imposible.

El problema se discutió en una junta escolar, un grupo de segundo grado ofreció una solución inusual. Una de las razones por las que eran escandalosos y agresivos era que ganar en el juego era un asunto de permanencia. Entre más tiempo ganas, más tiempo permaneces en el juego, y eso provocaba que los niños quisieran ganar, y les tomaba mucho tiempo a otros niños poder entrar al juego.

Katie sugirió una excelente solución al problema: En vez de permitir que el ganador continúe, sugirió que ambos jugadores se formaran hasta atrás de la fila. De esa manera habría menos incentivos para ganar (o para gritar) y más niños podrían jugar durante el recreo. Los estudiantes estuvieron de acuerdo y propusieron esta regla a los otros grupos de primero y segundo grado. Todos acordaron probar el plan durante algunas semanas. Los maestros estaban escépticos, pues imaginaban que los niños olvidarían esta regla y el éxito no duraría mucho tiempo.

Terminaron sorprendiéndose mucho. A los niños les gustó la nueva regla, de hecho se motivaron con la idea de que uno de ellos, de segundo grado, hubiese dado la solución. El ambiente del patio cambió dramáticamente y los jóvenes estudiantes se sintieron motivados por el éxito de la solución sugerida. En juntas subsecuentes, varios grupos buscaron creativamente soluciones a otros problemas, como jugar siempre con el mismo compañero cuando fueran un número par de jugadores, e incluso formaron "clubes" durante todo el año. También, los maestros se convencieron del valor de las juntas escolares, no solo para resolver problemas, sino para enseñar valiosas habilidades de vida también.

Cuando los niños deciden (porque usted les pregunta qué pueden hacer para resolver el problema) ir a buscar una esponja y una toalla, porque derramaron la leche, es decir, RRR y U (relación, respeto, racionalidad y utilidad), usted está enseñando habilidades de vida y proporcionando una oportunidad para que desarrollen la percepción de que son capaces.

Cuando su hijo o hija adolescente llega a casa más tarde de lo acordado, y después de que ambos se calmaron (generalmente al día siguiente), usted lo invita a idear soluciones que sean respetuosas para todos los involucrados, eso es RRR y U (relacionado, respetuoso, racional y útil), usted está enseñando responsabilidad y habilidades para resolver problemas al mismo tiempo que es claro respecto a ser respetuoso de sus necesidades.

Cuando su hijo o hija rompe un vidrio con la pelota de béisbol y juntos deciden que la solución es reparar la ventana (comprando los materiales con dinero de su mesada), usted ha sido RRR y U. Siempre que quede fuera la culpa y se vea el error como una oportunidad para aprender, ambos habrán practicado sus habilidades para resolver problemas y el respeto y habrán pasado tiempo de calidad juntos.

Una valiosa habilidad que está inherente en el proceso de enfocarse en las soluciones es enseñar el valor de los periodos de enfriamiento. Es importante comprender y enseñar a los niños que, en la mayoría de los casos, es necesario un periodo de enfriamiento antes de intentar encontrar una solución. Debido a que es difícil enfocarse en las soluciones cuando estamos molestos y nuestro cerebro se encuentra en un nivel primitivo en el que la única opción es pelear o volar, es muy útil esperar hasta que nos hayamos calmado y podamos acceder a nuestro cerebro racional. Un tiempo fuera positivo es bastante provechoso.

Tiempo Fuera Positivo

¿CÓMO SE SENTIRÍA, qué pensaría y qué haría usted si su esposo o colega le dijera, "no me gusta lo que hiciste, así que retírate y piensa en lo que hiciste"? ¿Se sentiría usted agradecido por la ayuda o indignado? ¿Pensaría "Vaya, qué útil y alentador es esto"? o pensaría "Esto es tan insultante, ¿Quién crees que eres?" ¿Decidiría usted contarle todos sus problemas a esta persona porque sería provechoso o decidiría retirarse emocionalmente o buscar a otra persona?

Si este tipo de trato no sería respetuoso ni efectivo con los adultos, ¿por qué los adultos creen que es efectivo con los niños? Los adultos hacen muchas cosas ineficientes con los niños porque en realidad no lo analizan, no piensan en los resultados a largo plazo. No piensan en lo que siente el niño, en lo que piensa ni en lo que decide sobre sí mismo, sobre los demás y sobre qué hacer en el futuro. Los adultos no piensan lo que dicen.

Yo les pregunto a los padres y maestros por qué es tonto decir, "Y piensa en lo que hiciste". Es tonto porque los adultos asumen que pueden controlar lo que los niños piensan. Pues bien, no pueden. Es improbable que los niños que fueron enviados a un tiempo fuera estén pensando en lo que hicieron. Es más probable que estén pensando en lo que usted hizo y lo irrespetuoso e injusto que fue. Algunos niños pueden llenarse de ira y resentimiento y están pensando en cómo desquitarse o cómo evitar ser atrapados la próxima vez. Lo más triste es cuando los niños están pensando que son una "mala persona" o "no son lo suficiente buenos".

El tiempo fuera positivo es muy diferente. Está diseñado para ayudar a los niños a sentirse mejor (de tal manera que puedan acceder a su cerebro racional) no para hacerlos sentirse peor (un falso estímulo), o para hacerlos pagar por lo que han hecho. No es efectivo enfocarse en las soluciones hasta que todos se hayan tranquilizado lo suficiente para tener acceso a su cerebro racional. Existen tres principios a seguir cuando se involucra a los niños en crear un área de Tiempo Fuera Positivo.

1.- *Tómese el tiempo para entrenar.* Hable sobre lo útil que puede ser emplear el Tiempo Fuera Positivo. Enseñe a los niños el valor de los periodos de enfriamiento y la importancia de esperar hasta que todos se sientan mejor antes de tratar de resolver los conflictos.

Una excelente forma de enseñar a los niños sobre el uso de tiempos fuera positivos o "tiempos de recuperación" es usándolos usted mismo. Los padres pueden guardar una copia de su libro humorístico favorito en el cajón del baño y recluirse en el baño por unos minutos para recuperar su buen humor. En un salón de clases el área de recuperación es una esquina decorada como una isla tropical. Los niños pueden ir unos minutos a "Hawai" para recuperarse. Por lo general, la maestra no se para y se va a la esquina, pero tiene una palmera inflable en su cajón, y cuando lo necesita, ella "se va a Hawai" poniéndola sobre su escritorio. Los alumnos saben que cuando la maestra "está en Hawai", es necesario que la dejen sola un momento, dándole tiempo para recuperarse y tranquilizarse.

2.- *Permita que los niños creen su propia área de tiempo fuera – un área que les ayudará a sentirse mejor, para poder ser mejores.* Es importante para los niños crear (o cuando menos ayudar a crear) su propia área de Tiempo Fuera Positivo. Explique que el propósito del tiempo fuera positivo no es castigar o causar sufrimiento. Piensen y sugieran cosas que el niño podría hacer para sentirse mejor mientras se encuentra en su área de tiempo fuera positivo, como leer, jugar con juguetes, descansar o escuchar música.

La idea de permitirles a los niños que hagan algo que disfruten, mientras están en tiempo fuera, es cuestionable para muchos padres y maestros. Creen que permitirles jugar con juguetes, leer, descansar o escuchar música es premiar su mala conducta. Estos adultos están versados en la creencia de que los niños serán mejores si son castigados (sintiéndose peor) y no han comprendido el hecho de que los niños son mejores cuando se sienten mejor.

Debido a que el tiempo fuera tiene una reputación punitiva, es buena idea dejar que sus hijos o alumnos le den otro nombre. Una maestra de preescolar nos compartió que ella y sus alumnos crearon un lugar llamado Espacio. Colocaron algunas redes oscuras en la esquina y colgaron planetas en el techo. El rincón cuenta con dos bolsas llenas de frijoles (porque a veces toman tiempo fuera con algún compañero (o amigo del espacio) con ellos, algunos libros, animales de peluche, y audífonos para escuchar música. Otra maestra de preescolar creó el tiempo fuera "abuela" rellenando ropa vieja con telas suaves. Y cuando es necesario pregunta a los niños, "¿Te ayudaría sentarte en el regazo de la Abuela un rato?"

Note las palabras "¿Te ayudaría?". Es realmente respetuoso darle al niño dos opciones. "¿Qué te ayudaría más en este momento, ir a nuestro lugar de enfriamiento, o poner este problema en la agenda de la junta escolar o familiar?"

3.- Desarrolle anticipadamente un plan con sus hijos (o alumnos). Explique que alguno de ustedes o todos encontrarán provechoso tomarse un tiempo fuera hasta sentirse mejor antes de tratar de resolver un problema. A menudo, los padres y maestros admiten que son ellos quienes necesitan tomarse un tiempo fuera, aunque esto signifique hacer algunas respiraciones profundas. Hágales saber a los niños que pueden "elegir" el área de Tiempo Fuera Positivo si creen que les va a ser útil.

Cuando un niño se está portando mal, algunos padres dicen, "¿Te ayudaría ir un rato a tu 'lugar feliz'?" Si el niño está demasiado enojado y dice "No", el padre puede decir, "¿Te gustaría que fuera yo contigo?" Y, ¿por qué no?, quizá usted necesite un tiempo fuera tanto como su hijo. Si no es así, recuerde que el propósito es ayudar al niño a sentirse mejor, y de esa manera ser capaz de ser mejor. Si el niño sigue diciendo que no, usted puede decir, "Está bien, creo que yo si voy", entonces puede darle el ejemplo y mostrarle al niño que el tiempo fuera no es algo malo.

4.- Finalmente, enseñe a los niños que cuando se sienten mejor, pueden continuar trabajando en una solución o hacer arreglos si todavía existe el problema.

Los adultos que se ofenden con la idea de permitir a los niños hacer algo que disfruten mientras están en tiempo fuera, generalmente ni siquiera escuchan este último principio:

En algunas escuelas que aplican la Disciplina Positiva, tienen *una banca de tiempo fuera en el patio.* Se les enseña a los estudiantes que pueden usar la banca cada vez que necesiten un periodo de enfriamiento (para sentirse mejor) hasta que estén listos para ser respetuosos con los demás o con el equipo del patio. Es importante que el maestro o el supervisor del patio tengan una actitud de respeto, cordialidad y firmeza cuando le preguntan a un estudiante, "¿Crees que sería útil para ti, sentarte un momento en la banca de tiempo fuera hasta que te sientas mejor, o sería más útil para ti trabajar en una solución ahora, o poner el problema en la agenda de la junta escolar?"

No siempre es necesario dar seguimiento buscando soluciones. A veces el tiempo fuera positivo es suficiente para interrumpir el problema de conducta. El simple hecho de sentirse mejor es suficiente para redirigir al niño hacia una conducta más aceptable socialmente. Cuando parezca adecuado dar seguimiento para buscar una solución, puede ser muy útil emplear preguntas abiertas (lo cual se discutirá más adelante en este capítulo) para ayudar a los niños a explorar las consecuencias de sus elecciones y usar lo que aprendieron para resolver el problema. En ocasiones el niño puede necesitar mayor ayuda para encontrar una solución poniendo el problema en la agenda de la junta familiar o escolar.

Martha, una alumna de una de mis clases de desarrollo infantil, compartió que envió a su hijo a su habitación porque se había portado mal. Cuando salió de ahí, unos minutos más tarde, ella lo envió de regreso.Cuando le pregunté si su hijo se seguía portando mal cuando salió de su habitación, ella admitió que no. Sonrió mientras se daba cuenta que no habría sido necesario regresarlo a su habitación si ella hubiese mantenido en mente su objetivo de ayudarlo a cambiar su conducta en lugar de enfocarse en su poder de asegurar sufrimiento. Después discutimos que incluso habría sido más efectivo si hubiese sido elección del niño irse a su "lugar especial", un lugar que él ha ayudado a diseñar, hasta que se sintiera mejor.

La mayoría de los padres y maestros no han sido entrenados en alternativas eficaces al castigo. Ayuda cuando saben que esperar durante un periodo de enfriamiento no es "dejar que el niño se salga con la suya" y que no es "permisividad". Los métodos positivos que son cordiales y firmes solo tienen sentido cuando los adultos comprenden el comportamiento humano y los efectos a largo plazo de los métodos disciplinarios. También ayuda cuando los padres y maestros saben que después de un Tiempo Fuera Positivo, se puede requerir dar seguimiento al asunto. Una de las mejores formas de dar seguimiento y enfocarse en las soluciones, es ayudar a los niños a explorar las consecuencias de sus elecciones a través de preguntas abiertas.

Preguntas Abiertas

AYUDAR A LOS NIÑOS a que exploren las consecuencias de sus elecciones es muy diferente de imponerles consecuencias. Explorar invita a los niños a pensar y buscar opciones por sí mismos y a decidir lo que es importante para ellos y decidir lo que quieren. El resultado final es enfocarse en las soluciones a los problemas en vez de enfocarse en las consecuencias. Imponer consecuencias, a menudo, invita a la rebeldía y al pensamiento defensivo y no al pensamiento explorador. La clave para ayudar a los niños a explorar es dejar de decirles las cosas y empezar a hacer preguntas abiertas.

Con mucha frecuencia los adultos les dicen a los niños qué fue lo que pasó o lo que está mal, qué lo causó, cómo se debe sentir, qué debe aprender y qué tiene que hacer. Es mucho más respetuoso, motivarlos e invitarlos a que desarrollen habilidades si les preguntamos qué pasó, qué está mal, qué cree que lo causó, cómo se siente al respecto, qué ha aprendido, qué ideas tiene para resolver el problema o de qué manera puede utilizar en el futuro lo que ha aprendido. Este es el verdadero significado de la educación, la cual viene del latín educaré, que significa "hacer salir". A menudo los adultos tratan de *meter información* en lugar de *hacerla salir*, y luego se preguntan por qué los niños no aprenden.

Preguntas abiertas típicas

- ¿Cómo te sientes respecto a lo que sucedió?
- ¿Qué crees que lo haya causado?
- ¿Qué aprendiste de esto?
- ¿De qué manera puedes utilizar en el futuro lo que aprendiste?
- ¿Qué ideas tienes ahora para solucionarlo?

Yo llamo a estas, preguntas abiertas típicas porque es importante no tener un libreto. El punto es entrar al mundo de los niños. Habrá notado que "¿Por qué?" no es una de las preguntas sugeridas, y la razón es que, a menudo, el "¿Por qué?" suena acusatorio e invita a ser defensivo. En realidad, todas las preguntas pueden hacerse en un tono acusatorio. De hecho, el "¿Por qué?" funciona cuando los niños sienten que usted está realmente interesado en su punto de vista. Los siguientes principios le ayudarán cuando emplee preguntas abiertas:

1. No siga un libreto. Usted no entre al mundo del niño si tiene un libreto sobre cómo debe responder el niño a sus preguntas, por eso se llaman *preguntas abiertas*.
2. No haga preguntas si cualquiera de los dos está molesto. Espere hasta que ambos se sientan tranquilos.
3. Haga las preguntas abiertas desde su corazón. Utilice su sabiduría para guiarse hacia el mundo del niño y mostrar empatía y aceptación.

Uno de mis ejemplos favoritos es cuando mi hija me comentó sobre su intención en embriagarse en una fiesta. Yo tragué saliva y dije, "Cuéntame. ¿Por qué estás pensando en hacerlo?" Ella respondió, "Muchos chicos lo hacen y parece que se divierten." Contuve la tentación de darle un sermón y pregunté, "¿Qué dicen de ti tus amigos ahora que no tomas?" Ella pensó un momento y dijo, "Siempre me están diciendo lo mucho que me admiran y lo orgullosos que están de mi." Yo continué, "¿Qué crees que piensen o digan después de que te hayas embriagado?" Nuevamente, la vi pensando y después agregó, "Seguramente los decepcionaré." Entonces continué, "¿Cómo crees que te sentirías de ti misma?" Creo que esta pregunta la hizo pensar un poco más. Hizo una pausa y dijo, "Probablemente me sentiría como una perdedora." Y de inmediato agregó "Creo que no lo haré".

Si yo no hubiera conocido sobre las preguntas abiertas y su valor para ayudarla explorar las consecuencias de sus decisiones, habría caído en la tentación de imponerle una consecuencia punitiva –como castigarla sin salir. Y lo más probable es que esto la hubiera inspirado a ser mentirosa en lugar de tener la confianza de poder discutir cualquier cosa conmigo. La mayor pérdida habría sido que ella no tuviera la oportunidad de explorar por sí misma las consecuencias de sus elecciones y lo que realmente quiere en su vida.

REVISION

En resumen, enfocarse en las soluciones enseña a los niños:

Qué hacer para aprender de un error. ¿Cómo podemos arreglarlo? Algunas cosas no pueden ser arregladas por completo, pero ¿qué es lo mejor que se puede hacer?

Cómo pueden desarrollar sus fortalezas. Cuando las soluciones vienen de los niños, o son ideadas junto con ellos y eligen lo que les es más provechoso, aprenden que pueden hacer valiosas contribuciones cuando emplean habilidades de toma de decisiones de manera respetuosa.

Que los errores son oportunidades para aprender. Los niños aprenden que los errores no son una tragedia si usted no los ve como tal y los ve como una forma de aprender.

Cómo desarrollar habilidades para resolver problemas. ¿Puede usted imaginar cómo sería el mundo si todos tuviésemos estas habilidades?

Cómo detenerse, tranquilizarse y resolver un problema, en vez de reaccionar. ¡Una maravillosa habilidad!

Cómo ser creativos ante un problema inesperado. En lugar de sentirse mal y darse por vencido.

Cómo desarrollar respuestas adecuadas (socialmente útiles). Los niños aprenden qué hacer en lugar de qué no hacer. Las consecuencias lógicas más efectivas son también soluciones. (Son útiles).

Los padres y maestros que apenas empiezan a utilizar los métodos de Disciplina Positiva deben trabajar en solo una cosa a la vez y recordar tener el valor de ser imperfectos. Para terminar con la guerra disciplinaria (la paz del mundo puede empezar por tener paz en los hogares y las escuelas), es imperativo mantenerse fuera de las luchas de poderes y crear un ambiente en el que los efectos a largo plazo tanto para los niños como para los adultos, sean el respeto mutuo, la responsabilidad, la seguridad de que se es capaz, el ingenio, y tener las habilidades para resolver problemas. Es importante ver los errores como oportunidades de aprendizaje.

Enfocarse en las soluciones es una de las mejores maneras de cumplir estas metas.

Herramientas de Disciplina Positiva

1. Enfocarse en las soluciones.
2. Las Tres "R" y una U que ayudan a enfocarse en las soluciones.
3. Identificar el problema y buscar soluciones.
4. Eliminar soluciones irrespetuosas antes de pedirle a los niños que elijan la solución que ellos crean más útil.
5. Pasar por un periodo de enfriamiento antes de solucionar un problema.
6. Tiempo Fuera Positivo.
7. Preguntar a los niños qué les ayudaría – y, cuando sea posible, dar cuando menos dos opciones.
8. Emplear las juntas familiares o escolares para resolver problemas.
9. Preguntas abiertas para ayudarlos a explorar las consecuencias de sus decisiones.

Preguntas

1. ¿Cuáles son las Tres 'R' y una U para Enfocarse en las Soluciones?
2. ¿Cuál es el tema de enfocarse en las soluciones?
3. ¿Cuál es la diferencia entre la lista de ideas para enfocarse en consecuencias, y aquella para enfocarse en soluciones?
4. ¿Qué preguntas puede usted hacer para ayudar a los niños a eliminar las sugerencias punitivas?
5. ¿Por qué es importante un periodo de enfriamiento antes de buscar soluciones?
6. ¿En qué difiere el Tiempo Fuera Positivo del uso con-

vencional de tiempo fuera?

7. Como adulto, ¿qué sentiría, pensaría, y decidiría si su cónyuge o colega lo enviara a tiempo fuera?

8. ¿Qué sentiría, pensaría y decidiría si usted supiera que puede ir a un Tiempo Fuera Positivo de su propia creación cada vez que necesite sentirse bien?

9. ¿Por qué es tonto advertir a un niño que tiene que "pensar en lo que hizo"?

10. ¿Cuáles son los componentes importantes de enseñar a los niños sobre el tiempo fuera positivo?

11. ¿Cuál es el mejor proceso de seguimiento con los niños después de un tiempo fuera positivo, o de ayudarles a explorar las consecuencias de sus decisiones

12. ¿Cuál es la diferencia entre imponer una consecuencia y ayudar a los niños a explorar las consecuencias de sus decisiones?

13. ¿Por qué es importante ser cordial y firme al mismo tiempo?

14. ¿Por qué es difícil para los adultos ser cordial y firme al mismo tiempo?

15. ¿Por qué es buena idea evitar enfrentar un conflicto cuando se está molesto?

16. ¿Qué temen los adultos que suceda si no enfrentan el conflicto de inmediato?

17. ¿Por qué es más efectivo involucrar a los niños a establecer límites?

7

El uso Eficiente
de la Motivación

SI UN PEQUEÑO se acerca inocentemente y afirma: "Soy un niño y sólo deseo pertenecer", ¿podría usted enojarse y reprenderlo de alguna manera? ¡Por supuesto que no! La mayoría de los adultos no se dan cuenta que un niño que se porta mal declara subconscientemente: "Sólo quiero pertenecer y tengo ideas equivocadas sobre cómo lograrlo". Desde luego que este mensaje está en código, y los adultos podrían ser más alentadores con los niños si comprendieran el "código de mala conducta".

Como lo discutimos en el capítulo cuatro, un niño que se porta mal, es un niño desmotivado; su mala conducta nos manifiesta que siente que no pertenece y que no es importante y tiene falsas creencias sobre la manera de lograrlo. Podemos ser más eficientes y convertir esa conducta en un comportamiento positivo si recordamos que, tras la mala conducta, hay escondida una creencia desalentadora.

Dreikurs hizo hincapié en el estímulo y creía que es la habilidad más importante que los adultos deben adquirir para ayudar a los niños. Señaló muchas veces que, "Los niños necesitan del estímulo, tanto como las plantas necesitan del agua. No pueden sobrevivir sin él". Al aceptar esta premisa, es obvio que la mejor manera de ayudarlos es a través del estímulo. Al desaparecer la desmotivación, también terminamos con aquello que causa la mala conducta. Esto puede ser verdad, pero ¿qué tan fácil es actuar así con un niño que se está portando mal y qué es un estímulo?

Estimular no es fácil porque para los adultos es normal reaccionar ante la mala conducta de manera negativa, en lugar de actuar para enfrentar el mensaje detrás de la conducta y entonces motivar a los niños a superarla. Otra razón por la que estimular no es sencillo es porque muchos adultos están inmersos en la idea de que el castigo motiva a los niños a mejorar su conducta. Muchos padres y maestros que creen que el castigo funciona, no han explorado los resultados negativos a largo plazo. Incluso aquellos que lo han explorado y han aceptado que no es algo bueno, siguen cayendo en la trampa.

Puede ser alentador saber que "caer en la trampa" es algo normal, pues todos tenemos "botones" y los niños saben cómo activarlos. Cuando nuestros botones se activan, parece ser que regresamos a nuestro cerebro primitivo. Quizá no nos "comamos" a nuestros hijos, pero sí mordisqueamos su sentido de pertenencia e importancia cuando estamos enojados y reaccionamos. Durante los momentos de conflicto, ambos, adultos y niños somos propensos a reaccionar irracionalmente. No es de extrañarse que nadie escuche, ese no es un buen momento para enseñar nada constructivo, aunque a menudo, es el momento que los adultos creen que deben enfrentar el conflicto. Si no lo hacen creen que están dejando que el niño "se salga con la suya". Esta es una de las razones para tomarse un Tiempo Fuera Positivo, ya que ambos, niños y adultos, pueden tranquilizarse y sentirse mejor (y tener acceso a su cerebro racional) antes de tratar de resolver cualquier problema.

Aun cuando los adultos estén tranquilos, la idea del estímulo puede sonar atractiva, aunque algo imprecisa en su aplicación cuando saben como es. El estímulo es el concepto esencial de este libro, cada método aquí discutido, se diseñó para ayudar a los niños y adultos a sentirse motivados. El estímulo les proporciona a los niños oportunidades para desarrollar la conciencia de que son capaces, que pueden contribuir e influir en lo que les pasa y en la manera de responder. El estímulo les enseña las habilidades de vida y la responsabilidad social, necesarias para tener éxito en la vida y el sus relaciones. Puede ser tan sencillo como abrazar a un niño para hacerlo sentir mejor y por lo tanto ser mejor.

Hace mucho tiempo puse a prueba esta teoría. Mi hijo de dos años hacía rabietas y yo estaba tan molesta, que sentía ganas de golpearlo, pero en vez de eso, y recordando la importancia del estímulo, me arrodillé, le di un abrazo y le dije cuánto lo amaba. No solo dejó de gemir y llorar, sino que mi molestia desapareció mágicamente cuando recordé el mensaje oculto tras su conducta y sólo me tomo unos cuantos minutos hacer algo estimulante en lugar de hacer algo humillante.

Por desgracia, dar estímulo no es siempre tan sencillo como podría indicar el ejemplo anterior, ya que existen tres razones principales para esto:

1. Para los adultos es difícil recordar que un niño que se porta mal, realmente está diciendo: "Sólo quiero pertenecer".
2. Aunque los adultos son generalmente expertos para castigar, no lo son para estimular.
3. Los niños no siempre están listos para recibir estímulo en el momento del conflicto.

Ser Oportuno

EN EL EJEMPLO ANTERIOR, mi hijo respondió favorablemente al estímulo mientras se portaba mal, pero por lo general el estímulo se recibe favorablemente sólo después de un periodo de enfriamiento. En el momento del conflicto, especialmente si la meta equivocada es el poder o la venganza, tanto el adulto como el niño se sienten demasiado enojados para tener la capacidad de dar o recibir estímulo. Por esta razón, en el momento del conflicto, lo más eficaz es retirarse amigablemente (Tiempo Fuera Positivo para usted o su hijo – o ambos). Si usted simplemente no puede ignorar la conducta que causó el conflicto y esperar hasta que ambos hayan tenido un periodo de enfriamiento, cuando menos utilice frases que expresen sus sentimientos e intenciones, en lugar de comentarios que hieran o culpen.

Los adultos pueden retirarse del conflicto diciendo, "Creo que ambos estamos demasiado molestos para discutir esto ahora, pero quiero que nos reunamos cuando ambos hayamos tenido tiempo para tranquilizarnos". Esto es especialmente efectivo si se ha discutido el concepto del Tiempo Fuera Positivo para un periodo de enfriamiento durante las juntas escolares o familiares y si los niños han creado su área de tiempo fuera positivo. Si usted lleva a cabo juntas escolares o familiares, también podría ofrecer esta opción: "¿Quieres escribir en la agenda este problema, o debo hacerlo yo?" Otra opción sería, "¿Qué te ayudaría más en este momento – tomar un tiempo fuera positivo, o escribir el problema en la agenda para que más adelante podamos resolverlo?"

Si usted no tiene éxito con el estímulo, es probable que el momento no haya sido el oportuno. Reconocer la importancia del periodo de enfriamiento, le ayudará a incrementar sus éxitos.

Respeto Mutuo

EL RESPETO MUTUO incluye actitudes de (a) confianza en las habilidades propias y de los demás; (b) interés en el punto de vista de los otros y en el propio; y (c) disposición para hacerse responsable y contribuir a solucionar el problema. El ejemplo es la mejor manera de enseñarles a los niños estas actitudes. Usted verá cómo los conceptos de ser oportuno y obtener cooperación pueden surgir con el concepto de respeto mutuo.

Federico, un alumno de quinto grado, a menudo se enojaba y expresaba a gritos su hostilidad hacia los demás, incluyendo al señor Rivera, su maestro. Éste había intentado varias formas de castigo, que sólo parecían intensificar los arranques del niño. Había intentado enviar a Federico a la oficina del director, dejarlo en la escuela después de clases para escribir quinientas veces oraciones sobre cómo controlar su temperamento, y finalmente, le ordenaba que saliera del salón y se sentara en una banca hasta que se tranquilizara. Federico azotaba la puerta mientras salía y a veces aparecía frente a la ventana haciendo muecas. Cuando regresaba, su comportamiento era agresivo y pronto tenía otro arranque de ira.

El señor Rivera trató de estimularlo, teniendo en mente los conceptos de ser oportuno, obtener cooperación y respeto mutuo. Empezó por pedirle a su alumno que se quedara después de clases. Cuando Federico lo hizo, se encontró con una persona mucho más amistosa. Primeramente, el maestro le agradeció por dedicarle su valioso tiempo y quedarse con él; después le dijo que le gustaría encontrar alguna solución que los hiciera sentir bien a ambos. El maestro Rivera se responsabilizó de su parte en el problema confiándole a Federico que no importaba cuán molesto se sentía cuando sus arranques de ira interrumpían su clase, él había sido irrespetuoso al castigarlo en un fallido intento de motivarlo a mejorar su conducta. El señor Rivera continuó su conversación diciéndole a Federico que ya no quería castigarlo más, y que necesitaba su ayuda. Le preguntó a Federico si estaría dispuesto a trabajar en una solución con él.

Federico todavía no estaba listo y mostró su hostilidad argumentando que no era su culpa que sus compañeros lo hicieran enojar. (Recuerde que es probable que a los niños les lleve su tiempo confiar en nosotros cuando cambiamos nuestro comportamiento). El señor Rivera estuvo de acuerdo en que podía comprender ese sentimiento, porque a veces, algunas personas lo hacían enojar mucho también. Esto captó la atención de Federico y miró a su maestro con sorpresa y alivio en sus ojos. Éste continuó contándole a Federico que notaba que ciertas cosas pasaban en su propio cuerpo cuando se enojaba, tales como un nudo en el estómago y una tensión en sus hombros, y le preguntó si él había advertido las cosas que le pasaban cuando se enojaba. Federico no pudo identificar ninguna, entonces el maestro le pidió hacer un experimento: poner atención a lo que sucedía a su cuerpo la próxima vez que se enojara y acordaron reunirse después, así Federico podría platicarle qué había descubierto.

Fue cinco días después que el niño tuvo otro arranque de ira, cinco días era mucho tiempo de no tener arranques para Federico. Es posible que hubiese tenido el sentido de pertenencia e importancia por el hecho de que el señor Rivera se tomó el tiempo para trabajar con él de una manera cordial y respetuosa, y no había tenido necesidad de buscar ese sentimiento a través de una mala conducta por algún tiempo. Sin embargo, no duró por siempre. La siguiente ocasión, el señor Rivera intervino poniendo una mano en su hombro y preguntando, "Federico, ¿notaste lo que pasaba en tu cuerpo ahora?", la pregunta interrumpió el arranque del niño invitándolo a pensar. El maestro parecía interesado y emocionado mientras añadía, "Vena verme después de clases y me lo cuentas."

Al encontrarse con él, le dijo que había notado que empezaba a apretar sus puños y dientes al enojarse. El maestro le preguntó si la próxima vez que empezara a enojarse, estaría dispuesto a responsabilizarse y salir del salón para tener un Tiempo Fuera Positivo hasta tranquilizarse. El señor Rivera añadió que no tendría que pedir permiso, porque sabría lo que Federico estaría haciendo y tendría confianza de que lo podría manejar solo. Entonces le preguntó si sabía lo que podía hacer mientras estuviera afuera para ayudarse a sí mismo a sentirse mejor. Federico dijo no saber. El señor Rivera sugirió: "¿Qué te parece, contar hasta diez o hasta cien, o traer a tu mente pensamientos felices o simplemente apreciar la belleza del día?" Federico estuvo de acuerdo.

De nuevo pasaron cinco o seis días antes de que Federico tuviera otro arranque. Otra vez, tuvo la motivación para discutir el problema respetuosamente, Nuevamente el estímulo no duró para siempre. La siguiente vez, Federico salió del salón tres veces y permanecía fuera unos tres o cinco minutos antes de regresar notablemente calmado. Cada vez que regresaba, el señor Rivera le mostraba su dedo pulgar y le guiñaba un ojo en señal de satisfacción por su conducta responsable. El maestro no estaba seguro de lo que Federico hacía para calmarse, pero le agradaba que ya no se asomara por la ventana haciendo muecas. Federico continuó con esta responsabilidad durante cuatro o cinco veces a la semana. Pasaron tres semanas antes de que el niño perdiera el control y le gritara a un compañero, olvidando salirse del salón.

El señor Rivera habló con él durante la hora del almuerzo y comentó lo bien que había estado actuando, añadió que todos cometemos errores mientras aprendemos cosas nuevas y le preguntó si estaba dispuesto a seguir trabajando para mejorar y Federico estuvo de acuerdo. El señor Rivera reportó que por el resto del año, Federico salía ocasionalmente, pero que tenía pocos arranques de ira, y cuando regresaba después de tranquilizarse, el maestro continuaba guiñándole y sonriéndole. Federico no se volvió perfecto, pero mejoró significativamente. El señor Rivera dio el siguiente reporte durante una junta de maestros; "Federico solía tener varios arranques de ira al día, ahora pierde el control una o dos veces al mes." El maestro estaba especialmente contento porque la afinidad entre ellos mejoró de tal manera que su relación era más agradable.

Mejorar, no ser Perfecto

EL EJEMPLO ANTERIOR también ilustra el concepto de trabajar para mejorar, en lugar de esperar perfección. La perfección es una expectativa irreal y desalentadora para aquellos que tratan de vivir cumpliendo con ella. Los niños preferirían no tener la experiencia de constante desmotivación porque ellos no intentan en lo absoluto, cumplir con la expectativa de perfección de los adultos —ni de ellos mismos. Reconocer que se mejora es estimulante e inspira a los niños a continuar sus esfuerzos.

La señora Aguilar se sentía desalentada porque su hijo Carlos tenía problemas en la escuela. Su maestra lo castigaba haciéndolo escribir una oración cincuenta veces cada vez que se portaba mal. Carlos se negaba a hacerlo y entonces la maestra duplicaba la cantidad de repeticiones. A la señora Aguilar le preocupaba que Carlos se estuviera convirtiendo en un delincuente, así que empezó a reprenderlo y darle sermones. Ahora Carlos estaba siendo castigado en la escuela y en casa. Se volvió aún más rebelde actuando como si no le importara y odiaba la escuela. Finalmente, la señora Aguilar solicitó una conferencia con la maestra, en la que le preguntó qué porcentaje del comportamiento de Carlos era "malo". La maestra contestó que aproximadamente el quince por ciento.

A la señora Aguilar le sorprendió darse cuenta de la mala reputación que su hijo se estaba ganando (y viviendo de acuerdo a ella) porque le prestaban más atención al 15 por ciento negativo, que al 85 por ciento positivo.

La señora Aguilar participaba en un grupo de estudio de padres de familia y compartió algunas de las cosas que estaba aprendiendo. La maestra de Carlos estuvo muy interesada en escuchar soluciones no punitivas. Acordaron desarrollar un plan positivo para trabajar con él. Durante una junta, en presencia del niño, todos resolvieron que cada vez que Carlos fuera desobediente o irrespetuoso en clase, repararía su conducta, colaborando con la maestra, asesorando a otro miembro del salón que necesitara ayuda, o enseñando algún segmento de una lección.

La actitud de Carlos fue encauzada hacia una conducta de contribución y, después de esto, tuvo pocos problemas. Esta maestra también organizó juntas escolares para que los conflictos fueran resueltos por todo el grupo.

El castigo motiva la rebeldía y es desalentador para el niño, sus padres y maestros. Cuando los adultos utilizan herramientas como el respeto mutuo, la solución de problemas, la motivación y el enfoque en soluciones, los niños desarrollan el sentido de pertenencia e importancia, así como una conducta responsable.

Desarrollar las Fortalezas, no las Debilidades

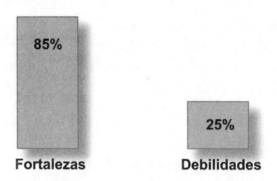

COMO LO MUESTRA esta gráfica, su hijo o alumno puede tener el ochenta y cinco por ciento de fortalezas y el quince por ciento de debilidades, sin embargo, ¿en qué nos enfocamos la mayoría de los padres y maestros?

Cuando usted gasta el 85 por ciento de su tiempo y energía enfocándose en el 15 por ciento negativo, éste se incrementa y lo positivo desaparece. Lo que se ve, es lo que se obtiene. Por otro lado, si concentra el 85 por ciento de su tiempo y energía reconociendo y estimulando lo positivo, no pasará mucho tiempo antes de que lo negativo desaparezca y lo positivo se incrementará al 100 por ciento porque es todo a lo que se le presta atención. Es muy estimulante para usted y para los demás, cuando se concentra la atención en lo positivo.

Redirigir la Mala Conducta

BUSQUE LO POTENCIALMENTE BUENO en toda conducta del niño. Los niños latosos, a menudo tienen habilidades de liderazgo;

usted se dará cuenta que no es tan difícil trabajar con un niño y ayudarlo a encausar su conducta hacia una actitud de contribución. El programa de asesoría a compañeros descrito en el Apéndice II se basó en este concepto. Los estudiantes con habilidades de liderazgo, utilizadas hasta entonces negativamente, fueron entrenados para ser consejeros y ayudar a otros alumnos.

Una maestra de preescolar se especializó en el concepto de encauzar la mala conducta y lo utilizó muchas veces. Por ejemplo, el caso de Silvia, que nunca quería limpiar su lugar después de las actividades de arte. La maestra le encargó e instruyó para que enseñara a los otros niños lo que debían hacer. Pablo siempre tiraba las figuras con cubos que hacían sus compañeros. La maestra lo nombró jefe de patrulla de cubos. Su trabajo era enseñar a los otros niños a cooperar cuando jugaban, ayudándolos cuando era tiempo de recoger los cubos.

Reparar

ESTO ES MUY PARECIDO a redirigir la mala conducta, pero involucra más al niño en el proceso de solucionar problemas. Cuando los niños hacen algo irresponsable o irrespetuoso, debe darles la oportunidad de compensar su conducta, haciendo algo para que la persona ofendida se sienta mejor. En el ejemplo de Carlos, cuando él se portaba mal en clase, hacía más difícil el trabajo de su maestro, al otorgársele la oportunidad de reparar su falta, realizó algo que facilitó el trabajo del maestro. Esto no funciona si la actitud del adulto es punitiva, en cambio, resulta útil si es cordial y respetuosa, haciendo que el niño participe en la decisión de cómo reparar la falta.

Mónica y Pilar aventaron naranjas al auto del vecino. Su madre se sentó con ellas y las involucró en una discusión haciéndoles preguntas abiertas de una manera muy cordial. Primero reconociendo, "Me imagino que debió ser muy emocionante y divertido aventar naranjas al auto del señor Sandoval, pero me gustaría suponer algo. Me imagino que ustedes no pensaron cómo se sentiría el señor Sandoval cuando viera el desastre que había sobre su auto."

Ambas niñas parecían sentirse un poco culpables. Su madre continuó, "¿Cómo creen que se sintió? ¿Cómo se hubieran sentido ustedes si alguien le hiciera lo mismo a su auto?"

Las pequeñas admitieron que no les habría gustado. Entonces la madre preguntó, "¿Qué creen que pueden hacer para reparar la falta que cometieron en contra del señor Sandoval?

Las niñas se encogieron de hombros y dijeron que no sabían. Entonces su madre persistió, "Vamos niñas, no se trata de meterlas en problemas. Todos cometemos errores y se trata de que aprendamos de ellos y hagamos cualquier cosa que pueda reparar nuestra falta. Ustedes son buenas resolviendo problemas. ¿Qué las haría sentirse mejor si tuvieran un auto y alguien le aventara naranjas?"

Pilar dijo, "Supongo que me gustaría que esas personas me ofrecieran disculpas."

La madre dijo, "¿Alguna otra cosa?"

Mónica respondió, "A mí me gustaría que esas personas lavaran mi auto".

Entonces la madre añadió, "Esas son excelentes ideas. ¿Estarían dispuestas a hacerlas para el señor Sandoval?"

Las niñas parecían renuentes, pero finalmente aceptaron que era lo correcto, entonces su madre dijo, "Sé que esto es difícil, pero también sé que se van a sentir mejor con ustedes mismas cuando lo hayan hecho. ¿Quieren que las acompañe, o prefieren ir a hablar con el señor Sandoval ustedes solas?" Las niñas acordaron ir solas a hablar con él.

Mónica y Pilar tuvieron suerte de que el señor Sandoval era una persona amable. Él reconoció que se requería de valor para admitir sus errores y hacer algo para repararlos. Si hubiese sido gruñón, de todas formas la madre de las niñas las habría motivado a reparar su falta. Aún cuando a la gente no le agrade aceptar las reparaciones, es fácil imaginar que Mónica y Pilar pensarían más en las consecuencias de sus actos en el futuro.

Cinco niños de una escuela primaria fueron sorprendidos estropeando las puertas de los salones de clases. El conserje les permitió reparar su conducta ayudándole a pintar las puertas. Su actitud fue tan respetuosa que inspiró a estos niños a sentirse orgullosos de su trabajo y a desalentar a otros niños a cometer actos vandálicos.

Reparar la mala conducta es estimulante pues enseña responsabilidad social. Los niños se sienten mejor cuando ayudan a otras personas. Cuando se estimula a reparar las faltas de una manera no punitiva, es estimulante porque los niños experimentan la oportunidad de aprender de sus errores y corregir cualquier problema. Reparar también es estimulante porque los niños aprenden que pueden ser responsables de su conducta sin sentir temor, culpa, vergüenza ni dolor.

Es muy triste que algunos adultos piensen que es más importante que los niños sientan culpa, vergüenza y dolor por lo que han hecho, que enseñarlos a reparar sus faltas y experimenten el tipo de motivación que los inspirará a abandonar su mala conducta. De hecho, la mayoría de estos adultos creen, equivocadamente, que ayudar a un niño a sentirse mejor, significa premiar y fomentar su mala conducta. Pero los niños no "se salen con la suya" por su mala conducta cuando son motivados a repararla, pues aprenden a ser responsables, quedando su dignidad y respeto intactos.

Presion Social

PUEDE SER DIFÍCIL utilizar procedimientos efectivos con los niños cuando los adultos se sienten presionados socialmente. Si los amigos, vecinos, familiares u otros maestros observan nuestra interacción con un niño que se porta mal, sentimos que nos juzgarán según la manera en que manejamos la situación. En tales circunstancias, los observadores esperan perfección inmediata, por lo que podríamos acudir al castigo para satisfacerlos, obteniendo resultados rápidos.

Se requiere de mucho valor para pensar con claridad en los momentos de presión y hacer lo apropiado. Un verano fuimos de campamento con varios amigos. Nuestro hijo de diez años, Mark, era un buen deportista y cargó su mochila durante los nueve kilómetros hacia el cañón. Cuando nos preparábamos para recorrer el largo camino de regreso, Mark se quejó de lo incómoda que era su mochila. Su padre lo bromeó diciendo, "Tú puedes llevarla, eres hijo de un soldado". Mark estaba demasiado molesto para pensar que tal comentario era gracioso, pero aún así empezó a escalar. No iba muy delante de nosotros cuando su mochila nos cayó, pensé que mi hijo se había tropezado y pregunté preocupada qué pasaba. Mark contestó enojado, "Nada, me lastima", y continuó escalando sin su mochila. Todos observaban con interés y un adulto ofreció cargarla. Yo me sentía terriblemente avergonzada y con la presión social adicional de haber escrito un libro sobre la Disciplina Positiva.

Rápidamente superé mi ego y recordé que lo más importante era resolver el problema de modo que Mark se sintiera motivado y fuese responsable. Primero, pedí al resto del grupo que se adelantara para resolver el problema en privado, entonces acudimos a los Cuatro Pasos para Obtener Cooperación, descritos en el capítulo dos.

Le dije a Mark, "Sé que te sientes realmente molesto porque no te escuchamos con seriedad cuando mencionaste que tu mochila te lastimaba incluso antes de empezar el camino".

Mark afirmó, "Sí, y ya no la estoy cargando".

Le respondí que no lo culpaba y que yo me sentiría exactamente igual dadas las circunstancias. Su padre se disculpó y le pidió otra oportunidad para resolver el problema.

Mark disminuyó su enojo visiblemente; ahora estaba listo para cooperar. Él y su padre se las ingeniaron para acomodar su chaqueta a modo de cojín protegiendo su espalda lastimada. Mark cargó su mochila el resto del camino sólo quejándose levemente muy pocas veces.

Cuando se sienta bajo presión social, aléjese de la audiencia, retírese del lugar o pida respetuosamente a los demás que lo dejen solo para resolver el problema en privado.

Programar Tiempo Especial

UNA DE LAS COSAS más estimulantes que los padres podemos hacer por nuestros hijos es pasar regularmente un tiempo especial con ellos. Seguramente usted ya ha pasado mucho tiempo con sus hijos, sin embargo, existe una diferencia entre "tener tiempo", "tiempo casual" y "tiempo especial programado".

Los niños menores de dos años, requieren mucho tiempo y en realidad no tienen la edad suficiente para comprender lo que es "tiempo especial", por tanto, no es preciso programarlo, siempre y cuando ellos sientan que usted disfruta el tiempo que pasa con ellos. Entre los dos y los seis años de edad, necesitan contar cuando menos con diez minutos diarios de tiempo especial. Aunque más tiempo es mejor, usted se sorprenderá de cuán mágico puede ser, si reserva cuando menos con diez minutos de su ocupado programa.

De los seis a los doce años, es probable que los niños no requieran tiempo especial todos los días (será a su juicio), pero sería bueno que contaran por lo menos con media hora a la semana. La cantidad de tiempo y el horario serán determinados por cada familia.

Podría ser la hora de tomar galletas y leche después de la escuela o una hora todos los sábados. Lo importante es que los niños sepan exactamente cuándo contarán con ese tiempo especialmente programado para ellos.

Existen varias razones por las que el tiempo especial es estimulante:

1. Los niños sienten que pertenecen y son importantes cuando pueden contar con un tiempo especial con usted. Sienten que son importantes para usted.

2. El tiempo especial programado es un recordatorio para usted referente a por qué decidió tener hijos –para disfrutarlos.

3. Cuando usted está ocupado y sus hijos quieren su atención, es más fácil para ellos aceptar que usted no tiene tiempo cuando dice, "Cariño, no puedo en este momento, pero te aseguro que estoy esperando con ansia el momento de nuestro tiempo especial a las cuatro y media".

Programe el tiempo especial con sus hijos y hagan una lista de las cosas que les gustaría hacer juntos durante ese tiempo. Al hacer por primera vez la lista, no evalúen ni eliminen nada, más adelante pueden leerla y organizarla juntos. Si algunas cosas resultan económicamente costosas, pónganlas en una lista aparte para ahorrar dinero. Si la lista contiene cosas que llevan un tiempo mayor a los treinta minutos que han programado, pónganlas en otra lista y prográmenlas para tiempos más largos de diversión familiar.

A menudo sugiero que los padres descuelguen el teléfono para enfatizar que es un momento único sin interrupciones. Sin embargo, una madre podría no descolgarlo durante su tiempo especial con su hija de tres años, y si el teléfono sonara, ella contestaría, "Lo siento, no puedo atenderte ahora porque es mi tiempo especial con Lorena". La niña sonreiría al escuchar lo importante que es para su madre pasar un tiempo con ella.

Los maestros se sorprenden de lo provechoso que es estar dos o tres minutos con un niño después de clases sin hablar de los problemas del niño, solo formulando preguntas como "¿Qué es lo que más te gusta hacer para divertirte?". Los alumnos se sienten únicos cuando un maestro comparte con ellos sus gustos

157

y cosas que los revelan como personas. Muchos maestros han reportado que el simple hecho de pasar unos cuantos minutos con un alumno después de clases, les ha ayudado a que el niño se sienta lo suficientemente motivado para abandonar la mala conducta aún cuando ésta no se mencione en esos momentos.

La señora Alcalá estaba preocupada por una niña de su grupo cuya meta equivocada era el poder. A menudo, Eugenia se negaba a hacer su trabajo y demostraba su hostilidad con sonrisas burlonas y miradas ariscas. Un día la señora Alcalá le pidió que se quedara después de clases. Eugenia se presentó lista para la batalla, pero la maestra no mencionó el problema de conducta, en su lugar, le pidió que le platicara sobre lo más divertido que había hecho la noche anterior. Eugenia no contestó. La señora Alcalá pensó, "Esto no está funcionando", pero aún así continuó, "Bueno, me gustaría contarte lo que hice para divertirme anoche". Entonces le platicó algo que había hecho con su familia. Eugenia todavía se negaba a responder y la maestra le dijo que podía retirarse pero que le encantaría escucharla, cuando ella quisiera compartir lo que le gustaba hacer para divertirse.

La señora Alcalá se sintió desalentada, pensando que su esfuerzo había sido inútil. Sin embargo, al día siguiente Eugenia ya no parecía resentida y no mostró hostilidad. Después de clases, la niña le mostró a su maestra un dibujo que había hecho de ella misma y una amiga montando en bicicleta y le explicó que eso era lo más divertido que había hecho la noche anterior. Entonces la señora Alcalá le platicó otra anécdota divertida que había vivido.

Si usted lo analiza, comprenderá por qué un breve intercambio puede dar resultados tan espectaculares. Primero, el niño se siente elegido para obtener una atención especial; es posible que al principio la rechace porque sospecha que será otra sesión de culpas y represalias. Segundo, el niño experimenta algo inesperado cuando la maestra no menciona los problemas de conducta. Tercero, a menudo los adultos se muestran interesados en que los niños hablen, pero no manifiestan respeto mutuo compartiendo vivencias sobre sí mismos. Un niño puede sentir pertenencia e importancia adicional cuando usted comparte cosas sobre sí mismo.

Se sugiere que los maestros pasen unos minutos de tiempo especial con cada alumno de su grupo durante el año. Comience con los niños que parecen más desmotivados, pero asegúrese de que al final del año, no le haya faltado ninguno. Muchos maestros se quejan de no tener tiempo para tener tiempos especiales. Es verdad que tienen mucha presión por ayudar a los alumnos a acreditar los exámenes académicos, sin embargo, los maestros que comprenden que la motivación es tan importante como lo académico, si no es que más importante, encuentran la forma de pasar unos minutos de tiempo especial con los niños durante el trabajo de banca o durante las formaciones.

Los padres de familia pueden aplicar el concepto de tiempo especial como parte de su rutina a la hora de ir a dormir (aunque esta rutina no debe reemplazar el tiempo especial programado para el día). Cuando la señora Velarde arropaba a sus hijos en la cama, les pedía que le contaran primero el momento más triste del día y después el momento más feliz. Después ella les compartía los sucesos más tristes y más felices de su jornada.

Al principio, sus hijos aprovechaban esta oportunidad para quejarse ampliamente sobre las cosas tristes y a veces terminaban llorando. Ella esperaba pacientemente a que se tranquilizaran y luego decía, "Me alegra que puedas compartir conmigo tus sentimientos.

Mañana cuando te sientas mejor, hablaremos al respecto para ver si podemos idear algunas soluciones. Ahora cuéntame el momento más feliz". Si el niño no podía recordar ninguno, la señora Velarde compartía con él su acontecimiento más feliz del día.

Una vez que los niños se acostumbraron a esta rutina, los sucesos tristes se comentaban de una manera casual, seguidos de ideas para resolverlos o evitarlos en el futuro. Pronto disfrutaron más el compartir los momentos felices que los tristes.

Estimulo Vs. Elogio

DURANTE MUCHOS AÑOS se ha desplegado una gran campaña sobre lo valioso de elogiar a los niños para que obtengan un concepto positivo de sí mismos y así, mejorar su conducta. Este es otro aspecto en el que debemos "tener cuidado de lo que funciona". El elogio puede ayudar a algunos niños a mejorar su conducta, el problema es que se pueden volver complacientes y adictos a la aprobación. Estos niños (más tarde adultos) pueden desarrollar auto conceptos totalmente dependientes de las opiniones de los demás. Algunos niños resienten y se rebelan en contra de los elogios porque no quieren vivir de acuerdo a las expectativas de otras personas o porque temen no poder competir con aquellos que obtienen elogios fácilmente.

Aunque el elogio puede parecer que funciona, debemos considerar sus efectos duraderos. A largo plazo, la consecuencia del estímulo es la auto confianza; la del elogio, en cambio, es la dependencia en los demás.

Como lo mencioné anteriormente, otro error que los adultos han cometido respecto a los elogios es la creencia de que pueden "dar" autoestima. La autoestima no puede darse ni recibirse, solo puede desarrollarse a través de un sentido de capacidad y de auto confianza, lo cual se obtiene al enfrentar frustraciones, resolver problemas, y teniendo muchas oportunidades para aprender de los errores. El buen uso del estímulo requiere, por parte de los adultos, actitudes de respeto, interés por el punto de vista del niño y deseo de proporcionar oportunidades para que los niños desarrollen habilidades de vida que los llevarán a confiar en sí mismos y a ser independientes. Algunas características tanto del elogio como del estímulo se describen en la siguiente tabla.

	Elogio	Estimulo
Definición del diccionario	1. Expresar un juicio favorable de 2. Glorificar, especialmente por atribuir perfección 3. Una expresión de aprobación	1. Inspirar con valor 2. Inducir, alentar
Se dirige	Al que realiza la acción: "Buena chica"	Al hecho: "Buen trabajo"
Reconoce	Sólo un producto acabado perfecto: "Lo hiciste bien"	El esfuerzo y progreso: "Realizaste tu mejor esfuerzo" o "¿Cómo te sientes sobre lo que aprendiste?"
Actitud	Protectora, manipuladora: "Me gusta la manera en que Susana se sienta"	Respetuosa, apreciativa: "¿Quién me puede mostrar cómo debemos estar sentados ahora?"
El mensaje del "Yo"	Juicioso: "Me gusta la manera en que lo hiciste"	Revelación personal: "Aprecio tu cooperación"
Usado más frecuentemente con	Niños: "Eres un niño tan bueno"	Adultos: "Gracias por ayudar"
Ejemplos	"Me siento orgulloso de ti porque Obtuviste una "A" en matemáticas (roba a la persona la posesión de Sus propios logros)	"Esa "A" refleja tu gran esfuerzo" (reconoce la propiedad y la responsabilidad del éxito).
Invita	A la gente a cambiar por los demás	A la gente a cambiar por ellos mismos
Sitio de mando	Externo: ¿Qué piensan los demás?	Interno: ¿Qué pienso yo?
Enseña	Qué pensar, evaluación por parte de otros.	Cómo pensar, auto evaluación
Objetivo	Conformidad: "Lo hiciste bien"	Comprensión: "¿Qué piensas / sientes / aprendes?"
Efectos sobre la autoestima	Sentir que vale la pena sólo cuando otros lo aprueban	Sentir que vale la pena sin la aprobación de otros
Efectos a largo plazo	Dependencia de los demás	Seguridad y confianza en sí mismo

Las diferencias entre el estímulo y el elogio pueden ser difíciles de comprender para aquellos que creen en el elogio y han visto sus efectos inmediatos. Han visto que los niños responden al elogio con caras iluminadas, sin embargo, no piensan en los efectos a largo plazo de dependencia en la opinión de los demás. Incluso aquellos que desean cambiar del elogio al estímulo, encuentran difícil detenerse a pensar antes de hacer afirmaciones que se han vuelto habituales.

Podría ser útil tener presentes las siguientes preguntas, cuando no sabemos si las frases que decimos a los niños son elogios o estímulos:

- ¿Estoy motivando para la autoevaluación o la dependencia a la evaluación de los demás?
- ¿Estoy siendo respetuoso, o protector?
- ¿Estoy apreciando el punto de vista del niño, o sólo el mío?
- ¿Haría yo este comentario a un amigo?

He encontrado esta última pregunta especialmente útil. Los comentarios que hacemos a nuestros amigos, generalmente, corresponden a los criterios del estímulo.

Estimulo Vs. Critica

ES UN ERROR PENSAR que la manera más provechosa de ayudar a un niño a que sea mejor, es criticar lo que hace mal. Mucha gente argumenta que la crítica constructiva es útil, pero Sid Simon tiene una excelente definición de la crítica constructiva: "Crudismo constructivo".

Si lo pensamos bien, estos dos términos (crítica constructiva) se contradicen. *Constructivo* se refiere a construir; *crítica* se refiere a derribar. Esto no significa que no debamos hacerle saber al niño cuando es necesario mejorar, significa que no tenemos por qué hacerlos sentir mal para que mejoren. Una buena manera de discutir sobre lo que requiere mejorarse es preguntarle al niño: "¿En qué áreas piensas que estás bien? ¿En cuáles crees que necesitas progresar?" Ordinariamente, los niños conocen la respuesta sin necesidad de decirles, y es más útil si la comprensión de esa necesidad de perfeccionamiento proviene de ellos mismos. Así usted puede unírseles para concretar ideas. Esto les enseña el valor de la autoevaluación.

Estimule la Autoevaluación

LAURA ENTREGÓ su tarea sobre la escritura de la letra "g" a su maestra de tercer grado. La señora Trueva miró el papel y le pidió a Laura que señalara su "g" favorita. Después de hacerlo, la señora Trueva preguntó, "¿Puedo señalarte mi favorita?" Laura aceptó contenta. La maestra señaló otra "g" muy bien hecha y después otra que tenía doble gancho y le pidió a Laura que le diera su opinión sobre esta última.

La niña mostró su sorpresa cubriendo su boca con una mano exclamando: "¡Uy!". La señora Trueva le preguntó si podía componerla sola o si necesitaba ayuda. Laura dijo que podía sola y regresó a su escritorio a corregirla.

La maestra no señaló sólo el error, se enfocó primero en lo positivo y después le pidió a Laura que evaluara el error por sí misma. Si les preguntamos a los niños en qué áreas necesitan trabajar para mejorar, generalmente pueden decirlo sin que nadie se las haya señalado. Este ejemplo incorpora el concepto de construir sobre las fortalezas y no sobre las debilidades. Cuando usted señala lo que se ha hecho bien, los niños, generalmente, desean continuar haciendo bien las cosas o mejorar.

Como padres y maestros somos responsables de ayudarlos a aprender y mejorar sus habilidades académicas y sociales. Sin embargo, el estímulo es una excelente manera de ayudar a un niño a ser mejor. Si se utilizan otros métodos, como los que mencionaremos a continuación, serán más efectivos si nos hemos ganado primero al niño a través del estímulo, pues de esta manera él o ella serán más receptivos.

Tómese el Tiempo para Entrenar

ESTO NO ES TAN OBVIO como suena. A menudo los adultos esperan que los niños realicen tareas para las que no han sido adecuadamente entrenados. Esto es más típico en los hogares que en las escuelas. Los padres esperan que sus hijos limpien sus habitaciones, pero nunca les han enseñado a hacerlo. Los niños entran a sus habitaciones hechas un desastre y se sienten agobiados. Sería mejor si los padres dijeran: "Guarda tu ropa limpia en los cajones y el armario, tu ropa sucia la pones en el cesto de lavar, y cuando hayas terminado te diré lo que sigue". Después pueden continuar poniendo sus juguetes en repisas o en cajas de juguetes. Para hacerlo más divertido, sugiera que guarden primero todos los juguetes que tengan ruedas, después los que tengan partes de cuerpo y por último los que sean animales.

En sus conferencias, H. Stephen Glenn, señalaba que a menudo, los padres les mencionan a sus hijos las expectativas que tienen sin jamás molestarse en especificar exactamente cómo deben cumplirlas. Esto es debido a una gran brecha de comunicación. Tomarse el tiempo para el entrenamiento específico puede eliminar los malos entendidos.

Glenn demuestra más ampliamente la brecha de comunicación mediante la siguiente conversación:

Mamá: "Hijo, limpia y ordena tu cuarto".
Hijo: "Ya lo hice" (Significa: Puedo caminar dentro de él)
Mamá: "No, no lo has hecho" (Significa: No podría comer sobre el piso).

164

Tomarse el tiempo para entrenar significa ser específico sobre sus términos y expectativas. Una madre pasa varios años ayudando a sus hijos a tender sus camas y les hace indicaciones como: "¿Qué pasaría si tiraras de aquí?" (se desaparecería una arruga). Compra sábanas con diseños de cuadros a la escocesa o de rayas para que los niños aprendan a tener líneas rectas a lo largo de los bordes. Cuando llegan a la edad de seis años, ya han tenido suficiente entrenamiento para saber cómo tender sus camas casi tan perfectamente como para pasar una inspección militar.

Cuando les pida a sus hijos que limpien la cocina, asegúrese de que sepan lo que eso significa para usted, porque para ellos puede ser, simplemente, colocar los platos en el fregadero. Muchos padres se molestan, aunque nunca se hayan tomado el tiempo para entrenarlos, cuando sus hijos no hacen bien las tareas domésticas. Tomarse el tiempo para entrenar, no significa que los niños siempre harán las cosas tan bien como usted quisiera. Mejorar es un proceso que dura toda la vida. Recuerde, las cosas que usted quiere que hagan, pueden no ser una prioridad para ellos hasta que son adultos y tienen sus propios hijos con quienes luchar. Todos hacemos mejor las cosas que tienen mayor importancia en nuestras vidas. Aunque la limpieza y los buenos modales pueden no tener relevancia para los niños, no significa que no deban aprender estas cualidades. Sin embargo, los adultos necesitan recordar que los niños son niños.

Una vez que sienta que ha dado suficiente entrenamiento, verifique preguntando al niño: "¿Cuál es tu concepto de lo que es necesario hacer para que la cocina esté limpia?" Si el niño dice: "Poner los platos en la lavavajillas", pregunte: "¿Y qué hay de los pisos y los muebles? ¿Qué necesitas hacer para asegurarte de que estén limpios?" Es probable que el niño haga una mirada de impaciencia y sarcásticamente responda: "Trapear el piso, limpiar los muebles" Ignore el sarcasmo y reconozca: "Grandioso, me alegra que tengamos el mismo concepto".

Tomarse el tiempo para entrenar puede ser divertido. Elija una noche de la semana para practicar los buenos modales en la mesa. Invite a cada uno a exagerar diciendo: "Porrr favorrr pásssame la mantequilla", etcétera. Haga un juego de acumular puntos por sorprender a otro con los codos sobre la mesa, hablando con la boca llena, interrumpiendo a otros, quejándose o cruzándose sobre la mesa. Aquel que acumule más puntos escoge el juego para después de la cena[1].

Tomarse el tiempo para entrenar también incluye decirles a sus hijos cuándo va a cambiar sus métodos. La señora Herrasti me escuchó hablar sobre la importancia de permitir a los niños vestirse solos. Su hija Blanca, estaba en tercer grado y aunque la mamá ya no la vestía, le preparaba su ropa todas las noches. La señora Herrasti decidió que ya no lo haría, pero no se lo informó a Blanca. A la mañana siguiente, la escuchó gritar enojada: "¡Mamá! ¿dónde está mi ropa?"

La señora Herrasti respondió respetuosamente: "Está en el armario, querida, estoy segura que puedes encontrarla tu sola". Blanca replicó: "Madre, cuando decidas hacer estas cosas, ¿podrías hacérmelo saber por favor?" La niña tenía razón, es bueno discutir cortésmente los cambios con quienes están involucrados, antes de establecerlos.

Tablas de Rutinas

ENTRE MÁS HAGAN LOS NIÑOS por sí mismos, más capaces y motivados se sienten. Una de las mejores formas de evitar las típicas batallas matutinas y a la hora de ir a la cama es involucrar a los niños en crear tablas de rutinas y dejar que se apeguen a ellas en vez de decirles lo que deben hacer. Empiece por pedirles a sus

---

[1]Este ejemplo fue tomado del libro *Disciplina Positiva de la A a la Z* por Jane Nelsen, Lynn Lott y H. Stehen Glenn, Three Rivers Press (New York, NY) 1999.

hijos que hagan una lista de todas las cosas que necesitan hacer antes de irse a la cama. La lista puede incluir: recoger los juguetes, tomar un refrigerio, tomar un baño, ponerse las pijamas, cepillarse los dientes, preparar la ropa para el día siguiente, el cuento antes de dormir, abrazos. Copie (o deje que los niños copien, cuando tengan la edad suficiente) todos estos elementos en una tabla. A los niños les encanta cuando usted toma fotografías de ellos haciendo cada una de las tareas y entonces poder pegarlas en cada cuadro de la tabla. Después cuelgue la tabla de rutinas en un lugar donde puedan verla y deje que la tabla mande. En vez de decirles a sus hijos lo que tienen qué hacer, pregunte: "¿Qué sigue en tu tabla de rutinas?" Es probable, que no necesite preguntar, los niños le dirán primero.

Escoger la ropa del día siguiente es una actividad que elimina problemas en la mañana cuando los niños siguen su rutina (para lo que seria bueno que usted tuviera otra tabla). Si desde la noche anterior, sus hijos han preparado lo que usarán al día siguiente, no se pondrán molestos por tener que elegir en el último minuto.

Otra tarea nocturna que hace que las rutinas de la mañana sean más eficientes es que sus hijos preparen su almuerzo escolar una noche antes.

Recuerde que el objetivo es ayudar a los niños a sentirse capaces y motivados. Un beneficio adicional es que usted podrá dejar de regañarlos y experimentará noches y mañanas más placenteras.

Enseñe que los Errores son Magnificas Oportunidades para Aprender

AUN CUANDO LOS NIÑOS no vivan con culpa, vergüenza y dolor, parece que de algún lado absorben la autocrítica. Con frecuencia, deciden por sí mismos, que "deben" se más perfectos.

Es necesario que les enseñemos una y otra vez que los errores son maravillosas oportunidades para aprender.

Kathy Schinski asistía a un taller de Disciplina Positiva y compartió la siguiente letra de una canción que escribió. Quizá usted quiera inventarle una melodía y enseñársela a sus hijos o alumnos.

Un poco de Imperfección

De Kathy Schinski

Un poco de imperfección no es tan malo.
Un poco de imperfección no debe entristecerte.
Te mantiene en contacto con la realidad
Y con toda la gente no tan perfecta
Como yo.

Un poco de imperfección no es tan penoso.
Necesitas un poco de ella para ser lo suficientemente perfecto.
Coloca tus pies de regreso a la tierra
Y permite a otras personas mantener
Su propio valor.

Un poco de imperfección, precisamente en el lugar exacto
Puede hacer de este mundo no tan perfecto, más fácil de enfrentar.
Muchos de nosotros podríamos ir en la dirección correcta
Si pudiéramos aprender a tolerar un poco de imperfección.
Un poco de imperfección no es tan malo.
Un poco de imperfección no debe entristecerte
Te mantiene en contacto con la realidad
Y con toda la gente no tan perfecta
Como yo.

Preguntas Abiertas

LAS PREGUNTAS ABIERTAS es un tema que se discutió en el capítulo anterior para ayudar a los niños a explorar las consecuencias de sus decisiones. También pueden utilizarse como parte del proceso de "Tomarse el tiempo para entrenar". Logrará mucha participación y comprensión y creará una atmósfera más estimulante y respetuosa, si hace preguntas abiertas a los niños, en lugar de hacer afirmaciones (generalmente en forma de órdenes o sermones). Las preguntas abiertas son efectivas sólo cuando está usted realmente interesado en las respuestas —no cuando usted está esperando que le den la respuesta que quiere.

Cuando los niños responden a sus preguntas, están activamente implicados; cuando usted da órdenes, se involucran pasivamente. Cuando responden preguntas, usted tiene la oportunidad de saber si el concepto de ellos es igual o no al suyo.

Por ejemplo, en lugar de decirle a su hijo que limpie la cocina, pregunte: "¿Qué crees que se necesite hacer para que la cocina esté limpia?"

Su hijo puede afirmar: "Lavar los trastes".

Entonces usted pregunta: "¿Qué hay que hacer con las cosas que están sobre la mesa?"

El niño puede responder: "¡Ah!, supongo que necesitan moverse de ahí".

Y usted continúa: "Así es. ¿Y las cosas que están sobre la estufa?, y ¿qué necesitas hacer con la mesa, las repisas, la estufa y las superficies después de haber guardado todo?"

Al utilizar este método, también se está tomando el tiempo para entrenar, invitando a los niños a pensar y a involucrarse activamente en la habilidad de solucionar problemas —todo esto muy estimulante. A veces la mejor manera de ser alentador es dar un simple abrazo.

Pruebe dar un Abrazo

EN MUCHOS CASOS, los adultos pueden detener una mala conducta cuando dejan de enfocarse en el comportamiento y abordan la causa fundamental: la desmotivación.

Un joven padre se sentía frustrado y perplejo con respecto a los continuos arranques de ira de su hijo de cuatro años; regañarlo o castigarlo, empeoraba la mala conducta. El padre aprendió que un niño que se porta mal es un niño desalentado y que el estímulo es la mejor manera de enfrentar este comportamiento. La idea le parecía contradictoria –como si se tratara de premiar la mala conducta, sin embargo, estaba intrigado con el concepto de que los niños mejoran al sentirse bien y decidió probar.

La siguiente vez que su pequeño comenzó con una rabieta, el padre se arrodilló y gritó: "¡Necesito un abrazo!"

El niño preguntó entre sollozos: "¿Qué?"

El padre volvió a gritar: "¡Necesito un abrazo!"

Su hijo dejó de sollozar el tiempo suficiente para preguntar con incredulidad: "¡¿Ahora?!"

El padre contestó: "Sí, ahora"

El niño parecía totalmente confundido pero detuvo su berrinche y dijo de mala gana: "Está bien", y fríamente le dio un abrazo. Pronto la frialdad desapareció y ambos se fundieron en el abrazo.

Después de un momento, el padre dijo: "Gracias, lo necesitaba" a lo que el niño respondió emocionado: "Yo también".

Recuerde ser oportuno. A veces, los abrazos no funcionan porque el niño está demasiado alterado para dar o recibir cualquier tipo de estímulo, aunque los adultos pueden intentarlo de todos modos. Si el niño no está dispuesto, el adulto puede decir: "Te aseguro que me encantaría recibir un abrazo en el momento que estés listo" y entonces retírese. Los padres han reportado que cuando prueban esto, generalmente el niño va detrás del padre, deseando un abrazo.

Algunas personas preguntan: "¿Y después del abrazo, qué? ¿Qué hay con la mala conducta?" Con frecuencia, el estímulo es suficiente para interrumpir la mala conducta y no es necesario hacer nada más.

Otras veces los abrazos pueden crear una atmósfera de motivación en la que los niños están dispuestos y son capaces de aprender. Esta puede ser la oportunidad perfecta para tomarse el tiempo para entrenar, hacer preguntas abiertas, dar opciones limitadas, utilizar la distracción, comprometerse juntos para buscar la solución al problema –o no hacer nada adicional y ver qué sucede después de que el niño se siente motivado.

Una excelente manera de estimularlo es ayudarlo a sentirse útil, permitiéndole hacer una contribución. Qué mejor manera de dejarlo contribuir, que haciendo que *usted* se sienta mejor dándole un abrazo; por supuesto que el beneficio adicional es que el niño también se sentirá mejor.

Recuerde, un niño que se porta mal es un niño desalentado. Probablemente el estímulo es suficiente para cambiar su conducta. Mucha gente piensa que los niños deben pagar por lo que han hecho con culpa, vergüenza o dolor (castigo, en otras palabras), pero usted puede intentar dar o pedir un abrazo.

Si ninguno de los métodos anteriores le resulta, es probable que usted se encuentre dentro de una lucha de poderes o un ciclo de venganza, lo cual incrementa la desmotivación. Comparta con su hijo sus errores y pídale ayuda para volver a empezar. Admitir sus errores es una de las cosas más estimulantes que puede hacer.

El Punto de Vista del Niño

UNA EXCELENTE MANERA de ayudarse a recordar el punto de vista de los niños, es rememorar su propia infancia. Cierre sus ojos y regrese a su niñez. Evoque un incidente entre usted y un adulto en casa o en la escuela en el que se sintió desmotivado, incomprendido, humillado o tratado injustamente, o cualquier combinación de los sentimientos anteriores. Reviva exactamente la experiencia y cómo se sentía.

Cuando se sentía desmotivado como niño, se sentía incomprendido, humillado o tratado injustamente. Sentía de alguna forma culpable, avergonzado o herido. A veces se sentía insignificante o resentido.

No se sentía inspirado a mejorar como resultado de estas experiencias desalentadoras, aunque, generalmente, esa era el objetivo del adulto. Quizá renunció a intentar mejorar una habilidad como por ejemplo tocar el piano, leer, escribir, practicar algún deporte, debido a la crítica desalentadora que recibió de un adulto.

Cuando se sintió motivado como niño, usted se sintió comprendido, apreciado y especial. Estas experiencias lo inspiraron a mejorar y a perseverar en mejorar las habilidades o en alcanzar las metas. Es probable que la mayoría de las experiencias estimulantes que tuvo cuando niño, requirieran de muy poco tiempo por parte del adulto cuando él o ella ofrecieron algunas palabras de reconocimiento y aprecio.

En los siguientes dos capítulos usted verá lo importante que es involucrar activamente a los niños en el proceso de estimulación a través de las juntas familiares y escolares.

REVISION

Herramientas de Disciplina Positiva

1. Ponga atención al momento más oportuno. Espere al momento de "no conflicto" (posiblemente después de un Tiempo Fuera Positivo para usted y el niño), cuando usted esté listo para dar motivación y el niño esté listo para recibirla.

2. Utilice frases que empiecen con el vocablo "Yo", con el que tomará responsabilidad de sus sentimientos.

3. Retírese del conflicto (tómese un Tiempo Fuera Positivo, si es posible).

4. Acuerden reunirse cuando ambos hayan tenido tiempo para tranquilizarse y sentirse mejor.

5. Invite al niño a poner el problema en la agenda de las juntas familiares o escolares (o hágalo usted mismo).

6. Escuche. Recuerde que los niños lo escucharán a usted después de sentirse escuchados.

7. Utilice los Cuatro Pasos para Obtener Cooperación.

8. Construya sobre las fortalezas y no sobre las debilidades. Reconozca y estimule el porcentaje positivo y éste se incrementará.

9. Comprométase con el niño a resolver el problema juntos para encontrar soluciones que impliquen respeto mutuo en las áreas que requieran mejorarse.

10. Enfóquese y reconozca el progreso y no la perfección.

11. Redirija la mala conducta. Busque el talento o habilidad dentro de la mala conducta y redirija al niño a utilizarlos de manera productiva.

12. Apoye a los niños para que reparen sus errores. Utilice preguntas abiertas para ayudarlos a decidir por sí mismos qué pueden hacer para enmendarlos.

13. Ignore la presión social. A veces es adecuado esperar hasta tener un "momento privado" para involucrar cordialmente al niño en una discusión sobre el problema y de esa manera evitar la presión social y dejar de preocuparse sobre el juicio de los demás.

14. Programe regularmente un "tiempo especial" con cada uno de sus hijos o alumnos.

15. Al arropar a sus hijos en la cama, permítales compartir sus momentos más tristes y más felices del día y después comparta los suyos.

16. Utilice el estímulo en lugar del elogio.

17. Evite la crítica. Pregunte al niño, "¿Cómo quisieras mejorar? ¿Qué necesitas hacer para lograr tu objetivo?"

18. Estimule la autoevaluación.

19. Tómese el tiempo para entrenar y deje claras sus expectativas.

20. Pregunte, "¿Cuál es tu concepto de lo que decidimos?"

21. Deje que el niño sepa anticipadamente lo que usted ha decidido hacer.

22. Involucre a los niños en la creación de tablas de rutinas.

23. Enseñe que los errores son maravillosas oportunidades para aprender.

24. Deje de decirles lo que tienen qué hacer, de dar sermones u órdenes, y haga preguntas abiertas.

25. Pruebe dar un abrazo

Preguntas

1. ¿Qué es un niño que se porta mal?
2. ¿Cuál es el mensaje oculto tras la mala conducta?
3. ¿Cuál pensaba Dreikurs que era la habilidad más importante que los adultos podían aprender para ayudar a los niños?
4. ¿Cuál es la importancia de ser oportuno?
5. ¿Cuáles son los Cuatro Pasos para Obtener Cooperación?
6. ¿Cuáles son las actitudes necesarias por parte del adulto para que los Cuatro Pasos para Obtener Cooperación sean efectivos?
7. ¿Cuáles son las actitudes necesarias por parte de los adultos para el respeto mutuo?
8. ¿Por qué el "tiempo especial" es tan poderoso para estimular a los niños y motivarlos a mejorar su conducta?

9. ¿Cuáles son los riesgos del elogio?

10. ¿Cuáles son los efectos a largo plazo del estímulo?

11. ¿Cuáles son algunas diferencias entre el elogio y el estímulo?

12. ¿Cuáles son las preguntas que usted se debe hacer para determinar si sus frases son de estímulo o de elogio?

13. ¿Cuáles son los beneficios de involucrar a los niños al crear tablas de rutinas?

14. ¿Cuál es el propósito de los errores?

15. ¿Qué otras formas se le ocurren para estimular a los niños?

8

Juntas Escolares

L A EFECTIVIDAD DEL ENFOQUE POSITIVO depende de las actitudes del adulto de mutuo respeto e interés hacia los niños para obtener resultados a largo plazo. Se ha prometido que los niños que experimente la interacción respetuosa señalada en este libro, aprenderán autodisciplina, cooperación, responsabilidad, flexibilidad, ingenio, habilidades para resolver problemas y otras habilidades de vida para desarrollar un buen carácter.

La culminación de todas estas promesas y actitudes se comprende y experimenta en las juntas familiares y escolares programadas regularmente. Tales juntas proporcionan tanto a adultos como a niños las mejores circunstancias posibles para aprender y practicar los procedimientos democráticos de la cooperación, el respeto mutuo, y el enfoque en las soluciones de problemas. Las juntas escolares y familiares son la mejor forma para dar a los niños la oportunidad de desarrollar fortaleza en las Siete Percepciones y Habilidades Significativas, mencionadas en el capítulo uno. Estas son las metas más benéficas a largo plazo que los padres, maestros y niños lograrán cuando implementen las juntas. Sin embargo, para a algunos adultos les entusiasman los beneficios adicionales de eliminar problemas de disciplina; eso está bien, siempre y cuando comprendan que, suprimir o reducir los problemas de disciplina, es sólo una ganancia adicional (una gran ganancia adicional) y no el objetivo primario de las juntas. Como dijo un maestro, "No decidí dedicarme a la docencia para convertirme en policía, juez, jurado y ejecutor. Desde que iniciamos las juntas escolares, mis alumnos se volvieron respetuosos y serviciales. Resuelven sus propios problemas y yo tengo tiempo de enseñar."

Aprender y practicar ser "buenos buscadores" (un término utilizado por Thomas J. Peters en su libro, *En Busca de la Excelencia*) a través de ser responsable y desarrollar la habilidad para resolver problemas, ideando soluciones respetuosas, son beneficios que les serán útiles a los estudiantes a lo largo de su vida. Estas habilidades son tan importantes como el conocimiento académico y es necesario que se practiquen diariamente. A menudo pregunto a los maestros si considerarían la idea de enseñar lectura o matemáticas sólo una vez a la semana. Siempre contentan que no, porque los estudiantes necesitan esas clases diariamente para poder practicarla y mantener las habilidades. Entonces yo pregunto si creen que los alumnos pueden aprender y retener las habilidades de vida y sociales que necesitan para desarrollar un buen carácter si las practican solamente una vez a la semana (y solo escuchan discursos al respecto el resto del tiempo). Desde luego, inmediatamente captan la idea.

Cada vez que los estudiantes tengan problemas, los maestros pueden sugerir, "¿Estarían dispuestos a anotar ese problema en la agenda de la junta escolar?" Esta pregunta por sí misma, es suficiente para una inmediata satisfacción de todas las partes, mientras proporciona un periodo de enfriamiento antes de tratar de resolver el problema. Una maestra objetó que sus alumnos de educación especial necesitaban ayuda inmediata cuando estaban alterados. Yo le sugerí que intentara pedirles que anotaran sus problemas en la agenda para ver qué sucedía. Más tarde reportó que sus alumnos caminaban hacia la agenda, obviamente molestos, escribían su problema, y regresaban a su lugar más tranquilos. Para ellos, era suficiente saber que su problema sería tratado en breve.

Se recomienda tener un periodo de enfriamiento de cuando menos un día, antes de discutir un problema, pero es muy desalentador tener que esperar más de tres días. Esta es una de las razones por las que una junta a la semana podría ser ineficiente. (Un periodo de enfriamiento más corto funciona con los niños más pequeños. En el jardín de niños, una hora es tiempo suficiente). Poner los problemas en la agenda puede servir como parte de un periodo de enfriamiento.

A menudo, los estudiantes son capaces de resolver problemas mucho mejor que el maestro, simplemente porque son más en número y el proceso de idear soluciones genera ideas únicas. Tienen muchas buenas ideas cuando se les permite y se les estimula a expresarlas. Eventualmente, se eliminan muchos problemas de disciplina porque se sienten estimulados cuando son escuchados y tomados en serio, y cuando sus pensamientos e ideas son validados. También adoptan como suyas las soluciones y por lo tanto están motivados para seguir las reglas y soluciones que han ayudado a crear. Los maestros encuentran que los niños están mucho más dispuestos a cooperar cuando han sido involucrados en las decisiones, aún cuando la solución final es una que ha sugerido el maestro muchas otras veces anteriores, sin haber sido acatada.

Existen muchos más beneficios derivados de las juntas donde participan los niños. Frecuentemente, los maestros se sorprenden de las habilidades académicas y sociales que aprenden sus alumnos en las juntas escolares. Debido a que se les invita a resolver problemas que ellos consideran relevantes, aprenden a escuchar, a desarrollar lenguaje y a pensar objetivamente. Resuelven problemas relacionados con la salud y la seguridad, aprenden a practicar la resolución de conflictos –tanto de manera preventiva, como inmediata. El valor intensificado de la habilidad de solucionar conflictos es que involucra a cada alumno, no sólo a unos cuantos. También logran apreciar el valor y la mecánica del aprendizaje. Durante una junta escolar, se trató el tema de los niños que hablaban en clase. Los niños discutieron todas las razones por las cuales no deben hablar (incluyendo "no aprendemos") que parecen entrar por un oído y salir por el otro cuando los adultos sermonean al respecto.

Actitudes y Principios para Juntas Escolares Exitosas

ALGUNAS DE LAS ACTITUDES y acciones que debemos evitar en las juntas escolares son:

1. No utilice las juntas escolares o cualquier otra plataforma para dar sermones ni moralizar. Es esencial que los maestros sean objetivos y eviten hacer juicios tanto como sea posible. Esto no significa que no pueda tener injerencia en la junta, incluso puede anotar asuntos en la agenda y dar su opinión.
2. No utilice las juntas escolares como pretexto para continuar el control excesivo. Los niños se percatarían de este enfoque y dejarían de cooperar.

Las juntas escolares deben llevarse a cabo todos los días (o cuando menos tres veces por semana) en las escuelas primarias. Si las juntas escolares no se realizan con la frecuencia suficiente, los estudiantes se sentirán desmotivados para anotar sus problemas en la agenda porque pasará demasiado tiempo antes de poder ser tratados, además no podrán retener la habilidad que obtendrían con la práctica diaria.

En las escuelas de educación media y media superior, los estudiantes pueden aprender el proceso de las juntas escolares más rápidamente y retener las habilidades durante más tiempo. Sin embargo, los alumnos de grados más avanzados, cooperarán mejor cuando se les escucha y respeta por sus aptitudes de manera regular. Por esta razón, algunas escuelas de educación media y media superior cuentan con una sala de estudiantes para sus juntas. Otras tienen maestros de diferentes materias que realizan juntas una vez a la semana. Por lo tanto, los maestros de inglés tienen junta en lunes, los de matemáticas en martes, los de historia en miércoles, etc. Los maestros de clases especiales como música, pueden realizar una junta breve cuando surgen problemas, si los alumnos están familiarizados con el proceso.

En la primera edición de Disciplina Positiva, se sugería que las decisiones debían tomarse por mayoría de votos. Esta solución es apropiada cuando el tema a analizar concierne a todos. Si es así, la mayoría de votos no provoca sentimientos de división entre los estudiantes, y proporciona una gran oportunidad para que los estudiantes aprendan que no todos piensan y sienten de la misma manera. Sin embargo, algunos maestros continúan el proceso de solución de problemas hasta alcanzar un consenso general.

Cuando el asunto a discutir se enfoca en uno o dos alumnos (aunque todo el grupo esté interesado y desee ayudar), debe permitirse a los involucrados elegir la sugerencia que crean será más útil para ellos. Esto los estimula a sentirse bien al hacerse responsables de sus errores y apreciar las buenas ideas que pueden recibir de sus compañeros que están enfocados en las soluciones y no en la culpa, la vergüenza o el dolor. Los estudiantes pronto aprenden que sus sugerencias son más útiles cuando son respetuosas y prácticas, y no punitivas.

Es importante notar que las juntas escolares generalmente no son exitosas al principio, pues toma tiempo que los estudiantes (y maestros) aprendan las habilidades. Suelo decirles a los maestros que se preparen para un mes infernal cuando comiencen las juntas escolares, pero que vale la pena soportarlo si comprenden los beneficios a largo plazo. La razón de este mes infernal, es porque los alumnos no están acostumbrados a ayudarse unos a otros; están más habituados al castigo. No están familiarizados con el concepto de ver los errores como oportunidades de aprendizaje y resolución de problemas; les parece normal evadir la responsabilidad debido a su temor ante la culpa, la vergüenza y el dolor.

Sin embargo, me he dado cuenta de que ese mes infernal puede eliminarse si los maestros se toman el tiempo durante las primeras cuatro juntas (o más) para enseñarles a sus alumnos las habilidades de "Los Ocho Puntos Básicos para Juntas Escolares Efectivas", descritas en al libro *Disciplina Positiva en el Salón de Clases*, escrito por Jane Nelsen, Lynn Lott y H. Stephen Glenn[1].

Los ocho puntos básicos para juntas escolares efectivas

1. Formar un círculo.
2. Practicar cumplidos y reconocimientos.
3. Crear una agenda.
4. Desarrollar habilidades de comunicación.
5. Aprender sobre realidades diversas.
6. Recrear situaciones actuando diferentes papeles e idear soluciones.
7. Reconocer cuatro razones por las que la gente hace lo que hace.
8. Enfocarse en soluciones no punitivas.

Hemos desarrollado la *Guía del Facilitador de Disciplina Positiva*[2] que contiene actividades para aprender y practicar las destrezas de cada uno de los Ocho Puntos Básicos. Las juntas escolares son más efectivas cuando los estudiantes desarrollan habilidades y una actitud positiva respecto a soluciones no punitivas antes de intentar ayudar a alguien a resolver un "problema real". El propósito de las juntas escolares debe ser explicado, discutido y experimentado a través de actividades experimentales antes de dar cause a asuntos reales asentados en la agenda.

---

[1] Jane Nelsen; Lynn Lott, y H.Stephen Glenn, *Positive Discipline in the Classroom,* 3ª Edición, Three Rivers Press, NY, NY, 2000
[2] *Positive Discipline in the Classroom Teacher's Guide,* por Jane Nelsen, y Lynn Lott, Disponible en Empowering Books, Tapes and Videos, 1-800-456-7770, www.empoweringpeople.com

Propósitos de las juntas escolares

1. Hacer cumplidos
2. Ayudar a otros
3. Resolver problemas
4. Planear actividades

Algunos maestros (especialmente en los grados de primaria) comienzan cada junta preguntando a sus alumnos "¿Cuáles son los dos propósitos fundamentales de las juntas escolares?" estableciendo que éstos son, ayudar a otros y resolver problemas.

Algunas Metas de las Juntas Escolares

Enseñar el respeto mutuo

UNA FORMA DE ENSEÑAR el respeto mutuo es mediante el análisis de las siguientes preguntas:

1. ¿Por qué es irrespetuoso que dos o más personas hablen al mismo tiempo? (No podemos escuchar lo que cada una dice; la persona que se supone que debería estar hablando siente que a los demás no les importa, etcétera).

2. ¿Por qué es irrespetuoso molestar a los demás? (No pueden concentrarse y aprender de lo que está sucediendo).

3. ¿Por qué es importante escuchar cuando otros hablan? (Así podemos aprender de los demás, mostrar respeto por los demás y porque nos gusta que los demás nos escuchen).

Hacer cumplidos, dar reconocimientos y agradecimientos.

Los alumnos de escuelas de educación media y media superior, generalmente prefieren utilizar las palabras "reconocimiento" y "agradecimiento". Los alumnos de primaria generalmente eligen utilizar la palabra "cumplido, sin embargo, a pesar de la diferencia en la terminología, el concepto es el mismo.

Dedique algún tiempo con sus alumnos a explorar el significado de las palabras *cumplido, reconocimiento y agradecimiento*, utilizando el lenguaje adecuado para la edad de los estudiantes. Esto puede hacerse informalmente durante la primera junta. Ayúdelos a comprender que los cumplidos, el reconocimiento y el agradecimiento deben enfocarse en lo que otros hacen en las siguientes áreas:

- Logros
- Servicio a los demás
- Hacer algo para que alguien se sienta bien.

Pida a los alumnos ideas sobre ejemplos específicos en cada una de estas áreas. Después enséñeles a utilizar las frases: "Me gustaría hacer un cumplido o reconocimiento a (nombre de la persona) por (algo específico que haya hecho)." Utilizar estas palabras ayuda a los alumnos a permanecer en la tarea de reconocer lo que otros hacen y no de cómo visten o cómo se ven. Yo he visitado cientos de aulas para observar las juntas escolares en escuelas que han adoptado este programa, y en cada una de las que no utilizan la frase descrita, los cumplidos o reconocimientos fueron menos específicos y más superficiales, y la discusión parecía desviarse del tema.

Al principio muchos niños dirán: "Me gustaría agradecer a Eva por ser mi amiga", deje que esto suceda durante algún tiempo, en el proceso de aprendizaje, eventualmente el grupo será más específico en cuanto a lo que un amigo hace y qué desean reconocer y agradecer.

El maestro podría empezar realizando varios cumplidos (de acuerdo con notas tomadas durante el día cuando observe que los niños hicieron algo que merezca reconocimiento). Muchos profesores ponen el ejemplo haciendo cumplidos todos los días asegurándose de no le falte ninguno de sus alumnos.

Durante la primera junta, procure que todos hagan cuando menos un cumplido para asegurarse de que saben cómo hacerlo. Si alguno tiene dificultades, permita que el grupo le ayude sugiriendo ideas que le hayan sucedido a este alumno durante el día y por lo que él pudiera hacer un cumplido, por ejemplo, alguien que jugó con él en el recreo, que lo ayudó con su tarea, que le prestó un lápiz o que escuchó un problema. Tan pronto como vea que todos sus alumnos adquirieron la habilidad, pase entonces una estafeta para hablar (puede ser cualquier artículo), la cual circulará por todo el grupo. Cuando un estudiante tenga la estafeta en la mano, puede hacer un cumplido o pasarla. Una parte importante del proceso es enseñarles a agradecer el cumplido después de recibirlo.

Es probable que realice varias juntas escolares sólo para cumplidos, mientras los alumnos aprenden el proceso. Muchos maestros han comentado que los cumplidos por sí solos han sido significativos para crear una atmósfera positiva en su salón de clases. Después de las dificultades iniciales, a los niños les encanta buscar, dar y recibir reconocimiento positivo.

Enfocarse en soluciones

Enseñe a sus alumnos a enfocarse en las soluciones antes de tratar de resolver cualquier problema. Empiecen por analizar las consecuencias naturales preguntando qué sucedería en las siguientes circunstancias si nadie interfiriera:
- Si te paras bajo la lluvia (te mojas).
- Si juegas en medio de la carretera (quizá te maten)

- Si no duermes (te sentirás cansado)
- Si no comes (tendrás hambre)

Generalmente lo mejor para ayudar a los niños a aprender es permitirles que experimenten las consecuencias naturales sin idear soluciones. Si los adultos no interfieren en absoluto, pueden mostrar empatía o hacer preguntas abiertas para ayudarlos a explorar las consecuencias de sus decisiones.

Cuando llega el momento de idear soluciones, los estudiantes parecen estar tan confundidos como los adultos respecto a las consecuencias lógicas –y a menudo tratan de disfrazar el castigo llamándolo consecuencia lógica. Sin embargo, muy rápidamente se dan cuenta de la confusión cuando se les pide que se enfoquen en soluciones que tengan relación con el asunto, sean respetuosas, razonables y útiles. Explique que idear soluciones significa hacer sugerencias que otros pueden utilizar para ayudarlos a responsabilizarse de su conducta y aprender de sus errores. Explique las Tres "R" y una U para Enfocarse en Soluciones (Relación, Respeto, Racionalidad y Utilidad), como se planteó en el capítulo seis. Es una buena idea hacer un cartel de éstas para que los alumnos puedan acceder rápidamente a ellas. Después hágalos idear soluciones para los siguientes problemas:

- Alguien que raya la madera de su banca.
- Alguien que maltrata los juguetes.
- Alguien que no trabaja en clase.
- Alguien que llega tarde a la escuela

Al principio, es mejor dejar que los estudiantes practiquen trabajando en situaciones hipotéticas, de ese modo nadie está emocionalmente involucrado ni siente culpa. Después de recibir todas las sugerencias posibles, y de anotarlas, analicen cada una y pida a los niños que identifiquen cuáles se apegan a las Tres R y una U para Enfocarse en Soluciones. Haga que discutan las razones por las que piensan que cada sugerencia está o no relacionada, es o no respetuosa, razonable o útil. Pídales que discutan cómo cada sugerencia sería útil a la persona, o, en su caso, de qué manera sería dolorosa. Pídales que decidan qué sugerencias serían eliminadas porque no cumplen con los principios de las Tres R y una U o porque de algún modo son dolorosas o imprácticas.

Ir más allá de las consecuencias lógicas

Aunque las consecuencias lógicas pueden ser efectivas para ayudar a los estudiantes a aprender de sus errores y estimularlos a ser mejores, como se discutió en el capítulo cinco, me preocupa el hecho de que con mucha frecuencia las consecuencias lógicas son mal usadas. Cuando los maestros tratan de disfrazar el castigo llamándolo consecuencia lógica, los estudiantes aprenden a hacer lo mismo.

Muchas juntas escolares parecen tribunales improvisados porque los maestros y estudiantes se enfocan en las consecuencias lógicas que parecen más dolorosas y no en las más provechosas para los involucrados. Con mucha frecuencia las consecuencias lógicas se enfocan en el pasado y no en el futuro. Aprender del pasado para ser mejores en el futuro es buena idea, sin embargo, es contraproducente enfocarse en el pasado para causar culpa, vergüenza y dolor.

Es un error pensar que las consecuencias lógicas son la respuesta a cualquier problema de conducta. Aunque la comprensión de las consecuencias lógicas puede ser útil para maestros y alumnos, es más efectivo enfocarse en las soluciones. Cuando se les da la oportunidad, los estudiantes son capaces de adoptar una gran cantidad de soluciones que no tienen nada que ver con las consecuencias. Permítales practicar e idear soluciones a diferentes problemas hipotéticos.

Los Cómos de las Juntas Escolares

Utilizar la agenda

PRESENTE LA AGENDA AL GRUPO. Algunos maestros reservan un especio en la pizarra donde se colocan los anuncios del día, otro tienen un cuaderno de fácil acceso para los alumnos. La ventaja del cuaderno es que todos pueden buscar en hojas anteriores y ver cómo se han solucionado problemas en el pasado. Explíqueles que les enseñará a solucionar problemas en lugar de tratar de hacerlo usted solo. En adelante, en lugar de acercarse a usted con sus asuntos, podrán escribir su nombre en la agenda seguido de unas cuantas palabras que les ayuden a recordar cuál es el tema. Al principio no deberán incluir nombres de otros niños involucrados en el problema. Hágales saber que pueden incluir el nombre de otras personas cuando hayan aprendido a ser respetuosos y serviciales. De esta manera, los demás podrán sentirse emocionados de haber sido nombrados en la agenda porque saben que pronto recibirán valiosa ayuda de sus compañeros. Advierta a los estudiantes que es posible que al principio olviden el procedimiento y acudan a usted para encontrar soluciones, pero que usted les recordará anotarlo en la agenda y que sus problemas serán resueltos durante las juntas escolares.

Cuando fui consejera en una escuela primaria, cada vez que los maestros o padres de familia me pedían soluciones a problemas que tenían con sus niños, mi respuesta consistente era que lo anotaran en la agenda. Siempre les sugería que resolvieran los problemas durante las juntas escolares porque a los niños se les ocurren las mejores soluciones y están más dispuestos a cooperar cuando se les involucra en el momento de tomar decisiones.

Cuando las soluciones no parezcan funcionar, simplemente vuelva a escribir el problema en la agenda para examinarlo más ampliamente y resolverlo. Cuando usted mismo anote un asunto en la agenda, asegúrese de atribuirse el problema y no trate de culpar a nadie. Los niños se sienten bien cuando le ayudan a resolver sus problemas. Los asuntos de la agenda deben cubrirse en orden cronológico y en el tiempo asignado para la junta, cualquier problema al que no se le haya encontrado solución antes de que termine la junta, deberá continuarse en la siguiente. En realidad no importa si todos los problemas son resueltos inmediatamente, lo que importa es el proceso de solución de problemas. A menudo, cuando un asunto de la agenda se menciona para empezar su discusión, la persona que lo anotó dice que ya lo ha solucionado. Algunos maestros dicen: "Bien hecho", y continúa con el siguiente; otros preguntan al niño si le gustaría compartir la solución.

Periodo de enfriamiento

Explique por qué los problemas no pueden resolverse cuando la gente está alterada. A los niños les encanta escuchar la analogía del cerebro de reptil utilizada en el capítulo siete (cuando las personas están molestas, son irracionales y no están dispuestas a escuchar el punto de vista de otras). Con niños mayores, podría invitarlos a discutir por qué es necesario este periodo; a los pequeños, explíqueles que el propósito de este tiempo es proporcionarle a la gente un periodo de enfriamiento para que se tranquilice y pueda resolver el problema respetuosamente.

Juntas en círculo

Es importante que los alumnos se sienten en círculo para las juntas escolares de su grupo. Permanecer en sus lugares no sólo crea barreras físicas que interfieren con el proceso, sino que, además, los alumnos pueden distraerse con objetos que tengan en su escritorio.

Tómese el tiempo necesario para entrenar a sus alumnos a mover sus escritorios con el menor ruido y confusión posibles; algunos grupos dedican varios días a esta práctica. He visto muchas maneras de mover escritorios y todo tipo de arreglos, de modo que los alumnos quedan sentados en círculo viéndose unos a otros. El menor tiempo registrado fue de quince segundos, pero la mayoría puede hacerlo entre treinta y sesenta segundos.

El entrenamiento puede incluir varios pasos. Primero, preguntarles qué creen necesario hacer para ejecutar el movimiento con el menor ruido y confusión posibles, ellos generalmente sugieren todo lo necesario para una transición suave. Después, interróguelos sobre cuántas veces creen indispensable practicar antes de llevar a cabo sus ideas eficientemente.

A algunos maestros les gusta asignar asientos. En el primer día solicitan a cada alumno que mueva su escritorio y lo ponga en el lugar asignado.

Otros piden a unos cuantos que hagan el movimiento por fila o por equipo, y si hacen ruido o desorden, practican hasta resolverlo. Una vez que han aprendido a hacerlo en silencio, pueden moverse todos al mismo tiempo.

Estructura de las juntas escolares

Antes de aprender el formato para estructurar las juntas escolares, algunas de las juntas que conduje fracasaron. Cuando los estudiantes no se impresionaban inmediatamente con lo que yo trataba de hacer y se volvían desordenados, yo me rendía comentando a los alumnos, "Bueno, es obvio que no desean una junta escolar en este momento. Lo intentaremos más adelante, cuando ustedes estén listos para ello". En otras palabras, no solo no me hice responsable de mi propia falta de destreza, sino que además me rendí ante la anarquía. El éxito de las juntas se obtiene cuando los estudiantes primeramente aprenden sobre los puntos básicos para juntas escolares efectivas y después utilizan el siguiente formato:

1. Comenzar con cumplidos. Pase un objeto (una bolsa de frijoles, un bolígrafo, una estafeta) alrededor del círculo. Los alumnos que deseen hacer un cumplido pueden aprovechar la oportunidad cuando tengan el artículo en sus manos. Recorra el círculo una vez para que todos tengan la oportunidad de hacer un cumplido o de pasar el objeto. Cuando el objeto empiece a circular, es importante que comience y termine en el mismo lugar, esto evita acusaciones de "injusticia" si el maestro elige al azar a los estudiantes y arbitrariamente les dice cuando detenerse, pues siempre hay quien reclama no haber sido elegido.

2. Lea el primer asunto en la agenda. Pregunte a la persona que escribió el asunto si sigue siendo un problema, si dice que no, continúe con el siguiente asunto. Si tiene tiempo, puede preguntarle si desea compartir cómo resolvió el problema.

3. Si el problema no ha sido resuelto, circule el objeto para recibir comentarios y sugerencias. Empiece con la persona que escribió el asunto en la agenda y termine justo en el alumno que está antes de él. Yo sugiero que circule dos veces porque, a menudo, los estudiantes piensan en más cosas y tienen más sugerencias después de escuchar a los demás. La segunda vuelta, casi nunca se lleva mucho tiempo.

4. Escriba cada sugerencia exactamente como fue transmitida. Este puede ser el trabajo de algún alumno, si tienen la edad suficiente para hacerlo. (Usted descubrirá si las sugerencias son humillantes en vez de útiles, formulando "Preguntas Comunes", descritas al final de este capítulo).

5. Lea (o pida que alguien lea) todas las sugerencias, antes de preguntar al alumno involucrado cuál cree más útil. Cuando más de un estudiante está involucrado, cada uno puede elegir una solución y está bien que sean diferentes cuando todas son ideas provechosas. Si dos estudiantes eligen soluciones que parecen contradictorias, invítelos a sostener una conversación en privado para decidir cual de las soluciones funcionaría para ambos sin tener conflictos.

6. Pregunte al alumno cuándo le gustaría hacer lo que ha elegido. Quizá usted quiera dar opciones limitadas tales como, hoy, mañana, durante el recreo, o después de clases. Existe un beneficio psicológico en proporcionarles una opción de cuándo desean probar la sugerencia pues les permite experimentar una sensación de poder positivo y compromiso.

Este formato proporciona un proceso que puede seguirse paso a paso, sin embargo, no es tan rígido como para eliminar el espacio a la individualidad y la creatividad del maestro.

Las señales con las manos son una buena forma de permitir a todos los niños que den a conocer sus opiniones durante la junta sin ser irrespetuosos ni desordenados. Una maestra les enseñó a sus alumnos a cruzar sus manos atrás y sobre su regazo para expresar desacuerdo. Cuando estaban de acuerdo movían su mano hacia arriba y hacia abajo sobre su hombro.

En una ocasión invité a un grupo de personas a observar una junta escolar en la que un niño eligió la sugerencia de disculparse en frente del grupo por cierta conducta que se anotó en la agenda. Esto le preocupó a una de las observadoras. Durante la sesión de preguntas, ella comentó que le parecía humillante para el niño que tuviera que disculparse frente a todo el grupo. Yo le sugerí que les preguntara al niño y otros miembros del grupo, si les molestaba disculparse delante de todos, el grupo contestó unánimemente que no. El punto es que debemos entrar en el mundo de los niños en lugar de proyectar nuestro propio mundo en el de ellos.

Actitudes y Habilidades del Maestro

1.- Deje a un lado el control e invite a la cooperación

La *Guía del Facilitador de Disciplina Positiva en el Salón de Clases* incluye actividades que ayudan a los maestros a experimentar el motivo principal para utilizar la Disciplina Positiva. Durante la actividad llamada "Por favor, tomen asiento", los participantes forman tríos, una persona desempeña el papel de alumno sentado en su lugar y las otras dos, el de adultos que se paran detrás del estudiante con las manos sobre los hombros de éste. El objetivo es que el estudiante intente levantarse de su asiento, mientras los adultos lo mantienen ahí sentado. Durante el proceso de esta actividad, se pregunta a cada persona lo que piensa, siente o decide hacer en el futuro y se analizan todos los problemas y los resultados del control a corto y largo plazo. Aquellos que desempeñaron el papel de estudiantes, comentan su enojo, resentimiento o total desmotivación, también su decisión de dedicar su tiempo para planear cómo vencer al adulto controlador, desquitarse o, incluso peor, rendirse y conformarse, con gran pérdida de su propia valía. Aquellos que ejercieron el papel de adultos, comentan cómo se sintieron fuera de control, aún cuando actuaron de manera controladora. Algunos discuten lo fácil que es caer en una lucha de poderes sin considerar los resultados a largo plazo, y todo lo que pueden pensar es en ganar o no ser vencidos, pero ninguno considera el hecho de que, aún si gana, el precio es convertir al estudiante en el perdedor.

2.- Sea ejemplo de lo que desea enseñar.

Existen varias habilidades que los maestros pueden desarrollar para enriquecer las juntas escolares. Es más importante proporcionar el modelo de lo que se espera que los niños aprendan – habilidades sociales y de vida para un buen carácter. Es muy útil que los maestros modelen frases de cortesía como por favor, gracias, de nada, etcétera.

3.- Haga preguntas abiertas (el método socrático).

Las preguntas abiertas, como se describieron en el capítulo siete, son un poco diferentes cuando se utilizan durante las juntas escolares. Una de las habilidades más importantes que da ejemplo de respeto mutuo y permite a los niños desarrollar percepciones de capacidad personal, es la de las preguntas abiertas. Cualquier afirmación que usted quiera hacer, puede convertirse en pregunta. Si quiere comunicarles a sus alumnos que están haciendo mucho ruido, pregunte, "¿cuántos piensan que hay demasiado ruido aquí?". Esta táctica es especialmente útil si hace la misma pregunta en ambos sentidos, es decir, si pregunta cuántos creen que sí hay ruido, también pregunte cuántos creen que no lo hay. Entre menos dé a conocer sus propios juicios, más oportunidad dará a los niños de pensar. Es sorprendente con qué frecuencia los niños repiten las mimas frases aleccionadoras y moralistas que rechazan cuando son dichas por los adultos.

Las preguntas abiertas pueden cambiar el ambiente negativo a positivo, como se muestra en el siguiente ejemplo: Una maestra pide ayuda a una consejera pues uno de sus alumnos, Iván, causa muchos problemas en el patio. La consejera cree que lamedor manera de manejar el problema es a través de una junta escolar. La maestra nunca había llevado a cabo una junta escolar, así que ella aprovecha esta oportunidad para hacer una demostración.

La consejera le pide a Iván que abandone el aula y vaya a biblioteca (la regla general es no hablar de un niño que está presente, pero en este caso ella sabe que nos e ha creado un ambiente positivo y no desea que Iván se sienta herido con los comentarios). La junta comenzó con la pregunta "¿Quién es el más conflictivo del grupo?". Todos respondieron a coro "Iván". Después preguntó qué clase de cosas hacía Iván que causaban problemas. Ellos enumeraron pelear, robar pelotas, maldecir, poner apodos, etcétera. Estas primeras preguntas permitieron a los niños expresar lo que pensaban y sentían.

Las siguientes preguntas les dieron la oportunidad de pensar y reflexionar en una dirección más positiva. "¿Por qué creen que Iván hace esas cosas?", las respuestas incluyeron afirmaciones como: "Porque es malo", "Porque es un fanfarrón", pero finalmente un alumno dijo: "Quizá porque no tiene amigos" y otro señaló que Iván era hijo adoptivo.

Cuando se les pidió discutir lo que significaba ser un hijo adoptivo, ofrecieron ideas sobre lo difícil que debía ser dejar a tu familia, y mudarte muchas veces. Ahora empezaban a expresar comprensión por Iván en lugar de hostilidad.

Cuando se les preguntó "¿Cuántos de ustedes están dispuestos a ayudar a Iván?", todos levantaron la mano. Entonces se hizo una lista con todas sus sugerencias sobre cómo ayudarlo, estas ideas incluían acompañarlo en el camino hacia la escuela o de regreso a casa, jugar con él durante el recreo y compartir la hora del almuerzo. También se hizo una lista de voluntarios específicos después de cada sugerencia.

Más tarde, se le dijo a Iván que el grupo discutió sobre sus problemas en el patio y cuando le preguntaron si tenía alguna idea de cuántos compañeros deseaban ayudarlo, miró al suelo y contestó "Probablemente ninguno". Cuando la consejera le dijo que todos querían colaborar, levantó la mirada y con grandes ojos de incredulidad preguntó. "¡¿Todos?!" Era obvio que Iván se sintió muy motivado por el curso que tomaron los acontecimientos.

Cuando el grupo decidió ayudarlo, y cumplieron sus compromisos, tuvo tal sentimiento de pertenencia, que su conducta mejoró dramáticamente.

4.- Hágase responsable de su parte en la relación (y en el problema).

Otra habilidad es estar dispuesto a asumir los problemas como propios y pedir ayuda.

Una maestra de séptimo grado nos compartió su experiencia con los palillos masticados. Los alumnos acostumbraban masticarlos y tirarlos, esto la trastornaba porque, además de verse mal, encontraba palillos masticados por todo el piso del salón de clases y toda la escuela.

Era un problema para ella, pero no para los alumnos; los había reprendido y suplicado muchas veces que no lo hicieran, pero no funcionaba.

Finalmente, lo anotó en la agenda. Admitió que entendía que no era un problema de ellos, pero que agradecería si la ayudaban a encontrar una solución.

Debido a que sólo tenían cincuenta minutos de clase, no dedicaban más de diez minutos a la junta y, a menudo, no les daba tiempo de alcanzar una solución durante varios días. Al tercer día de discutir el asunto, ella empezó diciendo: "No hemos resuelto el problema de los palillos masticados".

Uno de sus alumnos le preguntó si había visto a alguien masticando palillos últimamente. Ella admitió que no, entonces el alumno dijo: "Quizá ya se haya resuelto". Entonces la maestra respondió sorprendida "Quizá sí".

Este es un excelente ejemplo de cómo, muchas veces, el solo hecho de discutir un problema es suficiente para que todos hagan conciencia del mismo y trabajen en la solución fuera de las juntas.

5.- Sea objetivo y evite emitir juicios.

En la medida de lo posible, trate de no emitir juicios. Cuando los estudiantes saben que pueden discutir lo que sea sin ser juzgados, se expresan abiertamente y aprenden. Una maestra creía que si hablaba de ciertas cosas, como por ejemplo, escupir en el baño, podría dar a otros alumnos ideas que antes no habían pensado. Después de platicarlo, ella se percató de que los estudiantes saben todo lo que sucede y que no hablar abiertamente del tema no sirve de nada.

No suprima ningún asunto de la agenda. Algunos adultos quieren censurar temas en la agenda por considerarlos "chismes", pero lo que puede parecerle a usted un chisme, podría ser de verdadero interés para ellos. Otros adultos desean eliminar problemas similares a los ya tratados anteriormente, pero, de nuevo, podría resultarle semejante a usted, pero único a los niños. Es fundamental recordar que el proceso es aún más importante que las soluciones, así, aunque el asunto le parezca igual a otro, ellos lo resolverán de diferente manera, o más rápidamente pues ya tendrán la experiencia con el proceso.

6.- Busque la intensión positiva detrás de toda conducta.

Finalmente, es importante tener la capacidad de encontrar la intención positiva detrás de cada conducta. Esto permite que los niños se sientan valorados y valiosos, lo cual es un prerrequisito para cambiar la conducta.

Durante una junta escolar, los alumnos discutían un asunto de trampa. La niña del problema aceptó haber visto las palabras correctas antes del examen de ortografía, porque quería aprobarlo. El señor Medrano preguntó. "¿Cuántos creen que es bueno que la gente quiera aprobar sus exámenes?", la mayoría del grupo levantó la mano. Otro alumno admitió que lo habían sorprendido en una ocasión haciendo trampa y que tuvo que presentar el examen otra vez. El maestro Medrano preguntó: "¿Te sirvió de algo?", el niño contestó que sí.

Este es un ejemplo de la forma de encontrar lo positivo en lo que podría ser visto solo como algo negativo. El grupo continuó la junta haciendo sugerencias para mejorar la conducta.

Preguntas Más Comunes

DURANTE UN SEMINARIO de Disciplina Positiva en el Salón de Clases para una escuela en Carolina del Norte, se registraron las siguientes preguntas y respuestas. Ellas representan las preocupaciones de muchos maestros.

Pregunta: ¿Acaso los niños no necesitan soluciones inmediatas a sus problemas? No creo que mis alumnos puedan esperar tres días para tratar sus conflictos, escribiéndolos en la agenda.

Respuesta: Trabajé con una maestra que sentía lo mismo. Ella organizaba una junta diaria después del almuerzo, para discutir los problemas que se habían suscitado durante el recreo. Le sugerí que sus alumnos anotaran sus asuntos en la agenda y esperara por lo menos un día para resolverlos en la junta. Más tarde relató lo sorprendida que estaba, sus alumnos mostraban gran satisfacción por el simple hecho de anotar sus problemas en la agenda, incluso su lenguaje corporal indicaba alivio; esa era su solución inmediata. También reportó que unos días más tarde, la discusión de los conflictos era más racional y útil, porque los ánimos se habían enfriado considerablemente.

Pregunta: ¿Qué pasa si una solución que se ha decidido no es efectiva?

Respuesta: La decisión debe permanecer hasta que alguien vuelva a anotar el problema en la agenda. En un salón, el problema era que los alumnos se recostaban en sus bancas. El grupo decidió que, quien lo hiciera, tendría que levantarse y quedarse parado detrás de ella. Esto no funcionó; algunos niños disfrutaban estar de pie y originaban gran alboroto. La maestra decidió regresar el problema a la agenda y los alumnos estuvieron de acuerdo. Entonces acordaron que todo el que se recostara en su banca, saldría del salón hasta cuando se sintiera listo para sentarse correctamente.

Pregunta: ¿Qué pasa si alguien siente que una consecuencia es injusta?

Respuesta: Ordinariamente, esto no es problema, si el alumno elige la solución que le sea más útil. Este problema también se evita cuando usted se enfoca en las soluciones y no en las consecuencias.

Pregunta: ¿Qué se debe hacer si los estudiantes sugieren castigos en lugar de soluciones?

Respuesta: Escriba todas las sugerencias. Al principio, cuando los estudiantes están aprendiendo, es muy útil pedirles que analicen cada sugerencia y eliminen aquellas que no sean respetuosas y útiles. Esto proporciona más tiempo para que ellos piensen en los resultados a largo plazo de sus sugerencias. Otra opción es pedir voluntarios para escenificar las sugerencias punitivas y después preguntarle a la persona que experimentó el castigo qué sintió, qué aprendió y qué decidió hacer en el futuro. Esta es otra forma de enseñar los resultados a largo plazo del castigo.

Pregunta: ¿Qué pasa si los estudiantes empiezan a atacar a otro niño?

Respuesta: Esto puede suceder incluso después de que los estudiantes han aprendido a ser positivos y serviciales la mayor parte del tiempo. Durante una demostración de junta escolar presidida por el maestro Francisco Medrano, discutían el problema de una alumna nueva que utilizaba lenguaje soez en el patio, y sus compañeros parecían contraatacar ofendiéndola. El profesor Medrano los hizo reflexionar preguntándoles: "¿cuántos de ustedes saben lo que se siente ser nuevo en una escuela?", varios alumnos comentaron sus experiencias. Entonces Francisco les preguntó si se habían tomado el tiempo para entablar una amistad con esta nueva alumna y le habían comunicado las reglas del colegio. Nadie levantó la mano.

El señor Medrano se dirigió a la nueva alumna y le preguntó si sus antiguos compañeros utilizaban ese lenguaje y ella reconoció que sí. El profesor Medrano preguntó cuántos estarían dispuestos a entablar una amistad con ella y mencionarle las reglas, muchos levantaron la mano. Después de esto regresaron al formato regular, pero ahora existía una innegable atmósfera positiva. Los estudiantes decidieron que esta discusión se daba por terminada, pues antes ella no conocía las reglas.

En una junta de octavo grado, parecía obvio que el alumno sobre el cual se discutía, se sentía atacado. Pregunté a los demás, "¿Cuántos de ustedes sentirían que se les está ayudando, si estuvieran, en este momento, en la posición de Benjamín?", nadie levantó la mano. Proseguí: "¿Cuántos se sentirían atacados si estuvieran en la posición de Benjamín?", la mayoría levantó la mano. Continué, "¿Cuántos estarían dispuestos a imaginarse en la posición de la otra persona cuando hacen comentarios y sugerencias?", todos acordaron que así lo harían, y admitieron que no habían pensado en eso antes.

Pregunta: ¿Qué pasa si un problema involucra a algún alumno de otro grupo?

Respuesta: Muchas escuelas llevan a cabo las juntas escolares al mismo tiempo, de forma que los alumnos pueden ser invitados de un grupo a otro. Antes de llamar a otro estudiante a su junta, pida a sus alumnos que discutan cómo se sentirían si fueran llamados a otro grupo y qué pueden hacer para asegurarse de que el invitado sienta que el propósito es ayudar y no lastimar. En algunos grupos los alumnos dan ideas positivas con respecto a los invitados y, así, comienzan con cumplidos.

Iñigo fue invitado a la junta de la maestra Montull porque algunos niños se quejaban de que destruía sus castillos de arena. Los alumnos de la señora Montull empezaron haciendo cumplidos a Iñigo sobre su desempeño deportivo y sus habilidades de liderazgo. Después la maestra le preguntó a Iñigo por qué había destruido los castillos de arena. Él explicó que la primera ocasión había sido por accidente y la otra porque de todos modos ya había sonado la campana, entonces le preguntó si podía proponer algo para resolver el problema, el niño dijo que no se le ocurría nada. Alguien sugirió que él podría ser el jefe de patrulla del arenero para cuidar que nadie destruyera los castillos. Iñigo y los demás estuvieron de acuerdo.

Empezar con cumplidos reduce la actitud defensiva e inspira la cooperación. Algunos grupos comienzan a resolver todos los problemas haciendo cumplidos reales entre las partes involucradas.

Pregunta: ¿Cómo se evita que se escriban los chismes en la agenda?

Respuesta: No se puede. Es más útil cambiar su percepción. Los chismes son, a menudo, problemas reales para los alumnos. Agradezca cada oportunidad en que los estudiantes pueden practicar sus habilidades. Si los maestros censuran algunos asuntos, los estudiantes perderán la confianza en el proceso. Además cuando este tipo de conflictos se escriben en la agenda, pierden su connotación de chisme y los alumnos buscan resolverlos de manera positiva y no negativa.

Pregunta: ¿Qué se debe hacer cuando unos cuantos alumnos monopolizan la agenda?

Respuesta: Escríbalo como tema en la agenda y deje que los estudiantes resuelvan el problema. Una maestra comentó acerca de esta dificultad. Tomás anotaba diez asuntos diariamente en la agenda. Le sugerí que ella misma anotara esto, pero descubrió que otro alumno ya lo había hecho. El grupo decidió que cada persona podría escribir un asunto al día La maestra admitió que si hubiera intentado resolver el problema por sí sola, habría permitido de tres a cinco asuntos diarios, pero la solución de los niños le pareció mucho mejor.

Pregunta: ¿Pueden los alumnos anotar en la agenda alguna queja contra el maestro?

Respuesta: Si los maestros han captado el "espíritu" de estas juntas, se sentirán cómodos al discutir sus propios errores, pues se trata de una oportunidad para aprender y es un excelente ejemplo para sus alumnos.

Francisco Medrano llevó a sus alumnos a una demostración de junta escolar para un taller de Disciplina Positiva. Uno de los asuntos a discutir, era que Francisco le había quitado a un alumno, una bolsa de papas fritas durante el recreo debido a una regla escolar que prohibía comer en el patio. En el camino hacia el salón de clases, Francisco se había comido unas cuantas papas fritas. El grupo decidió que Francisco comprara una bolsa de papas al alumno, pero que, primero se podía comer la mitad pues la bolsa estaba a la mitad cuando se la retiró.

En otra ocasión, alguien anotó al señor Medrano en la agenda porque obligó a un alumno a correr alrededor de la pista ya que se había portado mal durante la clase de educación física. Los estudiantes dijeron que esto era un castigo y no una solución, así que el profesor Medrano debía correr alrededor de la pista cuatro veces. Francisco aceptó su decisión, pero antes de correr, lo anotó en la agenda pues no era justo que le pidieran correr cuatro veces cuando él sólo hizo correr al alumno una vez. En la junta siguiente, utilizó este caso como ejemplo para examinar lo fácil que es caer en la venganza cuando se incluye un castigo.

Pregunta: ¿Qué se hace cuando los niños no admiten haber actuado mal?

Respuesta: Una vez establecida un ambiente de confianza y espíritu de servicio, es raro que los estudiantes no se sientan libres de hacerse responsables de sus acciones. Antes de establecer esta atmósfera, pregunte si alguien más vio lo sucedido. Algunos maestros piden a sus alumnos que escenifiquen y esta escenificación es generalmente, tan graciosa, que todos se ríen y esto inspira al alumno inculpado a decir lo que realmente pasó.

Puede aprovechar esta oportunidad para preguntar por qué los alumnos podrían sentirse renuentes a admitir que hicieron algo, como por ejemplo, "¿Cuántos de ustedes querrían admitir que hicieron algo si creen que otras personas desean lastimarlos en lugar de ayudarlos?", "¿Cuántos han tenido a otras personas acusándolos de haber hecho algo cuando ustedes no creen haber hecho nada?" A muchos maestros les ha resultado útil preguntar a los estudiantes si estarían dispuestos a creer en la palabra de ese alumno y anotarlo en la agenda si vuelve a pasar.

Pregunta: ¿Qué se debe hacer si los estudiantes utilizan la agenda como venganza? Mis alumnos miran la agenda y, si sus nombres están en ella, anotan a la persona que los puso.

Respuesta: Esto es frecuente antes de que los estudiantes aprendan y crean en que el propósito de la agenda es ayudar y no atacar. Muchos maestros resuelven este dilema con una caja de zapatos. Los alumnos depositan sus asuntos en hojas de papel de diversos colores indicando los diferentes días de la semana, de forma que pueden saber cuáles problemas deben ser los primeros a tratar. Mientras tanto, el maestro invita a discutir la manera en que se pueda incrementar la confianza en el grupo. Otra opción es pedir a los estudiantes que anoten los problemas en la agenda pero sin incluir ningún nombre, así los estudiantes se enfocan en las soluciones para un problema típico –sin importar quien esté involucrado. Este proceso ayuda a los estudiantes a acostumbrarse a la idea de enfocarse en las soluciones. La mayoría de los maestros que al principio utilizan la caja de zapatos, empiezan a recurrir a la agenda abierta tan pronto sienten que sus alumnos están listos. Otros maestros piden a sus alumnos escribir y depositar cumplidos en la caja, los cuales se leen antes de hacerlo en persona.

Pregunta: ¿Qué se debe hacer cuando, después del receso, los estudiantes se amontonan ante la agenda?

Respuesta: Esto dificulta el comienzo de las clases, así que establezca la siguiente regla: la agenda sólo puede usarse al salir del salón. A veces, el simple hecho de esperar hasta el siguiente descanso, es suficiente como periodo de enfriamiento, entonces los alumnos deciden que el problema no es lo suficientemente serio para anotarlo. Algunos maestros comienzan con esta regla, y más adelante, cuando los estudiantes pueden escribir sin interrumpir, les permiten usar la agenda en cualquier momento.

Pregunta: ¿Es necesario, realmente, llevar a cabo las juntas diariamente? Yo no tengo tantos problemas y me molesta tomar tanto tiempo para ello.

Respuesta: La principal razón de hacer las juntas diariamente es enseñar el proceso que permite a los alumnos practicar habilidades sociales y de vida para formar un buen carácter. Muchos estudiantes en realidad no aprenden el proceso si hay un lapso de tiempo de una semana entre junta y junta. Varios maestros han aprendido que realizar juntas todos los días marca la diferencia entre el éxito y el fracaso. Un maestro con un grupo particularmente difícil, estuvo tentado a cancelarlas hasta que empezó a llevarlas a cabo diariamente, pues se percató que sus alumnos aprendían y confiaban en el proceso. El ambiente del grupo cambió y los alumnos aprendieron habilidades positivas que continuaron usando a lo largo del día.

Otra maestra decía que ella no organizaba las juntas porque tenía un grupo cooperativo y casi no tenían problemas. Después intentó celebrar una al surgir un conflicto grave y se dio cuenta que sus alumnos no podían manejar la situación porque no habían aprendido el proceso. Esta maestra no había comprendido la importancia de las juntas escolares como un sistema para enseñar a los niños las habilidades para resolver problemas, y aún más importante, educar en estas capacidades para el resto de sus vidas.

Un maestro de primaria descubrió que la razón por la que sus alumnos no anotaban nada en la agenda, era porque tenían que esperar demasiado tiempo para tratar sus asuntos, ya que realizaban las juntas una vez a la semana.

En las escuelas primarias, es mucho mejor hacer las juntas diariamente. Si ni existiera ningún problema a solucionar, pueden aprovechar ese tiempo para planear o discutir otros asuntos, después de hacer los cumplidos.

Pregunta: ¿Qué se debe hacer cuando un asunto de la agenda involucra a un alumno ausente?

Respuesta: Si fue él quien anotó el asunto en la agenda, táchelo y continúe con el siguiente; si el alumno ausente está involucrado en un problema, déjelo pendiente para cuando regrese y continúe con el siguiente asunto. Esto reduce la posibilidad de que las ausencias se originen a causa de la agenda. Sin embargo, si sospecha que los alumnos desean faltar porque sus nombres están en la agenda, esto debe discutirse en una junta para que el grupo decida qué hacer y asegurarse de que todos comprendan que la finalidad es ayudarse y no lastimarse.

Pregunta: ¿Qué se debe hacer cuando los padres de familia cuestionan las juntas escolares?

Respuesta: Invítelos como observadores. Pocos padres ponen objeción después de asistir a una. Algunos estudiantes podrían utilizarlas para obtener atención de sus padres quejándose de haber sido elegidos como protagonistas en una junta. Aún cuando los alumnos tratan de describirlas detalladamente, las juntas pueden sonar, a los oídos paternos, como tribunales improvisados. Exprése- les que comprende su preocupación y que, probablemente, usted se sentiría igual si no hubiera visto el proceso y los resultados positivos en acción. Algunos padres acudirán a la invitación, otros quedarán satisfechos con su comprensión e invitación. (He incluido una carta para padres en el Apéndice III.)

Si algunos padres siguen objetando después de la visita, o si se niegan a que sus hijos participen, mande a esos alumnos de visita a otros grupos o a la biblioteca durante las juntas escolares. Un alumno se quejó con su madre, quien corrió a la escuela a "so- breprotegerlo".

Tiempo después el niño se sentía segregado porque tenía que ir a la biblioteca durante las juntas escolares y pidió a su madre que le permitiera asistir a ellas.

Pregunta: ¿Qué se debe hacer si los alumnos no quieren par- ticipar?

Respuesta: Los alumnos no tienen alternativa en esto, al igual que no tienen opción de asistir o no a su clase de matemáticas. Es necesario que discuta con el grupo sobre por qué la gente no querría participar, y cómo mejorar las juntas escolares de tal manera que todos quieran participar.

Pregunta: ¿Cómo se hacen cumplir las decisiones?

Respuesta: No es necesario que el maestro haga cumplir las decisiones que se tomaron individualmente o por el grupo. Los estudiantes estarán concientes de lo que sucede, y si otro alumno "olvida" lo que debe hacer, le será recordado o el asunto regresará a la agenda.

Pregunta: ¿Quién debe dirigir las juntas, el maestro o los alumnos?

Respuesta: Tan pronto como los estudiantes tengan suficiente edad, es buena idea hacerlos tomar la mayor responsabilidad posible. Muchos maestros van rotando la persona que dirige las juntas semanalmente y tienen también la responsabilidad de manejar la agenda. El secretario es la persona responsable de escribir todas las sugerencias y las decisiones finales.

Pregunta: ¿Cómo funciona este proceso con alumnos de jardín de niños y de primer grado?

Respuesta: Increíblemente bien. He visitado varios grados de primaria, donde los niños lo hacen tan bien que me cuesta trabajo recordar que no son alumnos de sexto grado en miniatura. Utilizan el mismo vocabulario y las mismas habilidades para resolver problemas.

Muchas escuelas de preescolar hacen participar a niños de dos, tres, cuatro y cinco años en las juntas escolares. En el libro *Dis-*

ciplina Positiva para Preescolares[3], compartimos la historia de un grupo que buscaba resolver un problema: los niños tiraban fichas de madera en el patio. Los niños más grandes hacían excelentes sugerencias. Cuando la bolsa de frijoles llegó a las manos de Cristina, una niña de dos años y medio, dijo: "Desayuné cereal con plátano esta mañana", la maestra le agradeció su comentario y la bolsa de frijoles pasó a manos del siguiente niño. Aunque Cristina todavía no entendía el propósito de las juntas, su participación era valorada y ella se sentía importante, mientras iba absorbiendo el espíritu de las juntas y aprendía de los niños más grandes.

Los más pequeños requerirán, probablemente, mayor ayuda para poner sus problemas en la agenda. Algunos maestros de primaria tienen niños que se acercan a ellos o un ayudante para dictarles lo que quieren escribir en la agenda, otras maestras les piden a los niños que escriban sus nombres y hagan un dibujo que indique el problema. En estos primeros grados, la mitad de los problemas están resueltos cuando se les da curso, pues a menudo, los niños no recuerdan lo que sucedió en el momento en que anotaban su nombre, y lo único que se necesitaba era un periodo de enfriamiento. Los niños pequeños son rápidos para olvidar y perdonar.

Es posible que los más pequeños requieran también, un poco más de dirección y guía, por lo que la maestra podría necesitar estar más activamente involucrada con ellos que con los mayores. Al principio de cada junta, la maestra García pedía a sus alumnos de primer grado que repitieran los propósitos de las juntas:

1. Ayudarnos unos a otros.
2. Resolver los problemas.

---

[3] Nelsen, Jane, Erwin, Cheryl, y Duffy, Roslyn, *Positive Discipline for Preschoolers* New York, Three Rivers Press, 1994, p. 261

Después repetían las reglas:

1. No traer nada al círculo.
2. Sólo una persona puede hablar a la vez.
3. Las seis piernas deben estar en el suelo (dos humanas y cuatro de la silla).

Otras Sugerencias

Amigos secretos

ALGUNOS MAESTROS usan la junta del lunes para que los alumnos escriban el nombre de su amigo secreto de la semana, así en la junta del viernes, cada niño adivina quien fue su amigo secreto y comparten las cosas agradables que hicieron.

Es importante enseñarles antes, para que esta aportación sea valiosa. Primero, pida a los niños que piensen en las cosas que podrían hacer por su amigo secreto como dejarle notas agradables, compartir algo, ayudarlo, jugar con él, sonreírle, saludarlo todos los días, o dejarle un dulce en su escritorio.

Después de anotar en el pizarrón la lista de sugerencias, pídales que escriban cuando menos cinco que les gustaría hacer, las guarden en su escritorio y las vayan tachando después de llevarlas a cabo. Esto reduce la posibilidad de que otros niños espíen. Este ejercicio ha incrementado significativamente los sentimientos positivos de amistad en muchos grupos.

También podría ser que convinieran en que cada alumno encontrara algo por lo cual manifestar un reconocimiento o un cumplido para su amigo secreto durante las juntas, esto aseguraría que cada niño recibiera un cumplido.

Reglas del salón de clases

Hay ciertas decisiones en las que los estudiantes no pueden ser involucrados, como por ejemplo el plan de estudios, a menos que quiera alentarlos a que hablen con los adultos encargados de tomar estas decisiones. Sin embargo, existen muchas áreas donde pueden participar en las decisiones. Cuando se les invita a participar y colaborar en tomar decisiones, los estudiantes se sienten altamente motivados a cooperar en su cumplimiento.

Me agrada ver que varios maestros llevan a cabo estas sugerencias. La mayoría de los grupos tienen carteles con las reglas del salón. En los grupos en donde los alumnos idearon las reglas, el encabezado debiera decir "Nosotros decidimos". Estas reglas son casi idénticas a aquellas determinadas por los maestros sin la participación de los niños. Los maestros que han probado ambas formas, han notado que la cooperación y el respeto mutuo se mejora cuando los estudiantes están involucrados en la discusión sobre las reglas.

Muchos maestros han descubierto que las excursiones tienen más éxito si se analizan primero en la junta escolar todo aquello que podría salir mal, convirtiendo el paseo en una mala experiencia, y decidiendo de antemano las soluciones a estos problemas potenciales. Después se puede discutir lo que es necesario hacer para que la excursión sea una experiencia placentera.

Cuando es necesario reemplazar a un maestro, las juntas escolares también han sido útiles para que el trabajo del sustituto sea más fácil. A menudo utilizo este tema cuando introduzco por primera vez a los alumnos el concepto de las juntas escolares. Pregunto: "¿Qué tipo de cosas hacen los estudiantes para "fastidiar al nuevo?". Los estudiantes me dan una larga lista de las cosas que han hecho, tales como cambiarse los nombres y lugares y perder el horario. Después pregunto como creen que se siente el suplente al ser molestado. Es sorprendente cuantos estudiantes nunca han considerado los sentimientos del suplente. La lista incluye sentimientos de dolor, tristeza e ira. Entonces les pido que me den ideas de cosas que pueden hacer para hacer placentero el trabajo del suplente. Siempre es gratificante escuchar cuan reflexivos pueden ser los estudiantes cuando se les da la oportunidad. Luego les pregunto cuantos estarían dispuestos a ayudar en lugar de lastimar, y todos están de acuerdo. Muchos maestros suplentes han comentado lo placentero que fue trabajar con un grupo en el que los estudiantes participan regularmente en juntas escolares.

Cómo terminar las juntas escolares

Cuando las juntas escolares son provechosas, a menudo los alumnos están tan involucrados que les gustaría continuar más allá del tiempo razonable. Este problema se elimina si se realizan justo antes del almuerzo o del descanso, entonces no desearán alargarla.

A menudo las cosas empeoran antes de mejorar

Con frecuencia, los estudiantes no confían en que los adultos están realmente dispuestos a escucharles y a tomarlos en serio. Es probable que les tome algún tiempo acostumbrarse a la idea. Al principio pueden tratar de utilizar este nuevo poder para ser hirientes y castigadores porque es el modelo al que están acostumbrados.

Mantenga en mente sus metas a largo plazo y prevalezca en el valor de ser imperfecto. ¿Existe algún estudiante, sin importar las circunstancias, que no responda favorablemente al ser escuchado y valorado por sus pensamientos e ideas? ¿Existe algún estudiante que no se beneficie al aprender a encontrar soluciones no punitivas a los problemas? ¿Existe algún estudiante que no aprenda a ser confiable y socialmente responsable, cuando sabe que es más seguro hacerse responsable de sus errores, porque éstos proporcionan oportunidades de aprendizaje, en lugar de sentir culpa, vergüenza y dolor a través del castigo?

Muchos maestros han estado tentados a renunciar antes de pasar por la parte difícil. Algunos lo hacen, pero aquellos que "aguantan", expresan su satisfacción por todos los beneficios, para ellos y sus alumnos, cuando las cosas mejoran.

REVISION

Principios de las juntas escolares

1. Los estudiantes se sientan formando un círculo, y el maestro se sienta en el círculo al mismo nivel. (En otras palabras, si los estudiantes están sentados en el suelo, el o la maestra también – al contrario que cuando está enseñando).

2. Tan pronto como sea posible, los alumnos presiden las juntas.

3. El estudiante a cargo, comenzará la junta con los cumplidos pasando un objeto (algo así como una estafeta o una bolsa de frijoles) alrededor del círculo, de tal manera que todos los alumnos tengan la oportunidad de hacer un cumplido, pasar o pedir un cumplido.

4. El receptor del cumplido agradecerá el mismo.

5. El maestro o estudiante a cargo, manejará la agenda y leerá cada uno de los asuntos a discutir.

6. Después de leer todos los asuntos de la agenda, el estudiante que anotó el asunto puede elegir (a) compartir sus sentimientos mientras los demás lo escuchan, (b) discutir sin decidir, o (c) pedir ayuda para resolverlo.

7. Si el estudiante pide discutir el asunto sin tomar decisiones o pide ayuda para resolver el problema, el objeto pasará

alrededor del circulo nuevamente para discutir el asunto o para buscar soluciones (también se estimulan los comentarios cortos).

8. El maestro debe abstenerse de hacer comentarios sobre las sugerencias de los alumnos (excepto para asegurarse que los estudiantes estén dando sugerencias. Quizá puede ser necesario decir. "¿Cómo puedes cambiar eso en una sugerencia?") Cuando el objeto llegue a las manos del maestro, entonces podrá hacer comentarios o sugerir – pero solo entonces.

9. Cada sugerencia se anota en un cuaderno u hoja de papel, lo cual es realizado por el maestro o los estudiantes cuando sea posible.

10. En la mayoría de los casos, el objeto circulará dos veces para darle a los niños la oportunidad de hacer sugerencias que no hayan pensado antes de escuchar a los demás. (Esto no toma mucho tiempo).

11. El alumno que anotó el problema en la agenda puede elegir la sugerencia que crea más conveniente. Cuando está involucrado otro estudiante, él o ella puede también elegir la solución. Si ambas soluciones son opuestas, entonces se les pide a los dos estudiantes que platiquen en privado para que determinen una solución que funcione para ambos. Se hace votación solamente cuando el problema involucra a todo el grupo.

Seis razones por las que las juntas escolares fracasan

1. No se forma el círculo.
2. No se están llevando a cabo las juntas regularmente (de tres a cinco veces por semana en las escuelas primarias).
3. El o la maestra censuran los asuntos (juzgándolos como chismes).

4. No se está dando el tiempo suficiente para que los alumnos aprendan habilidades de resolver problemas de una manera no punitiva.

5. Se hace callar (para proteger) a los alumnos en lugar de confiar en sus habilidades.

6. No se está utilizando el objeto (estafeta) para tomar el turno de hablar alrededor del círculo y esto impide que todos los alumnos tengan la oportunidad de hablar o de pasar.

9

Juntas Familiares

CUANDO GENARO Y BEATRIZ se casaron, cada uno agregó tres hijos a su nueva familia. Las edades de los seis niños iban de los seis a los catorce años, y obviamente había muchos arreglos por hacer. Beatriz trabajaba fuera de casa, realmente estaba encantada con su nueva familia y se sentía ansiosa de regresar a casa después del trabajo –excepto por un problema. Lo primero que veía al entra era un verdadero desorden. Los niños llegaban de la escuela y dejaban sus libros, abrigos y zapatos por todos lados, a esto le añadían migas de galletas, vasos con leche medio vacíos y juguetes esparcidos por toda la casa.

Beatriz los regañaba: "¿Por qué no puede recoger sus cosas? Saben que me molesta. Disfruto mucho estar con ustedes, pero me enoja tanto ver este caos que me olvido de la alegría." Los niños recogían sus cosas, pero ella ya estaba molesta y disgustada con los niños y con ella misma.

Finalmente, Beatriz anotó el problema en la agenda para su junta semanal del lunes por la noche. Admitió que el problema era suyo, porque obviamente el hecho de tener la casa hecha un desastre era algo que no molestaba a nadie más, entonces les preguntó si estaban dispuestos a ayudarla con su problema.

Los niños no sintieron culpa ni acusación e idearon un plan llamado "caja de depósito de seguridad", la cual era una gran caja de cartón que estaría en la cochera. La regla era que cualquier cosa que estuviera en las áreas comunes como el vestíbulo, la sala, el comedor, el salón familiar y la cocina, sería colocada, por cualquiera que la encontrara, en la caja de depósito de seguridad. También decidieron que dichos artículos permanecerían ahí durante una semana, antes de que el dueño pudiera reclamarlos.

El plan funcionó maravillosamente, el problema del desorden se resolvió y la caja de depósito estaba llena de cosas. Sin embargo, causó otros problemas que pusieron a prueba el plan y de no haberse apegado a las reglas, todo hubiera sido inútil. Por ejemplo, David de doce años, perdió sus zapatos de la escuela. Buscó por todos lados y después recordó la caja de depósito, seguro de que estaban ahí.

David usó sus viejos zapatos deportivos para ir a la escuela, pero al día siguiente también los perdió. No tenía otro calzado, pero los niños insistieron que no podría recuperarlos antes de una semana. Entonces David acudió a su madre quien sabiamente le dijo: "Lo siento, no sé que vas a hacer, pero también me tengo que apegar a las reglas." Finalmente, sus hermanos le sugirieron que usara sus pantuflas, y como David no tenía una mejor idea, tuvo que usarlas para ir a la escuela durante tres días. Después de esa semana, jamás volvió a dejar sus zapatos tirados.

Tiempo después, Mariela de ocho años, perdió su abrigo. Fue muy difícil para Beatriz y Genaro permanecer al margen de estas situaciones; después de todo, ¿qué clase de padres permiten que sus hijos vayan a la escuela en pantuflas o salgan sin abrigo cuando hace frío? Pero ellos decidieron olvidarse de la opinión de los demás y dejaron que Mariela enfrentara el problema por sí misma, como lo había hecho su hermano David. Ella usó dos suéteres para ir a la escuela durante una semana.

Genaro también perdió algunas corbatas, una sudadera y revistas. Lo más sorprendente para Beatriz era que muchas de sus cosas también desaparecieron en la caja de depósito. Entonces comprendió lo fácil que resultaba ver el desorden ajeno y no el propio.

Este plan funcionó gracias a los siguientes conceptos:

- El problema fue expuesto en una junta familiar. Los niños crearon la solución.
- Mamá y papá no tomaron responsabilidad extra cuando los problemas surgieron y se sujetaron a la decisión familiar.
- Los niños hicieron valer las reglas porque los padres permanecieron al margen.
- Las reglas se aplicaron a toda la familia, incluyendo a los padres.

Otra familia resolvió el problema casi de la misma manera. En una junta familiar decidieron diferentes reglas para lo que llamaron el plan de la "caja de desapariciones". Aquel que perdiera algún artículo, podía recuperarlo al momento de depositar una moneda de diez centavos de dólar en el "frasco de fiestas". Cuando el frasco estuviera lleno –lo cual era muy frecuente– usaban el dinero para una fiesta familiar donde comían helado y pizza. Otra familia le llamó a la caja "el hoyo negro", los habitantes de la casa podían reclamar sus objetos al final de la junta familiar semanal.

Los padres pueden evitar numerosos pleitos con sus hijos sugiriendo que los temas se anoten en la agenda para resolverlos en la junta familiar, después de un periodo de enfriamiento. Al igual que las juntas escolares, el hecho de involucrar a los niños en las juntas, elimina muchos problemas de disciplina, como un beneficio adicional. La ganancia fundamental es que los niños tienen la oportunidad de reforzar las "Siete Percepciones y Habilidades Significativas".

Las juntas familiares pueden ser también un método útil para incrementar la cooperación y cercanía familiar, pues proporcionan la oportunidad de reforzar los valores y tradiciones familiares. Su éxito, por supuesto, depende de las actitudes y habilidades de los adultos, explicadas en capítulos anteriores.

Es necesario que los padres lean el capítulo ocho sobre las juntas escolares, pues muchos conceptos importantes para juntas escolares exitosas, funcionan igualmente para las juntas familiares y el formato para las juntas familiares es esencialmente el mismo, excepto por las siguientes seis diferencias importantes.

Cómo Difieren las Juntas Familiares de las Escolares.

1. Las juntas familiares deben llevarse a cabo una vez a la semana y no diariamente. Una vez que todos hayan decidido el horario de las juntas, nada debe interferir. Si llaman los amigos a la hora de la junta, díganles que les regresarán la llamada más tarde (nosotros desconectamos el teléfono). No pase por alto ninguna junta por estar ocupado o tener que hacer algo más; sus hijos seguirán su ejemplo en determinar la importancia de estas juntas. Una vez que la tradición ha sido eficientemente establecida, todos buscarán esta oportunidad para reunirse en familia – hasta que los niños se conviertan en adolescentes (más adelante hablaremos de ello).

2. Las decisiones deben tomarse por consenso. Si en algún tema, la familia no puede decidir por consenso, el asunto deberá postergarse hasta la siguiente junta, pues es probable que el consenso se dé debido al periodo de enfriamiento adicional y al tiempo para pensar en nuevas ideas. La mayoría de votos acentúa las divisiones en una familia. Transmita una actitud de confianza en que la familia puede trabajar junta para encontrar soluciones que son respetuosas para todos.

3. Las juntas familiares deben incluir una revisión de las actividades de la siguiente semana. Esto es especialmente importante pues, al crecer, los hijos se involucran en muchas actividades, como cuidar niños, hacer deporte, citas, lecciones, etcétera. Es esencial coordinar el uso del automóvil y la conveniencia mutua.

4. Las juntas familiares no deben terminar sin haber planeado una actividad familiar recreativa para el transcurso de la semana siguiente.

5. Terminen la junta haciendo algo juntos. Pueden jugar, hacer palomitas, tomar turnos para servir un postre. No vean televisión, a menos que haya algún programa que todos deseen ver. En este caso, vean el programa y asegúrese de apagar el televisor cuando termine para discutir en familia sobre los valores (o la falta de ellos) reflejados y cómo éstos pueden aplicarse a sus vidas.

6. Una mesa despejada favorece la permanencia en la tarea de solucionar problemas. La mesa no parece ser una barrera para las familias, como no lo son los escritorios en las juntas escolares. Sentarse informalmente en la sala también puede funcionar, pero parece más difícil permanecer concentrado en la tarea de resolver problemas, si la junta se realiza durante la hora de la cena.

Componentes de las Juntas Familiares

Presidente

El desempeño de este papel debe irse rotando. A los niños les encanta ser el presidente y pueden ejecutar bien el trabajo después de los cuatro o cinco años. Es responsabilidad del presidente, llamar a la junta, mencionar los asuntos a tratar, empezar con los cumplidos, abrir la sesión de solución de problemas y empezar a rotar el "objeto para hablar" alrededor del círculo para que todos tengan su turno de expresarse y dar su opinión o sugerencia.

Secretario

Esta función también debe rotarse entre aquellos que sepan escribir. El secretario toma notas sobre los problemas a discutir y de las decisiones tomadas. (Leer las minutas de las juntas pasadas puede ser tan divertido como ver un álbum de fotografías).

Cumplidos

Al iniciar la junta, todos deben formular un cumplido a cada miembro de la familia. Al principio, esto puede ser difícil si los niños están acostumbrados a humillarse. En este caso, dedique algún tiempo para analizar el tipo de cosas que podrían observar para hallar un cumplido. Los padres deben poner el ejemplo de esta conducta comenzando por manifestar cumplidos para cada integrante de la familia. Si usted ha visto algo agradable sucedido entre los niños, dígales que lo recuerden para hacer cumplidos, incluso puede sugerirles anotarlo en la agenda para que no se les olvide.

La señora López nos contó el siguiente incidente que ocurrió cuando su familia empezó a hacerse cumplidos durante sus juntas familiares. Tere, de seis años, se ofreció a ser la primera, e hizo cumplidos a sus padres con gusto y facilidad, pero cuando se dirigía a su hermano Marcos, de nueve años, hizo una pausa y afirmó. "Esto es realmente difícil". Los padres la alentaron a que lo hiciera y finalmente pensó en algo y pudo hacer el cumplido, pero después añadió. "Pero el también es malo conmigo". Sus padres advirtieron: "Sin peros".

Cuando fue el turno de Marcos, ya no estaba entusiasmado por hacerle un cumplido a Tere, aunque de todas formas lo hizo. La señora López señaló que era magnífico observar la facilidad con que ahora reconocían lo bueno en el otro y agregó: "Es sorprendente ver a dos hermanos diciéndose cosas bonitas entre ellos cuando antes, solo se molestaban."

Un verano, estábamos tan ocupados, que no seguimos la regla de no dejar que nada interfiriera en nuestras juntas familiares y dejamos de realizarlas.

Fue una lección maravillosa: sentimos la diferencia y aprendimos nuevamente su importancia. Los altercados y pleitos se incrementaron terriblemente, los empezaron a insultarse unos a otros. Finalmente, lo descubrí, y llamé a una junta familiar. Los niños habían sido tan malos unos con otros que pensé que tendrían dificultades para hacerse cumplidos. Sin embargo, los años de entrenamiento sirvieron y mis hijos expresaron cumplidos hermosos. A medida que continuamos con las juntas familiares, los insultos disminuían significativamente, al igual que los altercados y los pleitos.

Gratitud

Alternemos, entre los cumplidos, cosas por las que estamos agradecidos. Permitir que cada miembro de la familia comparta algo por lo que esté agradecido, les ayudará a recordar y apreciar muchas cosas que generalmente damos por hechas.

La Agenda

El refrigerador parece ser el lugar más popular para las agendas familiares, es muy sencillo utilizar un imán para colgar una hoja de papel al frente o a un costado de éste. Me hubiera encantado haber guardado todos esos papeles, por lo que les sugiero que utilicen una carpeta para archivarlos y conservarlos como un álbum de las juntas familiares.[1]

Discutan los asuntos de la agenda en orden cronológico, de tal manera que no necesitarán decidir qué asunto es el más importante.

---

[1] Una muestra de Album de Juntas Familiares de Disciplina Positiva está disponible en www.focusin gonsolutions.com

Solución de problemas

Discutan con los niños el concepto de enfocarse en las soluciones como se detalla en el capítulo seis. Las Tres R y una U para Enfocarse en las Soluciones pueden ser utilizadas para resolver muchos problemas en las juntas familiares, así como en las juntas escolares. Sin embargo, en las juntas familiares, las soluciones deben acordarse por consenso. También es importante ir más allá de las consecuencias en las juntas familiares. Muchas familias han comentado que las luchas de poderes se redujeron significativamente cuando dejaron de pensar en las consecuencias para cada problema, y en lugar de ello, se enfocaron en las soluciones.

Planeación de actividades

Los miembros de la familia están más dispuestos a cooperar cuando participaron equitativamente en la planeación de aquello que disfrutarán, Las actividades semanales y las vacaciones tienen más éxito cuando toda la familia participa en el análisis de los posibles conflictos y la manera de evitarlos. El siguiente artículo escrito por mi esposo Barry Nelsen, proporciona un excelente ejemplo.

"Llevemos a los niños a Hawai", dijo mi esposa

"¿Estás bromeando? Nos harán la vida imposible", respondí.

Tan equivocado estaba que, seis semanas mas tarde, regresaba de uno de los viajes familiares más placenteros en muchos años. La razón de éxito de este viaje fue haber realizado juntas familiares.

Tenemos juntas familiares todos los domingos por la noche. Cada miembro de la familia es tratado con respeto y cada opinión es escuchada y estudiada.

Varias semanas antes del viaje, durante una junta familiar, les dije a los niños que su madre y yo iríamos a Hawai, y les pregunté si querían acompañarnos. El alboroto estalló y después de convencerlos de que se calmaran, mi esposa dijo: "Si los llevamos a Hawai, este viaje también debe ser divertido para papá y para mí, si ustedes pelean o discuten sobre cualquier cosa que les pidamos que hagan, no será divertido para nosotros."

Los niños prometieron portarse como "angelitos", pero yo ya había escuchado eso antes y sabía que necesitábamos algo más que promesas. Entonces decidimos pensar y elaborar una lista de todo aquello que hiciera la vida imposible a los padres al vacacionar con sus hijos.

"¿Y qué hay de las cosas que les hacen la vida imposible a los hijos?" interrumpió Mark. Todos convenimos que era una pregunta justa, entonces mi esposa preparó una lista de los posibles problemas en dos columnas: problemas para los padres y problemas para los hijos.

La lista de los problemas para los padres incluía: que nos estuvieran pidiendo dinero, comer solamente comida chatarra, que pelearan entre sí, discutir con nosotros, no recoger sus cosas, no cargar su propio equipaje, irse sin decirnos a dónde, quedarse despiertos demasiado tarde y no querer ir a algunos lugares con nosotros. La lista de los problemas para los niños comprendía: comer en restaurantes de lujo, usar ropa formal, dormir dos en una misma cama, no contar con suficiente dinero, que se les señalara lo que podían o no comprar y no sentarse junto a la ventanilla en el avión.

Las soluciones acordadas fueron que los niños ahorrarían tanto dinero como les fuera posible y nosotros les proporcionaríamos una cantidad específica (y ni un centavo más), ellos dividirían su dinero entre los siete días de vacaciones y nosotros les daríamos esa cantidad diariamente sin decirles cómo gastarla, ni darles más dinero cuando se lo hubieran acabado; acordaron ser responsables de su equipaje y no empacarían más de lo que estaban dispuestos a cargar; Mark llevaría una bolsa de dormir y dormiría en el suelo si la única opción fuese compartir la cama con alguien más; comerían en McDonald's cuando nosotros fuéramos a comer a restaurantes más formales; tomarían turnos para sentarse junto a la ventanilla del avión durante el despegue y el aterrizaje; acordaron no pelear y siempre hacernos saber a donde irían.

"¿Qué pasa si olvidan las reglas y empiezan a pelear?" pregunté

"¿Qué les parece hacernos una señal secreta?" sugirió Mark.

"Buena idea" dijo su mamá, "si los oímos peleando, nos tocaremos la oreja como una señal silenciosa para recordarles que prometieron no hacerlo."

"Eso también va para ti, papá" agregó Mark.

"¿A qué te refieres?" pregunté indignado.

"Cuando empieces a perder la paciencia conmigo y con Mary, ¿te parece bien si toco mi oreja como señal?"

"Ese pequeño chico listo", pensé, pero reflexioné y estuve de acuerdo: "Buena idea, hijo."

Una semana antes de partir, y tres juntas más tarde, nuestras listas habían crecido. Había un ambiente de emoción y cooperación en la familia. Los niños habían trabajado bien en la escuela y habían ahorrado dinero rápidamente.

Uno de los primeros conflictos surgió cuando Mark quiso empacar su patineta; le expliqué todos los problemas que le causaría en las transitadas calles de Waikiki, además de la dificultad de cargarla todo el viaje junto con su equipaje. Como existía un sentimiento de cooperación, él estuvo de acuerdo en dejar la patineta en casa, sin protestar.

El camino en automóvil, que es regularmente de dos horas, a San Francisco para tomar el avión, se convirtió en uno de tres horas. Mary empezó a quejarse de que tenía sed mientras estábamos atorados en el tráfico sobre Bay Bridge, pero cuando le recordamos que ya habíamos hablado sobre ese tipo de discusiones, decidió que podía esperar a llegar al aeropuerto. ¡Otra victoria de las juntas familiares!

La habitación del hotel en Honolulu, tenía dos camas dobles. Nos dio gusto llevar la bolsa de dormir de Mark para evitar altercados.

Gracias a las juntas familiares, la pasamos de maravilla. Las pocas discusiones se resolvían rápidamente recordando nuestros convenios. Una vez, los niños se perdieron y efectuamos una junta familiar para decidir cómo evitar esa posibilidad en el futuro, resolvimos regresar al último lugar en el que nos hubiéramos visto todos juntos por última vez y esperar a que los otros nos encontraran. También los niños memorizaron los nombres y direcciones de los hoteles donde nos hospedábamos para tener la información necesaria y comunicarla a la policía en caso de volverse a perder.

El compañerismo que logramos como familia fue aún mejor que la experiencia del viaje a Hawai. Dos semanas después de regresar a casa, nuestro hijo mayor llamó desde Florida para darnos la noticia de que iba a casarse en dos meses. "Llevemos a los niños", dije.

Planeación de actividades recreativas familiares

Planear semanalmente actividades divertidas es una parte importante de las juntas familiares, pero es un área abandonada por muchas familias. Es fácil pensar en lo bueno que sería tener una familia feliz que realiza actividades entretenidas y emocionantes. La trampa es que existen muchas familias que esperan que eso "suceda" sin ningún esfuerzo de su parte, pero no ocurrirá a menos que usted haga algo y, para que acontezca, debe "planear y llevarlo a cabo".

En nuestra familia utilizamos las hojas de "Actividades Divertidas" (descritas más adelante) para planear y llevar a cabo ciertas actividades, como por ejemplo: Decidimos que todos los sábados por la noche son noche de citas. El primer sábado, mamá y Mark hacen algo juntos, mientras papá y Mary están juntos. El primer sábado del siguiente mes, cambiamos, por lo tanto Mamá y Mary pasan un tiempo especial juntas, mientras papá y Mark hacen lo mismo. El segundo y cuarto sábado de mes son noches de citas para mamá y papá solos. El tercer sábado hacemos algo todos juntos en familia.

Discusión sobre las tareas domésticas

Analicen las tareas domésticas en una junta familiar para que los niños puedan ayudar a resolver el problema sin tener que obligarlos a cumplirlas. Los niños son más cooperativos cuando pueden expresar sus sentimientos y formar parte en la planeación y elección.

En una junta familiar, nosotros hicimos una lista de todas las tareas que realizan papá y mamá (incluyendo une empleo de tiempo completo) en un esfuerzo por eliminar la queja: "¿Por qué tengo que hacer todo yo?", cada vez que les pedíamos a nuestros hijos que hicieran algo. Entonces elaboramos una lista de todas las tareas domésticas que ellos podían hacer. Cuando compararon las listas (entre lo que les pedíamos que hicieran y lo que hacíamos nosotros), se sintieron impresionados. Entonces anotamos los quehaceres que ellos podrían realizar en hojas sueltas de papel que se ponían dentro de un frasco especial. Semanalmente, cada niño extraía un papel para que no le tocara la misma tarea siempre, como por ejemplo sacar la basura.

Esta no es una solución mágica. Nos dimos cuenta que el problema de las tareas domésticas debía escribirse en la agenda por lo menos una vez al mes; yo lo llamé "el síndrome de las tres semanas." Por lo general, la primera semana, los niños seguían con entusiasmo el plan de quehaceres que habían ayudado a crear. La segunda, lo realizaban con menos entusiasmo. Para la tercera, empezaban a quejarse; esa era la clave para poner el asunto de las tareas domésticas de regreso en la agenda.

Después de una conferencia, una mujer se me acercó y dijo: "Intentamos hacer una junta familiar una vez y los niños hicieron sus quehaceres durante una semana; después dejaron de hacerlo, entonces pensé que esto no funcionaba."

Yo le pregunté: "¿Ha encontrado algún otro sistema que ayude a sus hijos a cumplir con sus quehaceres durante toda una semana?"

Ella contestó: "Bueno, no"

Le repliqué: "Entonces, el plan de las juntas familiares es un éxito. Le sugiero que lo siga haciendo."

Y le hablé del "síndrome de las tres semanas". Aunque necesitamos seguir perfeccionándolo, conseguimos mayor cooperación al manejar el problema a través de las juntas familiares, que cualquier otra manera que hayamos probado. Logramos más responsabilidad durante algún tiempo, así que cuando empieza a disminuir, lo ponemos de regreso en la agenda.

Con frecuencia los niños idean nuevos planes. Durante un tiempo disfrutan utilizando una rueda que hacen con un plato de cartón en el que hacen dibujos describiendo tareas alrededor del plato y le hacen un orificio en el centro para asegurar una aguja giratoria. Hacen girar la rueda para hacer unas cuantas tareas cada semana. Después disfrutan haciendo una tabla de tareas a la que le ponen bolsillos uno para las tareas "no hechas" y otro para las tareas "hechas". Parecen tener un sentimiento de satisfacción cuando pasan una tarjeta de tarea de un bolsillo a otro.

Tratar el problema de los quehaceres cada tres o cuatro semanas es preferible que pelear por ello todos los días.

Mis dos hijos más pequeños (de siete años) idearon un plan de tareas domésticas que funcionó durante más de seis meses y no solo tres semanas. Cuando empezaron a quejarse después de seis meses, encontraron una solución que funcionó por más de un año.

Decidieron que yo escribiera dos quehaceres principales para cada uno en un pizarrón que está junto al teléfono. Durante la negociación, yo deseaba que realizaran sus quehaceres llegando de la escuela, ellos querían tener la libertad de elegir el momento de realizarlos, siempre que quedaran hechos antes de irse a dormir. Entonces pregunté: "¿Qué pasa si no lo hacen antes de irse a dormir?" Ellos acordaron que sería una consecuencia razonable que yo circulara el nombre de quien no había cumplido y entonces esa persona haría los cuatro quehaceres al día siguiente, llegando de la escuela. Durante seis meses esto funcionó muy bien y sólo de vez en cuando circulé alguno de los nombres, entonces ese niño hacía los cuatro quehaceres al día siguiente, inmediatamente después de regresar a casa.

Después los dos empezaron a quejarse: "¿Por qué él (o ella) hace los quehaceres más fáciles?" Había dedicado mucho tiempo tratando de ser justa al rotar las tareas domésticas, pero desde su punto de vista no era así. Me sentía tan segura de mi misma que, en lugar de sermonearlos sobre mi justicia, anoté el asunto en la agenda.

Su solución fue tan simple y tan profunda, que no sé por qué no lo pensé antes, pues me habría ahorrado mucho tiempo. Mark dijo, "¿Por qué no simplemente, escribes cuatro quehaceres en el pizarrón y el primero que llegue, escoge?" Una vez más me recordaron las grandes soluciones que ellos pueden proponer si les damos la oportunidad.

La primera semana, se despertaban más temprano para ser los primeros en escoger lo que ellos pensaban era los quehaceres más fáciles. Pero esto no duró mucho tiempo. Decidieron que el sueño era más importante que los quehaceres más sencillos, y así el que llegaba al último al pizarrón, aceptaba su destino con gracia.

Algunos Retos Especiales

Niños pequeños

Algunas familias sienten que, al intervenir en las juntas familiares, los niños menores de cuatro años interrumpen el proceso de solución de problemas. En mi familia, solíamos esperar hasta que los bebés y los más pequeños estuvieran dormidos para realizar la junta. Tan pronto como alcanzaban la edad suficiente, los incluíamos en algunos momentos de las juntas.

A los niños de tres años les encanta participar en juegos, incluso pueden aprender a hacer cumplidos. Para los cuatro años, los niños son extraordinariamente creativos para la solución de problemas y están listos para participar por completo.

Adolescentes

Para cuando los niños se convierten en adolescentes, la lucha de poderes y los ciclos de venganza han sido bien establecidos en muchos hogares. Las juntas familiares pueden cambiar estos patrones drásticamente, pero se requiere de cimientos especiales para establecerlos. El primer requerimiento es que los padres tengan la suficiente humildad para admitir que lo que han estado haciendo (ser demasiado controladores o demasiado permisivos) no ha funcionado. El segundo paso es admitir esto ante los adolescentes.

El señor Domínguez logró ganarse a sus hijos adolescentes. Les dijo, "Realmente me he equivocado con ustedes. Les he gritado para que cooperen, cuando lo que realmente quería decir era: 'Háganlo a mi manera', sin importarme lo que ustedes querían. Admiro su resistencia, en verdad, me gustaría volver a empezar y necesito su ayuda. He escuchado sobre la utilidad de unas juntas, donde las familias se sientan y resuelven los problemas con respeto mutuo, valorando las opiniones de todos. Necesito que me ayuden haciéndome notar cuando empiece a caer en mis viejos hábitos controladores."

Sus hijos estaban impresionados y mudos ante esta nueva conducta de su padre. El señor Domínguez tuvo la suficiente inteligencia para agregar rápidamente: "Sé que esto es realmente nuevo para ustedes. ¿Por qué no lo piensan y me dicen mañana si estarían dispuestos a trabajar conmigo?"

El señor Domínguez comentó a su grupo de estudio de padres de familia, "¿Cómo podrían ellos resistirse?" y no lo hicieron. Compartió muchas experiencias maravillosas que tenía en sus juntas familiares y lo mucho que ahora disfrutaba a sus hijos adolescentes – con altercados y todo.

Es interesante ver con qué frecuencia los niños parecen querer exactamente lo contrario de lo que tienen. Los hijos del señor Domínguez estaban felices de haber empezado con las juntas familiares porque era algo nuevo. Cuando mis hijos llegaron a la adolescencia, empezaron a quejarse de las juntas, porque era algo ya viejo para ellos. Anotamos sus quejas en la agenda, por ejemplo, que las juntas eran demasiado largas, y acordamos que no debían durar más de quince minutos.

Un día mi hija Mary, quien más se quejaba, regresó después de haber pasado una noche en casa de una amiga y comentó: "¡Vaya que esa familia tiene problemas! Deberían hacer juntas familiares." Ella misma organizaba juntas familiares con sus compañeras de cuarto cuando fue a la universidad.

Aunque durante diez años he enseñado a los niños a desarrollarse en comunidades escolares, a veces olvido el proceso de individualización (rebeldía) que es normal y saludable para los adolescentes. ¿Cómo van a descubrir quiénes quieren ser si no ponen a prueba todos los valores de sus padres? Olvidé este periodo normal de prueba porque mis hijos más pequeños (quienes crecieron con la Disciplina Positiva) eran maravillosos antes de convertirse en adolescentes. Ya habían desarrollado autodisciplina, responsabilidad y habilidades para resolver problemas. No eran perfectos (ni yo tampoco) pero estaban siempre dispuestos a cooperar mientras aprendíamos de nuestros errores.

Cuando comenzaron su proceso de individualización, entré en pánico. (Debo mencionar que los niños que han aprendido a ser seguros y tener confianza en sí mismos se sienten libres de alardear de su rebeldía en lugar de retraerse al respecto.) Reconozco que era demasiado el ego que me envolvía y me preocupaba lo que la gente pensaría de mí, así que estaba lista para tirar por la ventana la Disciplina Positiva y regresar al control y el castigo. De hecho, intenté hacerlo por un tiempo, creando un gran desastre de lucha de poderes y sentimientos de dolor.

Afortunadamente, recobré la cordura y me di cuenta de que mis hijos eran más importantes que mi ego. Hice equipo con Lynn Lott y trabajamos juntas en el libro *Disciplina Positiva para Adolescentes*[2]. Esto me regresó al camino conveniente para trabajar cordial, firme y respetuosamente con los adolescentes y para encontrar la manera de darles fuerza a ellos, y a mi misma, en el proceso.

Padres solteros

Es un mito que los niños están perdidos si no tienen dos padres. Existe mucha gente maravillosa que ha sido criada por un solo padre. Lo que sucede es, simplemente, que estas familias proporcionan diferentes oportunidades de crecimiento. En nuestro libro *Disciplina Positiva para Padres Solteros*[3] pedimos que la gente deje de referirse a estos hogares como "hogares destruidos"; no están destruidos, sólo son diferentes.

La actitud del padre es muy importante. Si usted se siente culpable de que sus hijos tengan un solo padre, ellos experimentarán la sensación de que están sufriendo una tragedia, y actuarán conforme a ello. Si acepta el hecho de que hace lo mejor que puede dadas las circunstancias, y camina hacia el éxito y no hacia el fracaso, los niños lo asimilarán y se desenvolverán en consecuencia.

El proceso de las juntas familiares es igualmente útil para las familias de padres solteros. Una familia puede consistir en un padre o madre y un hijo o en un padre o madre y varios hijos. Las juntas familiares son una buena manera de transmitir sentimientos positivos

[2] Nelsen, Jane y Lott, Lynn, *Positive Discipline for Teenagers*, Three Rivers Press, New York, 2000
[3] Nelsen, Jane y Erwin, Cheryl, *Positive Discipline for Single Parents*, Three Rivers Press, New York 2000

a los niños y de hacerlos partícipes en las soluciones y no en la manipulación.

La señora Campillo y la señora Gil, son madres solteras con un hijo cada una, a las que les ha resultado más provechoso vivir juntas. Afirman que no hubieran podido sobrevivir sin sus juntas familiares.

Una vez a la semana eran capaces de hablar y resolver los problemas típicos entre los compañeros de cuarto, así como los conflictos comunes entre padres, hijos y hermanos.

Sazonando las Juntas Familiares

PARA MUCHAS FAMILIAS, las juntas semanales son una tradición familiar, lo cual proporciona a los niños una sensación de bienestar, auto confianza, importancia y pertenencia. También aportan a la familia diversión, respeto mutuo, experiencia para resolver problemas y recuerdos felices.

Su familia puede disfrutar alguna de las siguientes actividades que añaden variedad y sabor a las juntas familiares. Hagan un álbum de juntas familiares utilizando una carpeta de argollas con cubierta transparente en la que puedan insertar una fotografía de la familia.

Este álbum es en donde pueden guardar las agendas, las listas de sugerencias y las soluciones elegidas, además de las hojas de las siguientes actividades.

Lemas familiares

Su familia puede crear cercanía y pasar un buen rato discutiendo los lemas familiares. Podrían elegir un lema para cada mes y hacerlos más significativos a través de las actividades sugeridas. Se incluyen varios ejemplos, quizá quiera utilizar algunos de ellos y/o crear los propios.

Ejemplos de lemas

1. Uno para todos y todos para uno.
2. Nos amamos y apoyamos mutuamente.
3. Cualquier cosa que valga la pena, vale la pena por el gusto de hacerla.
4. Si es útil para una persona, entonces vale la pena hacerlo.
5. Los errores son maravillosas oportunidades para aprender.
6. Somos buenos buscadores.
7. Somos buenos resolviendo problemas.
8. Buscamos soluciones y no culpables.
9. Tenemos una actitud de gratitud.
10. Agradecemos las bendiciones todos los días.

Actividad sobre lemas de juntas familiares

1. Elijan como familia un lema para el mes.

2. *Semana uno*: De a cada miembro de la familia una hoja de papel en blanco para el lema, y pídales que piensen en el lema elegido y que escriban sobre lo que significa para cada uno. (Establezca tiempos especiales para tomar dictado a los niños que sean demasiado pequeños para escribir).

3. *Semana dos*: Planeen tiempo durante la junta familiar para que todos los miembros de la familia compartan lo que escribieron. Pongan estas hojas en una carpeta especial de las juntas familiares. Proporcione otra hoja en blanco e invítelos a encontrar un tiempo durante la semana para hacer un dibujo que represente lo que el lema significa para ellos. Quizá desee planear un tiempo especial cuando todos estén juntos.

4. *Semana tres*: Durante la junta familiar, planee tiempo para que todos compartan sus dibujos y hablen al respecto. Pongan los dibujos en el refrigerador o en cualquier otro lado en el que todos puedan disfrutarlos. Pídales que observen la manera de aplicar el lema en acción durante la siguiente semana.

5. *Semana cuatro*: Planee tiempo durante la junta familiar para que todos compartan un ejemplo de cómo utilizaron el lema en acción. Invite a la familia a pensar sobre otro lema para iniciar el siguiente mes.

6. *Semana uno del siguiente mes*: Pongan todos los dibujos del lema pasado en la carpeta. Elijan otro lema y repitan el proceso descrito arriba.

Hojas de gratitud

Una actitud de gratitud no llega naturalmente, debe ser aprendida. La práctica regular ayudará a todos los miembros de la familia a desarrollarla.

Actividad sobre la gratitud

1. Al final de cada junta familiar, pase una hoja en blanco. Aliente a los miembros de la familia a poner esta hoja en un lugar de fácil acceso y puedan escribir las cosas por las que están agradecidos.

2. De tiempo durante las juntas familiares (o las comidas) para que todos compartan esas cosas.

3. Durante cada junta familiar, recolecte las hojas de gratitud y póngalas en la carpeta de las juntas familiares.

Hojas de cumplidos

Puede usted crear un ambiente positivo en su familia cuando todos aprenden a ver las cosas buenas de los demás y expresar comentarios positivos. Por favor, no espere perfección, unas cuantas riñas entre hermanos, son normales. Sin embargo, cuando los niños (y los padres) aprenden a dar y recibir cumplidos, la tensión negativa se reduce considerablemente. Desde luego que un ambiente positivo se incrementa aún más cuando las familias realizan juntas familiares regularmente para encontrar soluciones a sus problemas.

Actividad sobre cumplidos de las juntas familiares

1. Ponga unas hojas en blanco para cumplidos en el refrigerador (u otro lugar) en donde todos puedan escribir cumplidos para los demás, todos los días. (Los niños pequeños pueden dictar sus cumplidos a miembros mayores de la familia).

2. Cuando usted vea que alguien merece un cumplido, escríbalo, o pídale a uno de los niños, que también haya observado el motivo del cumplido, que lo haga, "¿Te gustaría escribirlo en nuestra hoja de cumplidos?" Una vez que los niños desarrollan el hábito de observar los cumplidos, no necesitarán que se les recuerde.

3. Al principio de cada junta familiar, cada uno puede leer sus cumplidos.

4. Pida algunos cumplidos verbales que no hayan sido escritos en la hoja.

5. Asegúrese que cada miembro de la familia reciba al menos un cumplido.

6.   Guarden la hoja de cumplidos en la carpeta de las juntas familiares, y ponga otra hoja en blanco en el refrigerador para llenarla durante la semana.

Hojas de diversion para la familia

Muchas familias no pasan el tiempo suficiente juntos, para hacer cosas divertidas. A menudo, tenemos buenas intenciones, pero no nos tomamos el tiempo para planear y programar los eventos en un calendario.

Actividad sobre cosas divertidas que hacer

El primer paso para planear es dar a cada miembro de la familia una hoja de papel con los siguientes encabezados:

Cosas divertidas para hacer

	En familia	Esposo y Esposa	Individualmente
Gratis	_____	_____	_____
Gratis	_____	_____	_____
Gratis	_____	_____	_____
Por $	_____	_____	_____
Por $	_____	_____	_____
Por $	_____	_____	_____

1.   Durante una junta familiar utilice la hoja titulada "Cosas Divertidas para Hacer" para idear sesiones con toda la familia y escríbanlas bajo la columna "En familia". Vean cuántas ideas surgen que la familia pueda realizar –cosas que salen gratis y otras que cuestan dinero.

236

2. Déles una hoja de papel para que puedan continuar con la lista de cosas que se les ocurran durante la semana, no solo para toda la familia, sino cosas que pueden hacer solos. Los cónyuges también pueden trabajar en su lista. Haga que todos trabajen en sus hojas por cuando menos una semana, de tal manera que tengan el tiempo suficiente para añadir todo lo que se les ocurra.

3. Si tiene muchas revistas, pídales que recorten imágenes y las peguen en las hojas.

4. Durante las juntas familiares, utilicen las listas para que todos elijan algo que poner en el calendario. Decidan qué noches o días de la semana o mes pueden apartar para entretenimiento familiar. Decidan cuándo pueden gastar dinero y cuánto, y cuándo deben planear actividades que salgan gratis. Después trabajen para determinar por consenso las cosas divertidas que harán en los días y noches designados para los siguientes tres meses. Pónganlos en el calendario.

Actividad sobre errores y enseñanzas

Enseñe a los niños que los errores son magníficas oportunidades para aprender. Periódicamente, de a cada miembro de la familia una hoja titulada "errores y enseñanzas". Pídales que utilicen la hoja para registrar sus errores y lo que aprendieron de ellos y que se preparen para leerla en la siguiente junta familiar. (Puede tomar dictado de los niños de cuatro años en adelante que no sepan escribir. Antes de los cuatro años, son demasiado pequeños para esta actividad).

Disponga la hoja de la siguiente manera:

Errores y enseñanzas

Errores	Lo que aprendí	Lo que haré en el futuro
_____	_____	_____
_____	_____	_____
_____	_____	_____
_____	_____	_____
_____	_____	_____

Asegúrese de guardar estas hojas en el álbum de las juntas familiares. ¿Se imagina lo divertidos que estarán sus hijos al leerlas cuando sean adultos?

Planeacion de Comidas Familiares

LAS COMIDAS FAMILIARES proporcionan una excelente oportunidad de enseñar a ser cooperativos. Incluso los niños pequeños pueden tomar turnos para preparar una comida sencilla como sopa y emparedados de queso, vegetales, ensalada de lechuga y gelatina.

Actividad sobre la planeación de comidas familiares

1. Lleve revistas que contengan recetas a la junta familiar. Deje que los niños (y los padres) elijan nuevas recetas que quieran probar. (Puede ser divertido crear un recetario familiar recortando recetas e imágenes y poniéndolas en una carpeta. Posiblemente primer quieran probar las recetas y guardar solo aquellas que les hayan gustado a todos.)

2. Utilice tarjetas de 3x5 para las recetas. Al reverso, escriba todos los ingredientes necesarios. (Guarden estas tarjetas en una caja especial para que se puedan usar frecuentemente).

3. Durante la junta familiar, utilicen una hoja de planeación de comidas para que cada miembro de la familia se involucre en la planeación de los alimentos de una semana con los siguientes encabezados:

	Cocinero	Plato principal	Vegetales	Ensalada	Postre
Lunes					
Martes					
Miércoles					
Jueves					
Viernes					
Sábado					
Domingo					

Bajo la columna de "cocinero" escriban el nombre de la persona que preparará los alimentos cada día de la semana. Esa persona elegirá todo el Menú. (Desde luego que usted puede cambiar este formato de cualquier manera que se ajuste a las necesidades de su familia).

4. En el día de compras, vaya toda la familia. Los niños que no tiene la edad suficiente, pueden tomar la canasta y buscar todos los ingredientes enlistados en dos tarjetas del recetario. Los más pequeños pueden ayudar a sus hermanos mayores o a uno de los padres a buscar los ingredientes de otras recetas.

REVISION

Realizar juntas familiares de manera regular es una de las cosas más valiosas que puede usted hacer como familia. ¿Por qué? Las juntas familiares proporcionan una oportunidad para enseñar a los niños valiosas habilidades sociales y de vida para desarrollar un buen carácter. Ellos aprenderán:

- Habilidades para saber escuchar.
- Habilidades de creatividad.
- Habilidades para resolver problemas.
- Respeto mutuo.
- El valor del periodo de enfriamiento antes de resolver problemas.
- Interés por los demás.
- Cooperación.
- Formalidad en un ambiente seguro.
- Cómo elegir soluciones que sean respetuosas para todos los involucrados.
- Un sentido de pertenencia e importancia.
- Responsabilidad social.
- Que los errores son magníficas oportunidades para aprender.

Las juntas familiares les proporcionan a los padres la oportunidad de:

- Evitar la lucha de poderes a través de compartir respetuosamente el control.
- Evitar sobreproteger a los niños, de tal manera que ellos aprendan la autodisciplina.
- Escuchar de tal manera que inviten a sus hijos a escuchar.
- Compartir respetuosamente la responsabilidad.
- Crear buenos recuerdos a través de las tradiciones familiares.
- Poner el ejemplo de todas las habilidades que desean que sus hijos aprendan.

Si los padres realmente comprenden el valor de las juntas familiares, será su más valiosa herramienta –y harán cualquier esfuerzo para programar de quince a treinta minutos a la semana para ello.

Herramientas de Disciplina Positiva

1. Juntas familiares.
2. Enfocarse en soluciones
3. La "caja de depósito segura" para el desorden.
4. Involucrar a los niños en crear soluciones y reglas familiares.
5. Apegarse a las reglas. Evitar rescatar.
6. Mostrar confianza en que sus hijos pueden enfrentar los problemas.
7. Utilizar el consenso para las soluciones familiares.

8. Programar tiempo de esparcimiento familiar en un calendario.

9. Encontrar soluciones, con los niños, a los problemas típicos por anticipado.

10. Cuando las soluciones no funcionan, regresar el problema a la agenda.

11. Utilizar una variedad de planes de tareas domésticas para motivar a los niños.

12. Tener confianza en los adolescentes mientras atraviesan su proceso de individualización.

13. Herramientas para poner sabor a las juntas familiares.

14. Compartir regularmente los errores y las enseñanzas con los miembros de la familia.

15. Planear y compartir la preparación de alimentos y la limpieza posterior.

Preguntas

1. ¿Cuáles son algunos de los conceptos básicos y actitudes de los adultos que son importantes para que las juntas familiares tengan éxito?

2. ¿Cuáles son algunas de las habilidades que los niños aprenderán al participar en las juntas familiares?

3. ¿Cuáles son las seis diferencias entre las juntas familiares y las juntas escolares, y por qué deben ser diferentes?

4. ¿Cuál es el valor de que cada miembro haga un cumplido al resto de la familia?

5. ¿Cuál es el valor de que los niños compartan las cosas por las que están agradecidos?

6. ¿Cuáles son los cuatro conceptos que contribuyen al éxito del plan de la "caja de depósito segura"?

7. ¿Cómo puede su familia lograr tener unas vacaciones libres de altercados?

8. ¿Cuál es la mejor forma de enseñar a los niños la cooperación y responsabilidad respecto a las tareas domésticas?

9. ¿Por qué es igual de importante para las familias de
padres solteros, llevar a cabo juntas familiares?

10. ¿Cuáles son algunos de los beneficios que pueden obtener al llevar a cabo la actividad sobre "cosas divertidas qué
hacer"?

11. ¿Cuáles son las actividades sobre "sazonando las juntas
familiares"? ¿Cuáles le parecen más interesantes? ¿Qué
beneficios cree que aporte cada actividad a su familia?

12. ¿Cómo ayudan las jutas familiares para que los niños y
adultos alcancen sus metas?

10

Personalidad:
Cómo su Personalidad Afecta
a la de Ellos

EN EL CAPÍTULO CUATRO usted aprendió sobre las metas equivocadas de los niños. Los adultos también tienen metas equivocadas y se llaman prioridades de estilo de vida. Así como los niños no están concientes de sus metas equivocadas, igualmente los adultos pueden no estar concientes de sus prioridades de estilo de vida. Estas prioridades ocultas pueden determinar la conducta de los adultos que impacta a los niños. Antes de entrar en detalles sobre las prioridades del estilo de vida de los adultos, veamos unos ejemplos de esto en hogares para ver como lucen en la vida real y como afectan a los niños.

Es la hora de dormir en la casa de los Juárez. Las rutinas son mucho más molestas para la señora Juárez, quien tiene una prioridad de comodidad en su estilo de vida: ella prefiere esperar hasta que los niños se queden dormidos en el suelo y después llevarlos a sus camas, que sentir tensión por las discusiones. Ella prefiere evitar el dolor emocional y la tensión nerviosa, y cree que evitar los conflictos a la hora de ir a la cama, es una forma de mantener las cosas confortables.

El señor Juárez, sin embargo, no está de acuerdo. Él tiene una prioridad de control en su estilo de vida, y cree que es muy

245

importante que los niños tengan un horario y está dispuesto a hacerse responsable de ello. Cuando está a cargo, acompaña a los niños en cada uno de los pasos de su rutina, asegurándose que se pongan las pijamas, se cepillen concienzudamente los dientes y estén en la cama para las 7:30 p.m. El cree que estar en control de sí mismo, de las situaciones o de los demás, es una forma de evitar la humillación y la crítica.

Los Juárez actúan de diferente manera en situaciones que aparentan ser potencialmente desafiantes para ellos. Sus diferentes estilos están confundiendo a sus hijos y a menudo provocan malas conductas.

Los padres con una prioridad de comodidad en el estilo de vida desean evitar el dolor y la tensión. Mientras lo evitan, estos padres pueden no ayudar a sus hijos a aprender límites y organización. Los niños pueden desarrollar la creencia de que siempre pueden hacer sus cosas y no tienen que cumplir con ninguna regla de responsabilidad social. Los padres con una prioridad de control en su estilo de vida creen que pueden evitar la crítica y la humillación teniendo control (a veces de las situaciones, a veces de sí mismos, y a veces de los demás). Pueden ser demasiado estrictos y no se toman el tiempo para involucrar a sus hijos en crear límites. Algunos niños se sienten frustrados y deciden rebelarse. Otros niños pueden darse por vencidos y decidir que siempre necesitan complacer a los demás para recibir amor.

¿Qué es una prioridad de estilo de vida? ¿De dónde viene? ¿Cómo se relaciona con los estilos educativos y qué impacto tienen en los niños? Antes de responder a estas preguntas, echemos un vistazo a la casa de los Sánchez y veamos dos prioridades más de estilo de vida.

También es la hora de dormir en la casa de los Sánchez. La señora Sánchez cree que es bueno para los niños estar a tiempo en la cama y trata de convencerlos dándoles un sermón sobre su responsabilidad de hacer lo que es "correcto". Constantemente se siente frustrada porque sus hijos no toman su sabiduría (sermones) en serio. Difícilmente escuchan mientras ella habla. ¡Qué insulto! La señora Sánchez tiene una prioridad de superioridad en su estilo de vida. La insensatez en la vida es lo que ella quiere evitar, y cree que hacer las cosas que son "correctas" es la única manera de darle sentido a la vida.

El señor Sánchez tiene un enfoque muy diferente. El simplemente desea que sus hijos sean felices y que la hora de ir a la cama sea tranquila. El tiene una prioridad de complacer en su estilo de vida, y para hacer las cosas placenteras, trata de "darles amor" a sus hijos mientras se van a la cama. Juega con ellos para que se pongan las pijamas y para que se cepillen los dientes. Les lee cuentos, les lleva vasos de agua y regresa indeterminado número de veces para darles el "último" abrazo. El siente que puede ganarse su amor y evitar el rechazo haciendo de la hora de dormir, un momento divertido y haciendo lo que cree que les complacerá a los niños.

El señor y la señora Sánchez también, son muy diferentes y ponen a prueba a sus hijos. Los padres con una prioridad de superioridad en el estilo de vida, no se dan cuenta que sus necesidad de estar en lo correcto para evitar la insensatez y la insignificancia, genera sus hijos se sientan inadecuados. ¿Cómo pueden ellos estar a la altura de las expectativas de sus padres? Estos niños pueden deprimirse y rendirse, o pueden decidir sobresalir a costa de su sentido de ser amados incondicionalmente. Los padres con una prioridad de complacer en el estilo de vida, desean evitar el rechazo. Sin embargo, su esfuerzo de complacer puede invitar a sus hijos a tomar ventaja y decidir, "pertenezco sólo cuando los demás me cuidan y me dan lo que quiero".

Estos son ejemplos extremos, sin embargo, la mayoría de los padres pueden reconocer algunas de sus tendencias, lo cual ilustra el concepto de las prioridades de estilo de vida. Qué gran reto puede ser descifrar todas las acciones e interacciones de los miembros de la familia con personalidades, creencias y lógica muy diferentes. Reconocerlo y analizarlo puede ser muy útil.

Prioridades en el Estilo de Vida

EN CAPÍTULOS ANTERIORES hemos dedicado mucho tiempo en analizar las decisiones que forman la conducta de los niños. En este capítulo, nos enfocaremos en cómo los niños son afectados por las decisiones y conductas de los adultos, originalmente definido como una teoría llamada prioridades en el estilo de vida, la cual fue desarrollada por la psicóloga adleriana israelí Nira Kefir. Es importante que los padres y maestros sepan cómo influyen sus decisiones, basadas en el estilo de vida, sobre su modelo educativo y de enseñanza –y por lo tanto, las decisiones en el estilo de vida de los niños.

Hay ventajas y desventajas para cada estilo de vida que afectan la manera en que interactuamos con nuestros niños. Si lo comprendemos, podemos aprender a construir sobre las ventajas y evitar quedar atrapados en las desventajas de nuestro estilo de vida (al menos por algún tiempo). Pero el primer paso es comprender el concepto.

¿Cuáles son las Prioridades en los Estilos de Vida?

USTED HA ACUMULADO una enorme cantidad en decisiones subconscientes desde la niñez que se combinan para formar sus prioridades en el estilo de vida. En este momento, sus hijos están formando las propias. Las prioridades en el estilo de vida no describen cómo es usted, pero representan las decisiones que usted ha tomado a lo largo de su vida, las cuales afectan la manera en que intenta encontrar un sentido de pertenencia e importancia.

De hecho los adultos forman prioridades tanto primarias como secundarias en el estilo de vida. La información en este capítulo le ayudará a identificar su prioridad primaria (lo que usted hará cuando se sienta inseguro o amenazado respecto a su sentido de pertenencia e importancia en el mundo) y su prioridad secundaria (su conducta cotidiana cuando se siente seguro).

TABLA 10.1 Las Cuatro Prioridades en el Estilo de Vida: comodidad, control, complacencia y superioridad

Prioridad	Mayor Temor	Cree que la Forma de Evitar su Mayor Temor es:	Ventajas	Desventajas	Sin Saberlo Inspira	Crea Quejas Sobre
Comodidad	Dolor y tensión emocional; expectativas de otros; preocuparse por otros.	Buscar comodidad, pedir servicios especiales; brindar comodidad; evitar confrontaciones; elegir el camino más fácil.	Despreocupado; demanda poco; se preocupa de lo suyo; pacífico; tierno; empático; predecible.	No desarrolla talentos, limita su productividad; evita crecimiento personal.	Molestia; irritación; aburrimiento; impaciencia.	Disminución de productividad; impaciencia; falta de crecimiento personal.
Control	Humillación; crítica; lo inesperado.	Tener control sobre sí mismo y/o los demás y/o la situación.	Liderazgo; organizado; productivo, persistente; asertivo; sigue reglas.	Rígido; no desarrolla creatividad, espontaneidad o cercanía social.	Rebeldía; resistencia; reto; frustración.	Falta de amistades y cercanía; sentimientos de ansiedad.
Complacencia	Rechazo; abandono; pleitos	Complacer a los demás; activo - demanda aprobación. Pasivo - evoca compasión.	Amigable; considerado; comprometido; pacífico; servicial.	No analiza lo que les complace a los demás; no se cuida a sí mismo.	Complace al principio y después demanda aprobación y reciprocidad.	Falta de respeto hacia sí mismo y hacia los demás; resentimiento
Superioridad	Insensatez; insignificancia.	Hacer más; ser mejor que los demás; tener razón; ser más útil; ser más competente.	Inteligente; idealista; persistente; muestra interés social; hace bien las cosas.	Adicto al trabajo; se agobia; exageradamente responsable; se involucra demasiado	Sentimientos de incapacidad y culpa; "¿Cómo puedo elevarme a su altura?"; mentir para evitar su crítica.	Estar agobiado; falta de tiempo; "Todo lo tengo que hacer yo"

La mayoría de la gente acepta las ventajas y rechaza las desventajas. Por ejemplo, a la mayoría de la gente le gusta tener control de su vida y le disgusta la crítica y la humillación. Sin embargo, la crítica y la humillación son más difíciles de soportar para las personas que tienen como prioridad el control en su estilo de vida, que para la gente con otras prioridades. Es una cuestión de grados. Es decir, una persona cuya prioridad es el control, cree que la mejor manera de evitar la humillación es mantener el control. Recuerde, esta es una creencia personal, no la realidad. Otra persona puede reírse de una situación que parece humillante para alguien que tiene como prioridad el control en su estilo de vida. Es una cuestión de percepción. Es importante notar que, controlar a los demás no es generalmente el objetivo de esta gente, solo quieren tener control de sí mismos y de la situación para sentirse seguros. Sin embargo, es fácil para los niños interpretar esto como control sobre ellos –y puede generar rebeldía. Durante un taller de Disciplina Positiva, una madre de familia palmeó su frente y dijo: "Ahora entiendo lo que mis hijos han tratado de decirme y por qué son tan desafiantes".

Mucha gente desea superioridad (en su forma de excelencia) y se siente incómodo con la insensatez y la insignificancia, pero la insensatez y la insignificancia serán evitadas a toda costa por una persona cuya prioridad sea la superioridad en su estilo de vida. Otra nota importante: las personas con superioridad como prioridad, raramente quieren ser superiores a los demás, simplemente tienen la creencia equivocada de que no son los suficientemente buenos a menos que sean superiores, lo que con frecuencia genera que los niños se sientan inadecuados. Otro padre de familia reflexionó durante el taller y dijo: "¡Dios mío! Nunca había entendido por qué mi hijo se sentía tan inadecuado. Yo siempre le estoy diciendo que puede hacer mejor las cosas si simplemente lo intenta. Lo único que hago es hacer que se sienta más inadecuado. Quiero aprender todo lo que pueda para cambiar de rumbo y motivarlo, en lugar de desmotivarlo."

Todos queremos comodidad en nuestra vida y queremos evitar el dolor físico y emocional. Sin embargo, tratar de evitar el dolor y la tensión puede ser un asunto primario que motive la conducta de una persona con la comodidad como prioridad en su estilo de vida. A la gente con otras prioridades tampoco les emociona el dolor y la tensión, pero no basan su vida en tratar de evitarlos. Este estilo puede generar que los niños sean malcriados y demandantes. Como una madre lo dijo: "¡Santo Dios! Ahora me doy cuenta por qué siempre estoy tan estresada. No he enseñado a mis hijos a cuidar de sí mismos y a contribuir de manera productiva. He hecho las cosas al revés".

Pocas personas disfrutan el rechazo y el sentimiento de abandono, pero evitarlo es un tema fundamental y la base del comportamiento cuando la persona con la prioridad de complacer en su estilo de vida, se siente insegura. Como lo dijo un padre, "No me extraña que mis hijos no aprecien todo lo que hago por ellos. No me he molestado en pedirles su opinión. Yo creía que eran malagradecidos y desconsiderados. Ahora me doy cuenta que el desconsiderado era yo por no preguntarles y averiguar quienes son y qué quieren.

Un efecto interesante es que la conducta motivada por cada prioridad, a menudo genera lo contrario de lo que el individuo intenta. Por ejemplo, un adulto que trata de complacer a sus hijos puede fallar porque olvida preguntarles si es eso lo que les interesa. El adulto que quiere comodidad puede generar más tensión por evitar los pasos que le parecen incómodos al momento, pero puede crear gran incomodidad y tensión en el futuro cuando los niños demanden en lugar de aprender a ser cooperativos. Los adultos que piensan que deben tener el control, a menudo generan crítica y humillación cuando sus hijos se rebelan, y los adultos que tratan de evitar sentirse insignificantes esforzándose por ser superiores, pueden generar el peor tipo de insensatez cuando descubren que sus hijos han desarrollado sentimientos de incapacidad, o siguen los pasos de sus padres y pasan sus vidas esforzándose por probarse a sí mismos.

El punto principal de todas las prioridades en el estilo de vida es la motivación primara de encontrar pertenencia e importancia. Sin embargo, al igual que los niños que eligen una meta equivocada en su "equivocado" intento de lograr pertenencia e importancia, los adultos eligen maneras "equivocadas" de lograrlo –y logran exactamente lo contrario. Nosotros los adultos, "nos portamos mal" y creamos distancia en nuestras relaciones en lugar de crear pertenencia e importancia. Estar concientes de esto y tomarlo con sentido del humor puede ayudarnos a ir más allá de nuestras creencias y conductas. Por lo tanto podemos ser más eficientes con nuestros niños– y en nuestras vidas.

Descubriendo su Prioridad Primaria

LAS PRIORIDADES de la personalidad son desarrolladas cuando somos niños y percibimos el mundo, tomamos decisiones al respecto, y llegamos a ciertas conclusiones básicas que incluyen una creencia de "Por lo tanto, debo...." Los siguientes ejemplos ilustran las diferentes decisiones que los niños pueden tomar como fundamento en las mismas circunstancias.

- "Soy pequeño; los demás son grandes. Por lo tanto, debo hacer que los demás se encarguen de mi." (Comodidad)
- "Soy pequeño; los demás son grandes. Por lo tanto, debo mantener control de mí mismo y de las situaciones para no sentirme humillado." (Control)
- "Soy pequeño; los demás son grandes. Por lo tanto, debo complacer a los demás para ser amado." (Complacer)
- "Soy pequeño; los demás son grandes. Por lo tanto, debo ser igual o incluso mejor." (Superioridad)

Los resultados de estas decisiones tempranas permanecen en el futuro. ¿Le parece intimidante pensar que el anteproyecto de su conducta en la vida fue creado por un niño de tres años?

El Anteproyecto de su Vida

¿USTED CONTRATARÍA a un niño de tres años para que realizara un anteproyecto de la casa de sus sueños? Es probable que se esté riendo de lo ridículo que suena esto, pero su vida está basada en un anteproyecto creado por usted cuando era un niño pequeño. De hecho, usted empezó a crearlo en el momento en que nació, pero, como la mayoría de la gente, no recuerda las decisiones que tomó como bebé o como niño. Sin embargo, aquellas decisiones tempranas fueron confirmadas por usted mismo (todavía subconscientemente) a los tres, cuatro, y cinco años de edad. Entonces usted, de los seis a los diez años, subconscientemente añadió algunas notificaciones, continuando la creación de su anteproyecto de vida. Y, solo por diversión, cuando era adolescente – con hormonas y todo – interpuso algunas decisiones, pensamientos, sentimientos y actitudes, solo para completar el cuadro. ¿Le parece que su anteproyecto de vida tiene algunas imperfecciones? Qué más puede usted esperar de un niño pequeño, o incluso de un adolescente, que no tiene entrenamiento en crear anteproyectos de vida ni la suficiente experiencia de vida para interpretar la vida objetivamente, experiencia que a veces viene con la edad.

Comprender su anteproyecto de vida (su prioridad de estilo de vida) proporciona la oportunidad de hacer algunas revisiones. También le ayudará a reconocer qué anteproyectos han empezado a crear y le permitirá comprender mejor sus reacciones cuando se sientan inseguros. Si todavía no logra descifrar cuál es su prioridad del estilo de vida, elija la frase que mejor le acomode:

- "Me siento mejor conmigo mismo cuando yo y los que me rodean estamos cómodos. Me siento peor conmigo mismo cuando hay tensión, dolor y presión." (Comodidad)

253

- "Me siento mejor conmigo mismo cuando las cosas están en orden y organizadas y tengo control de mí mismo y de la situación. Me siento peor conmigo mismo cuando me siento avergonzado y humillado o criticado por algo que creo que debía saber o hacer." (Control)

- "Me siento mejor conmigo mismo cuando puedo complacer a otras personas y evitar los conflictos para que la vida sea divertida y sin dificultades. Me siento peor conmigo mismo cuando me siento rechazado, abandonado o despreciado." (Complacer)

- "Me siento mejor conmigo mismo cuando estoy logrando tener éxito y contribuir significativamente. Me siento peor conmigo mismo cuando me siento devaluado, insignificante y estúpido." (Superioridad)

La frase que se adapte más a usted en momentos de tensión (o inseguridad) es su prioridad primaria. "En momentos de tensión" es un factor importante para comprender las prioridades en el estilo de vida. Cuando no se está bajo tensión, no estamos preocupados por la humillación, el rechazo, la insignificancia, o el dolor.

Durante los momentos de tranquilidad en nuestra vida, generalmente no estamos enganchados con las viejas decisiones de la niñez, los patrones de conducta, ni con las creencias. Es sólo cuando percibimos tensión o sentimos inseguridad cuando somos catapultados hacia los aspectos negativos de nuestra prioridad de nuestro estilo de vida.

Estas conductas son, a menudo, la raíz de las luchas de poderes con nuestros hijos.

Digo "percibimos" tensión, porque eso es la tensión. Lo que puede ser estresante para una persona, puede no serlo para otra – es nuestro pensamiento que lo decide. Adler decía: "Tus pensamientos no tienen sentido, salvo por el sentido que tu les das"

(Puede encontrar más información sobre este interesante concepto en *Serenidad: Elimine el Estrés y Encuentre Placer y Tranquilidad en la Vida y en las Relaciones.*[1]

Descubriendo su Prioridad Secundaria

QUIZÁ USTED DIGA, "Bueno, en realidad quiero evitar la humillación y la vergüenza, pero no creo que trate de controlar a otros o las situaciones. De hecho me esfuerzo por complacer a los demás." Si este es su caso, acaba usted de identificar su prioridad secundaria. Su método de operación usual o su "estilo" es la complacencia porque es lo que generalmente hace cuando se siente seguro. Es solo cuando se siente inseguro o presionado que puede recurrir a sus creencias de "tengo que" Entonces es posible que deje de complacer y empiece a utilizar métodos de control para evitar la humillación que percibe. Elegimos una prioridad como método de operación (o prioridad secundaria), la cual utilizamos diariamente cuando nos sentimos seguros. Cuando nos sentimos estresados, inseguros o amenazados tendemos a recurrir a nuestra prioridad primaria. En otras palabras, bajo condiciones diferentes y en situaciones diferentes elegiremos conductas de diferentes prioridades, pero es siempre con el propósito de mantener nuestra creencia de "tengo que". Por ejemplo, una persona con el control como prioridad en su estilo de vida puede complacer a otros para obtener control, esforzarse por la excelencia para obtener control, o generar situaciones cómodas o hacer que la gente se sienta cómoda para obtener una sensación de control. Su prioridad identifica lo que usted necesita para tener un sentido de pertenencia e importancia y para mantener un sentimiento de valor propio. Recuerde, todos necesitamos tener un sentido de

---

[1] Nelsen, Jane Libro electrónico y Audio libro disponible en www.focusingonsolutions.com Empowering People, 2005.

pertenencia e importancia; desde el inicio de nuestra infancia, encontramos diferentes maneras de obtenerlo.

Prioridades de Estilo de Vida y Estilos de Crianza y Educación

LAS DIFERENTES VENTAJAS y desventajas de cada prioridad afectan la forma que nos comportamos como padres. El propósito de comprender las prioridades no es crear estereotipos, sino elevar nuestra conciencia, lo cual le ayudará a tomar decisiones más analizadas en lugar de ser víctima ciega de las percepciones que tiene y de las decisiones que tomó cuando era un niño, y que por lo tanto ya "olvidó". Cuando comprenda las posibles desventajas de sus prioridades en el estilo de vida, podrá desarrollar estrategias que las superen. Podrá hacerse más responsable de lo que genera con sus decisiones y conductas, en lugar de actuar como víctima –incluyendo los retos que experimente con sus hijos.

TABLA 10.2 Cómo Influyen las Prioridades en el Estilo de Vida en la Crianza y la Enseñanza.[2]

Prioridad	Posibles Ventajas de Crianza	Posibles Desventajas de Crianza	Es Necesario Practicar
Comodidad	Modela a los niños el beneficio de ser accesible, diplomático, predecible y tener la capacidad dedisfruta los placeres sencillos.	Permisividad que genera que los niños sean malcriados y demandantes. Más interés en la comodidad que en las "necesidades de la situación".	Crear rutinas; establecer metas; resolver problemas juntos; enseñar habilidade de vida; permitir que los niños experimenten las consecuencias naturales de sus decisiones; juntas familiares.
Control	Puede enseñar a los niños habilidades de organización, liderazgo, persistencia productiva, asertividad, respeto por las leyes y el orden, habilidades de administración de tiempo.	La rigidez y el control pueden generar rebeldía y resistencia o complacencia insana.	Dejar pasar; ofrecer opciones; hacer preguntas abiertas; involucrar a los niños en las decisiones; juntas familiares.
Complacer	Puede ayudar a los niños a ser amigables, considerados y pacíficos, comprometidos, serviciales y campeones de los desvalidos.	Se dejan pisar; llevan un registro ("ahora tú me debes") Puede generar resentimiento depresión o venganza.	Tener confianza en que los niños resolverán sus problemas; resolver problemas juntos, honestidad emocional, aprender a dar y recibir; juntas familiares.
Superioridad	Modela el éxito y los logros, enseña a los niños a valorar la calidad y motiva para la excelencia.	Sermonear, moralizar; esperar demasiado de los demás; genera sentimientos de incapacidad y fracasa al quererse "elevar"; ver las cosas en términos de bueno y malo, en lugar de verlas como posibilidades.	Olvidarse de la necesidad de tener la razón; entrar en el mundo de los niños y apoyar sus necesidades y metas; dar amor incondicional; disfrutar el proceso y desarrollar sentido del humor; realizar juntas familiares en donde se valoran todas las ideas.

[2] Adaptado de *Positive Discipline for Preschoolers Facilitator's Guide* de Jane Nelsen, Cheryl Erwin y Roslyn Duffy (disponible en audio y video de Empowering People Books: 1-800-456-7770

Comodidad

En el lado de las ventajas, los adultos con la comodidad como prioridad en su estilo de vida, pueden modelar a los niños los beneficios de ser accesibles, diplomáticos y predecibles. Los niños o estudiantes pueden aprender a disfrutar placeres simples en la vida y tomarse el tiempo para "oler las rosas". Las habilidades de la Disciplina Positiva pueden ayudar a estos adultos a comprender su tendencia a ser demasiado permisivos con los niños, porque parece más fácil en un momento dado. Los adultos que buscan el confort, a menudo eligen la política de no intervención, un estilo permisivo que puede generar una tendencia hacia "malcriar a los niños", o crear el caos en el salón de clases. Los adultos con la comodidad como prioridad pueden volverse más eficientes cuando involucran a los niños en establecer límites, crear rutinas, establecer metas, y resolver problemas juntos durante las juntas familiares o escolares.

La prioridad de la señora Cañedo es la comodidad. Con frecuencia dejaba que sus hijos tomaran demasiadas decisiones y cedía demasiado pronto a sus demandas porque parecía "más fácil". Pero por extraño que parezca, tomar el camino fácil no siempre le facilitaba la vida. Empezó a sufrir de mucho estrés e incomodidad (al igual que sus hijos) porque la única forma que conocían de salirse con la suya era a través de la tiranía emocional (haciendo rabietas hasta que su madre cedía). En lugar de hacerlos sentir cómodos, la señora Cañedo había creado inconscientemente un ambiente familiar de gran tensión.

A la señora Cañedo le entusiasmó aprender cómo el hecho de comprender las prioridades podía ayudarle a enfatizar sus ventajas y no sus desventajas. Comenzó tomándose el tiempo para enseñar a sus hijos el respeto mutuo y habilidades de vida y proporcionándoles oportunidades para que ellos practicaran lo que habían aprendido. Les empezó a dar mesada, discutían sobre el ahorro y los gastos, y después permitía que experimentaran las consecuencias de sus decisiones.

Cuando sus hijos hacían demandas, ella las anotaba en la agenda de las juntas familiares para discutirlas en su momento. Durante las jutas, ella los invitaba a discutir y a idear varias formas en las que los niños podían obtener lo que querían a través de sus propios esfuerzos. Crearon rutinas matutinas y de la hora de dormir, elaboraron planes para realizar las tareas domésticas, y planearon salidas familiares. La señora Cañedo aprendió que ella debía tomar muchas decisiones, como elegir un jardín de niños, determinar reglas de seguridad, y establecer clara y consistentemente límites y conductas esperadas. Aprendió que no era adecuado preguntarles a sus hijos si les parecía bien tomar la autopista o el camino más lento a casa, si querían tomar su baño por las noches, o si debía ella cuidar a su pequeño sobrino el fin de semana. Tales decisiones eran responsabilidad de ella, y una vez que dejó de hacerlo, los niños se sintieron mucho más seguros. Las expectativas claras les dan a los niños un sentimiento de seguridad, mientras que la conducta anterior de la señora Cañedo les provocaba ansiedad, lo contrario del confort que ella buscaba.

La señora Cañedo estaba agradecida por darse cuenta que se sentía más cómoda, había menos tensión en su hogar, y los niños estaban más cómodos, habiendo aprendido habilidades que les ayudaban a cubrir sus necesidades.

Control

Por el lado de las ventajas, los padres y maestros con el control como prioridad pueden ser muy buenos para ayudar a sus niños a aprender habilidades de organización, liderazgo, persistencia productiva, asertividad, y respeto por las leyes y el orden. Las habilidades educativas de Disciplina Positiva pueden ayudar a los padres con la prioridad de control refrenar su tendencia a ser rígido y controlador con sus hijos. El control excesivo provoca rebeldía o resistencia, en lugar de alentar a los niños a aprender las habilidades que estos padres quieren enseñar. Los adultos con el control como prioridad, pueden ser más efectivos si hacen un esfuerzo por reconocer su necesidad de control excesivo y practicar las habilidades de soltar, ofrecer opciones, hacer preguntas abiertas, e involucrar a sus hijos en la toma de decisiones.

La prioridad en el estilo de vida de la señora Java es el control. Solía decirles a sus hijos qué hacer, cómo y cuándo hacerlo, y ciertamente no les permitía ninguna réplica insolente de su parte. En verdad creía que eso era lo que los padres responsables debían hacer. Su conducta controladora era, de hecho, contraproducente para la meta de ayudar a sus hijos a aprender autodisciplina, responsabilidad, cooperación y habilidades para resolver problemas. Dos de sus tres hijos estaban en constante rebeldía, haciendo lo mínimo posible para salir librados y poniendo a prueba los límites hasta que eran castigados. Esto hacía sentir a la señora Java fuera de control, justo que intentaba evitar. Estaba inmersa en una constante lucha de poderes con estos dos niños.

Su otro hijo se estaba convirtiendo en un "complaciente". Trataba de cubrir las expectativas de su madre y ganar su aprobación complaciéndola en todo. Sin embargo, en lugar de desarrollar las habilidades de vida que necesitaba para ser un ciudadano del mundo feliz y exitoso, estaba perdiendo el sentido de lo que lo complacía a él y vivía con el temor de que nunca sería capaz de hacer a la gente lo suficientemente feliz. Se estaba convirtiendo en un adicto a la aprobación.

Aprender sobre las prioridades, ayudó a la señora Java a enfatizar sus ventajas en lugar de sus desventajas. Comenzó por realizar juntas familiares con sus hijos para involucrarlos en la solución de problemas. Aprendió a arriesgarse a hacer preguntas abiertas para ayudarse a sí misma y a sus hijos a descubrir las consecuencias de sus decisiones y aprender de los errores en un ambiente de amor incondicional. Dejó de necesitar estar a cargo de todo e invitaba a que hicieran sugerencias y a discutir sobre la solución de los problemas. Estaba agradecida cuando se dio cuenta que se liberó de su necesidad de tener el control, y tanto ella como sus hijos sentían más control de sí mismos.

Complacer

En el lado de las ventajas, los padres y maestros con complacencia como prioridad pueden ser muy buenos para enseñar a los niños a ser amigables, considerados y pacíficos. Son, con frecuencia, conciliadores debido a su deseo de hacer felices a todos. Son buenos para comprometerse y a menudo se ofrecen como voluntarios para ayudar a los demás. Son campeones de los desvalidos. Desafortunadamente, la complacencia excesiva puede generar resentimiento y depresión cuando los adultos complacientes se esfuerzan demasiado para complacer a los niños o a sus parejas a costa de su propio bienestar (o cuando los demás no regresan la cortesía). Y los receptores de la complacencia pueden sentirse resentidos debido a las expectativas de que deben apreciar lo que se hace por ellos y entonces se espera que regresen la cortesía. Las habilidades de la Disciplina Positiva pueden ayudar a estos adultos a contener su tendencia a desbordarse tratando de hacer felices a todos.

Los adultos y maestros con prioridad de complacer pueden ser más efectivos cuando dejan de enfocarse exclusivamente en las necesidades de los demás y empiezan a ocuparse de sus propias necesidades, pues de ese modo tendrán más que dar. Es necesario que confíen en la capacidad de sus niños de complacerse a sí mismos y enseñarles las habilidades para la honestidad emocional y la solución de problemas. Tanto adultos como niños se benefician de aprender a expresar lo que piensan, sienten y desean sin esperar que nadie más piense o sienta lo mismo, o que les den lo que quieren

– es fácil de decir, pero no tan fácil de hacer. Aprender a valorar las necesidades de cada quien –incluyendo las propias– es crucial para fomentar el respeto mutuo.

La prioridad en el estilo de vida del señor Solís era complacer. Gastaba gran cantidad de energías y esfuerzo tratando de que sus hijos fueran gentiles unos con otros, con los vecinos, con sus abuelos, con los miembros de la iglesia y con los maestros. Estaba más preocupado por cómo trataban a los demás que por ayudarles con sus propios sentimientos. En otro tiempo, les habría dado demasiados servicios especiales cuando hacían rabietas o lloraban. Por ejemplo, trataría de complacerlos cuando pidieran golosinas o más cuentos a la hora de dormir. Después se enojaría cuando las golosinas y cuentos no satisficieran a los niños, lo suficiente para hacerlos dormir contentos. Con mucha frecuencia, todos se iban a la cama enojados. ¡Nadie estaba complacido!

También era importante para el señor Solís que sus hijos lo quisieran y lo aprobaran como padre. Parecía lógico para él que sus hijos también quisieran complacerlo a él. No podía comprender cuando sus hijos se quejaban de que a él no le importaban sus sentimientos. Era un círculo vicioso; estaba seguro que a ellos no les importaba los sentimientos de él, incluso después de "todo lo que había hecho por ellos".

El señor Solís no estaba seguro de creer o no en esto de las prioridades del estilo de vida. Pero cuando empezó a realizar juntas familiares con sus hijos para involucrarlos en la solución de problemas, no pudo evitar notar el cambio en el ambiente de su familia. El señor Solís y sus hijos aprendieron a usar la honestidad emocional para expresar sus sentimientos. Discutieron la idea de "realidades separadas" y el hecho de que las personas perciben las situaciones de diferentes maneras (ninguna de las cuales están necesariamente equivocadas), que hay diferentes cosas que complacen a diferentes personas, y que lo más respetuoso es preguntar en lugar de asumir.

Descubrió que era importante tomar en consideración sus propias necesidades, así como las necesidades de la situación. Aprendió a responder ante las demandas de sus hijos a la hora de dormir, diciendo amable pero firmemente, "Es hora de dormir ahora. ¿Qué sigue en la tabla de rutinas de esta hora?" Al principio tuvo que repetir esta sencilla frase varias veces, sin embargo, una vez que sus hijos aprendieron que hablaba en serio, dejaron de intentar manipularlo.

Eventualmente, el señor Solís se dio cuenta que cuando trataba de complacer a sus hijos sin primero descubrir lo que les complacía, en realidad no estaba complaciendo a nadie. Esta familia empezó a escucharse mutuamente, preguntando lo que querían y siendo honestos sobre si cumplirían o no los deseos de unos y otros. Cuando el señor Solís aprendió sobre las prioridades y las herramientas de Disciplina Positiva, sus hijos comenzaron a disfrutar siendo sus hijos y el señor Solís empezó verdaderamente a disfrutar siendo el padre. Todos estaban complacidos –al menos, la mayor parte del tiempo.

Superioridad

Los padres y maestros con la superioridad como prioridad en el estilo de vida pueden ser muy buenos para modelar el éxito y los logros. A menudo son capaces de juzgar y motivar la calidad y parecen tener la destreza para "motivar la excelencia". Sus niños, sin embargo, a veces lo interpretan como "fastidiar para la perfección" y se sienten incapaces de llenar las altas expectativas de sus padres o maestros.

Las habilidades de Disciplina Positiva pueden ayudar a estos adultos a refrenar su tendencia de esperar demasiado de los niños. La superioridad excesiva, con frecuencia genera sentimientos de incapacidad en lugar de los deseos de éxito que estos adultos quieren inspirar. Los adultos con prioridad de superioridad serán más efectivos si hacen un esfuerzo por librarse de su necesidad de que las cosas sean las "correctas" y las "mejores" (de acuerdo a sus propios estándares, por supuesto) y practican las habilidades de entrar en el mundo de los niños para descubrir lo que es importante para ellos, recordando que existe más de una forma "correcta" de hacer las cosas, y asegurándose siempre de transmitir el mensaje de amor incondicional.

También pueden aprender a modelar y a enseñar que los errores son magníficas oportunidades de aprendizaje, y escuchar y aceptar las ideas de sus hijos para resolver problemas. A veces los adultos con prioridad de superioridad, están tan enfocados en la meta final, que se olvidan por completo de disfrutar el proceso.

La prioridad del estilo de vida del señor Luna era la superioridad. Solía hablar a sus hijos sobre todos sus maravillosos logros, así como lo que esperaba de ellos. Creía que esto les inspiraría y motivaría para seguir sus pasos, e invertía mucho de su propio valor en la expectativa de que ellos lo superarían. También, era adicto al trabajo y a menudo descuidaba a su familia para poder "proporcionarles lo mejor". No sabía que pasar el tiempo con él (sin demandas de su parte) era lo que más anhelaban.

Esta personalidad de superioridad fue de hecho contraproducente para la meta de ayudar a sus hijos a lograr la excelencia. Uno de ellos se volvió muy conflictivo en la escuela. (Si no podía ser el mejor de los mejores y llenar las expectativas de su padre, al menos podría ser el mejor de los peores). Este niño también había desarrollado un estilo de vida de superioridad, pero lo practicaba en oposición a su padre. Otro de los hijos se volvió perfeccionista, no soportaba perder, y no podía relajarse y disfrutar sus logros aún cuando ganaba porque constantemente tenía miedo de la vergüenza y la humillación de perder.

El señor Luna fue motivado para enfatizar sus ventajas de superioridad en lugar de las desventajas y a ser un tipo de padre que siempre había querido ser. Él y su familia trabajaron para cultivar el sentido del humor cuando discutían sobre los errores y empezaban proyectos en los que podían trabajar juntos. A veces, incluso se arriesgaban a equivocarse juntos, solo para reafirmarse a sí mismos que estaba bien. Trabajaron para disfrutar y cooperar en el proceso y no solo enfocarse en la excelencia del producto terminado.

El señor Luna dejó de sermonearlos e invitaba a discutir las diferentes opiniones. Él y sus hijos decidieron trabajar en un proyecto de servicio comunitario, el cual planearon juntos. El señor Luna descubrió que era más capaz de comunicarse con sus hijos y se sintió motivado por lo que estaba aprendiendo de ellos y con ellos. Los niños empezaron a mostrar signos de que ellos también, estaban motivados: cooperaban entusiasta y voluntariamente tanto en casa como en la escuela.

El señor Luna también se ofreció como voluntario para ser entrenador de un equipo de fútbol de sus hijos. Al principio, habría querido tener solo niños que tuvieran grandes habilidades y quisieran practicar muy duro; especialmente quería niños que quisieran ganar. Pero la nueva visión del señor Luna, le ayudó a ver que todos los niños tenían potencial si los motivaba. Empezó a trabajar con estos niños, para pulir sus tiros, carreras y pases. Les enseñó que era más importante hacer su mejor esfuerzo que ganar el partido –una lección que él también estaba aprendiendo.

Ganaron muchos partidos (y perdieron unos cuantos), pero el señor Luna encontró su mayor placer en la actitud que mostraba su equipo. Trabajaban juntos y disfrutaban del trabajo.

Prioridades de Estilo de Vida en Conflicto

HEMOS DISCUTIDO lo que sucede cuando los padres y maestros aprenden sobre las prioridades del estilo de vida y las habilidades educativas de Disciplina Positiva.

Unir la comprensión de los estilos de prioridades con las habilidades de Disciplina Positiva, puede también ayudar a los adultos y a los niños a vivir y trabajar juntos con muy pocos conflictos. ¿Recuerda las dos parejas de matrimonio que presentamos al principio de este capítulo? Como decía Alfred Adler, "Los polos opuestos se atraen, pero tienen dificultades para vivir juntos." Cada uno se atrae por poseer las ventajas que él o ella no tiene. Pero a veces lo que al principio parece encantador y adorable, con el tiempo se vuelve sumamente irritante. Tomemos el caso de los señores Jonson.

David y Susana Jonson se conocieron esquiando en las montañas. Hubo una atracción inmediata entre los dos, y rápidamente se desarrolló una relación. Susana se sintió atraída por David porque era relajado, accesible y realmente era agradable estar a su lado. Incluso cuando esquiaba, parecía deslizarse con facilidad montaña abajo.

Por su parte, David se sintió atraído por Susana porque era brillante, atractiva, clara, creativa —una de las mujeres más exitosas y talentosas que había conocido. Tenían mucho en común, y a ambos les encantaba esquiar. No se dieron cuenta de cómo los altos y bajos de la montaña eran una metáfora de su relación y de sus estilos de crianza cuando llegó su primer hijo.

La prioridad de David era la comodidad, mientras que la de Susana era la superioridad. Siempre nos sentimos atraídos por alguien que parece tener lo que creemos que nos falta. David jamás se interpuso en las múltiples actividades de Susana, de hecho, la alentaba a cumplir con ellas. Después de todo, su ambición y vigor le hacían la vida más fácil a él. La personalidad encantadora y relajada de David era un contraste para las elevadas metas y excesiva energía de Susana.

Entonces llegó el primer bebé. Muy pronto (y sin ningún conocimiento de las prioridades del estilo de vida) el bebé parecía tener la extraña habilidad de causarle incomodidad a David y hacer sentir inferior a Susana. El bebé también tenía la habilidad de ponerlos a pelear sobre las capacidades y los estilos educativos.

Papá era demasiado suave, mamá demasiado dura. O cuando menos eso era lo que David y Susana pesaban el uno del otro.

Cuando un alma caritativa les explicó sobre las prioridades en el estilo de vida, las cosas empezaron a cambiar para ellos. Asistieron juntos a un grupo de educación para padres e hicieron un esfuerzo para educar a su pequeño en equipo. Se enfocaron en apreciar las ventajas de sus prioridades (lo cual, para empezar los acercó). Acordaron que cada uno trabajaría en sus desventajas y que se ofrecerían apoyo y comprensión en lugar de críticas. Estaban especialmente satisfechos de ver que sus nuevas habilidades de Disciplina Positiva se ajustaban a sus estilos y les ayudaban a lograr lo que más querían: crear una familia feliz.

El crecimiento se da cuando aprendemos a cambiar nuestras desventajas por ventajas. A medida que vamos obteniendo agudeza de ingenio y conciencia, el crecimiento puede ser emocionante y satisfactorio. Comprender nuestras prioridades en nuestro estilo de vida y la menara en que influyen en nuestras relaciones con los hijos, puede ayudarnos a aprender, con tiempo y paciencia, a ser mejores padres –y mejores personas– que podamos.

En lugar de herramientas o preguntas para este capítulo, utilice la siguiente actividad que le ayudará a comprender su prioridad en el estilo de vida. Es más educativo hacer esto en grupo. Pueden formar pequeños grupos que representen cada estilo de vida e idear juntos las respuestas para llenar los espacios en blanco para:

1. Crear una etiqueta engomada para la defensa del auto.
2. Sus ventajas (lo que la mayoría de los miembros del grupo vean que tienen en común)
3. Sus desventajas (lo que la mayoría de los miembros del grupo vean que tienen en común)
4. Lo que determinado estilo puede generar en los niños.
5. Pasos específicos para mejorar su vida y su relación con los niños.

Actividad Sobre la Prioridad del Estilo de Vida

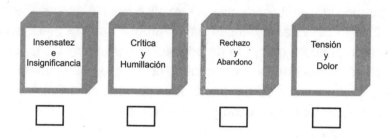

1. En los cuadros, clasifique los paquetes del 1 al 4 con números, siendo 1 el que menos prefiere.

2. Mi prioridad primaria en el estilo de vida es: _____ (la caja con el No. 1)

3. Mi prioridad secundaria en el estilo de vida es: _____ (la caja con el No. 2)

4. Una etiqueta engomada para mi prioridad en el estilo de vida podría ser: _____ _____

5. Mis mejores ventajas son: _____ _____

6. Mis desventajas son: _____

7. Lo que mi estilo puede generar en los niños es: _____ _____

8. Los pasos específicos paramejorar son: _____ _____

11

Uniéndolo Todo

La mayoría de los principios aquí descritos, requieren la comprensión y aplicación de más de un concepto básico y varias actitudes por parte de los adultos. Cuando colocamos todo junto, tenemos una excelente caja de herramientas para ayudar a los niños a desarrollar las características que les servirán a lo largo de sus vidas. No existe una herramienta que funcione para cada niño y situación, por lo que es reconfortante contar con varias opciones. Muchas de las herramientas presentadas en este capítulo han sido discutidas en capítulos anteriores. En este capítulo usted encontrará nuevos ejemplos de interacciones adulto/niño, respecto a retos de disciplina y al valor de utilizar varias herramientas juntas.

La Tecnica del Cuarto de Baño

SE HA MENCIONADO varias veces el valor del Tiempo Fuera Positivo para un periodo de enfriamiento. Recuerde que el propósito del "periodo de enfriamiento" es esperar hasta que usted pueda tener acceso a su "cerebro racional" en lugar de tratar de resolver un conflicto mientras está usted utilizando su "cerebro de reptil", por lo tanto retirarse del mismo es muy útil. En lugar de pensar que los niños tomen un tiempo fuera, puede ser provechoso para los padres, ser ellos quienes se retiren.

Antes de retirarse, explique a sus hijos lo que panera hacer y por qué lo hace. (Los niños pequeños aprenderán de sus acciones, no de sus palabras). La explicación puede darse durante una junta familiar o de manera individual. Puede decirles: "Cuando esté molesta, me iré a algún lado para tranquilizarme hasta que me sienta mejor y podamos trabajar juntos para encontrar una solución respetuosa." Este es un gran ejemplo para sus hijos.

Para los padres, un buen lugar para retirarse es el cuarto de baño. Dreikurs es bien conocido por "la técnica del cuarto de baño". Sugería este sitio porque es la única habitación, en muchas casas, que se puede asegurar por dentro. Si usted descubre que necesita pasar mucho tiempo en el cuarto de baño, es probable que desee estar lo más cómodamente posible, con libros, revistas y un estéreo. Es broma, pero ya me entendió.

Algunos padres prefieren darse una ducha, salir a caminar, o ir de compras si cuentan con un amigo o una pareja con quien dejar a los niños. A veces, una señal predeterminada entre usted y los niños puede ayudar – simular que tira exageradamente de su cabello, agitar los brazos como señal de que se está volviendo loco o hacer la señal de la paz.

Es muy importante tener una actitud de respeto al usar cualquier tipo de periodo de enfriamiento. Podría decir: "Necesito un tiempo fuera. Sé que seré mejor cuando me sienta mejor". Explique a los niños que no se está retirando para alejarse de ellos, sino para encargarse de usted mismo porque sabe que cuando nos sentimos mejor, el problema puede resolverse con respeto y cooperación.

La Tecnica de la Novela

YA QUE LOS MAESTROS no pueden dejar solos a los niños en el salón de clases, una manera de retirarse durante los momentos de conflicto, es tomar asiento y leer una novela. (Varios maestros que han probado esto, lo encuentran muy efectivo, pero otros no se sienten cómodos. Haga la prueba para ver cómo se siente.)

El primer paso es comunicar el plan a los niños. Dígales que su trabajo es enseñar – el de ellos es aprender. Si no están dispuestos a hacer su trabajo, usted no puede hacer el propio; que a partir de ahora, cada vez que ellos actúen desordenadamente y usted no pueda enseñarles, usted se sentará y leerá su novela, así, ellos podrán comunicarle cuando estén listos para hacer su trabajo y usted pueda también, realizar el suyo.

La razón por la que muchos maestros no les gusta este método, es porque no soportan el período de prueba, cuando las cosas empeoran antes de mejorar. Generalmente, los niños hacen más desorden y alboroto para probar su nueva libertad, pero antes de lo que imagina, se tranquilizan y le informan a su maestro que están listos para aprender. En muchos grupos, los alumnos no empeoran su conducta, simplemente no están concientes de ser irrespetuosos, hasta que se percatan que su maestro lee una novela; al observar esta clave no verbal, guardan silencio de inmediato.

Este método es efectivo sólo para los maestros que se han ganado la admiración y el respeto de sus alumnos porque están bien preparados y son eficientes. Es también, más útil con niños en escuelas primarias. En cambio sería desastroso con adolescentes, ya que a ellos les preocupa más la aprobación de sus compañeros que la de los adultos.

El señor Galván, un profesor de educación especial de cuarto, quinto y sexto grados, pidió permiso a su director para retirarse del salón cuando los estudiantes estuvieran demasiado inquietos. Primero, explicó a sus alumnos que abandonaría el salón si ellos no estaban listos para aprender y los instruyó para que fueran a buscarlo al salón de maestros cuando ya estuvieran listos para trabajar. Ese mismo día, hicieron tal escándalo que no podían escucharlo a menos que alzara la voz, así que él y su asistente tomaron sus tazas de café y abandonaron el aula.

El maestro Galván estaba nervioso mientras permanecía en el salón de maestros. No sabía con certeza si esto funcionaría, su imaginación volaba pensando en todas las cosas que sus alumnos estarían haciendo. Después de treinta minutos, como los estudiantes no llegaban a buscarlo, empezó a preguntarse si estaría a punto de perder su empleo. A los cuarenta y cinco minutos, un alumno fue a buscarlo: todos estaban listos para que regresara al aula a impartir sus clases. El señor Galván se sorprendió de lo cooperativos que estuvieron unos cuantos días posteriores.

La siguiente vez que los alumnos se comportaron desordenadamente, él y su asistente tomaron sus tazas de café, pero antes de abandonar el salón, los niños se calmaron y le informaron que estaban listos para continuar. Es importante destacar que estos estudiantes realmente apreciaban al señor Galván. Él se había ganado su respeto y ahora estaba demostrando cuánto se respetaba a sí mismo.

Después de escuchar esta historia, otra maestra de educación especial puso a prueba el método. Manifestó que sus alumnos fueron a buscarla en veinte minutos con una petición firmada en la que aseguraban que cooperarían.

Otra maestra olvidó decirles a sus alumnos dónde encontrarla, entonces le avisaron por medio de intercomunicador, que estaban listos.

No estoy tratando de recomendar este método si existen reglas estrictas al respecto en su escuela. Algunos directores dan permiso para tomar este tipo de riesgos.

Tiempo Fuera Positivo

EL PERIODO DE ENFRIAMIENTO puede ser efectivo para los niños desalentados, si se les explica por anticipado la razón fundamental del mismo, so los niños ayudan a diseñar un lugar que les ayudará a sentirse mejor, y cuando los padres o maestros preguntan: "¿Te ayudaría ir al área de Tiempo Fuera Positivo?" (o cualquier nombre que hayan decidido ponerle).

Las técnicas del cuarto de baño y la novela a veces son mejores porque usted decide lo que debe hacer, en lugar de decidir lo que le pedirá al niño que haga. Pero muchos padres y maestros prefieren usar el Tiempo Fuera Positivo en lugar de dichas técnicas porque sienten que no es conveniente para ellos retirarse si están ocupados con alguna tarea, como por ejemplo la preparación de la cena, o de una clase. (Aunque a veces, un corto periodo de inconveniencia es un precio menor a pagar a cambio de estimular y preparar a un niño para que aprenda a ser responsable y cooperativo).

Un concepto importante para volver a revisar es: ¿De dónde sacamos la absurda idea de que para lograr que los niños sean mejores, primero debemos hacerlos sentir mal? La mayoría de los adultos tienen la errónea idea de que el objetivo principal de mandar a los niños a sus habitaciones, es hacerlos sufrir. "Ve a tu dormitorio y piensa en lo que hiciste", el tono de vos generalmente implica, "…y sufre". Incluso una madre se quejó, "No sirve de nada que mande a mi hijo a su dormitorio, lo disfruta". Entonces le dije, "Perfecto. Eso dará mejores resultados". De hecho, yo sugiero a los padres que, durante los momentos tranquilos y felices, enseñen a sus hijos sobre el Tiempo Fuera Positivo (como lo mencionamos en el capítulo seis). "Cuando te sientas alterado o enojado, puede ser útil que te vayas a tu habitación y hagas algo que te haga sentir mejor. Puedes leer un libro, jugar con tus juguetes, escuchar música o tomar una siesta. Después, cuanto te sientas mejor, puedes salir y podremos trabajar en una solución." Para los padres preocupados en que esto signifique premiar la mala conducta, podría resultar cierto si no le dan el seguimiento a la solución del problema cuando todos se sientan mejor. Por favor consulte *Disciplina Positiva y Más de 50 formas de Evitar las Luchas de Poderes en el Hogar y la Escuela*[1]

---

[1] Nelsen, Jane, *"Positive Discipline and Over 50 Ways to Avoid Power Struggles in Homes and Classrooms"*, Three Rivers Press, New York, 2001

273

para tener mayores detalles sobre la manera de involucrar a los niños en crear áreas personales de tiempo fuera, las cuales puedan "elegir" en lugar de ser "enviados".

Los niños menores de tres años son, generalmente, demasiado pequeños para ser enviados a (o para elegir) un tiempo fuera –aún cuando sea positivo.

Sin embargo, puede usted tomar un tiempo fuera con ellos. Es probable que ambos lo necesiten.

Cuando Ana, de catorce meses, se comportaba inadecuadamente, su madre la llevaba a su dormitorio. La cargaba en su regazo y le leía un libro durante unos cuántos minutos antes de llevarla fuera del dormitorio. Si Ana hacía una rabieta, su madre se sentaba en silencio en la cama de Ana y la "dejaba" que se desahogara. Cuando Ana, finalmente se tranquilizaba, la señora Ordóñez decía: "¿Ya estás lista para un abrazo?"

Recuerde que no se trata de premiar la mala conducta. La señora Ordóñez enseñaba a Ana una forma respetuosa de enfrentar sus sentimientos cuando estuviera molesta –de enseñarle que está bien sentir lo que sentía, pero no de hacer lo que quisiera. Este método se basa en el concepto básico de la estimulación como el motivador más poderoso para mejorar la conducta. También se basa en los principios de conocer el desarrollo del niño –es decir, que una niña de catorce meses realmente no comprende las causas y efectos a un nivel sofisticado en el que ella pueda controlar su conducta sin supervisión. Así que, ¿por qué castigarla?

Cuando Ana tenía una mala conducta como hacer una rabieta o brincar en los sillones, la señora Ordóñez la tomaba cordial y firmemente, la llevaba a su habitación y se sentaba con ella. A veces la señora Ordóñez la involucraba pidiéndole que buscara el cronómetro y pusiera el número de minutos que creyera necesitar para sentirse mejor (distracción).

En ocasiones le daba opciones, "¿Te gustaría ir a tu habitación sola, o prefieres que te acompañe hasta que te sientas mejor?"

Para cuando Ana tenía cuatro años, ya estaba muy familiarizada con esta rutina y cuando necesitaba tiempo para tranquilizarse y sentirse mejor, se retiraba a su habitación sola o le pedía a su madre que la acompañara. A veces lloraba y se quejaba por un rato (porque había aprendido que los sentimientos siempre son correctos) antes de decir que estaba más tranquila y se sentía mejor. Otras ocasiones simplemente jugaba en su habitación o se quedaba dormida. Cuando salía, estaba lista para cambiar su conducta – o para trabajar en una solución respetuosa. Ana aprendió a practicar el autocontrol utilizando el Tiempo Fuera Positivo porque no sentía la necesidad de "rebelarse" ante el hecho de "ser enviada" a tiempo fuera.

La señora Ordóñez aprendió la utilidad de la técnica del cuarto de baño, en una ocasión que se sometió a una cirugía y no tenía la fuerza para llevar a Ana a su habitación cuando se portaba mal. Un día que Ana hacía una rabieta, su madre, cojeando, bajó al cuarto de baño. Ana la siguió y empezó a golpear la puerta mientras gritaba: "¡Quiero que salgas!". Después de unos minutos, la señora Ordóñez escuchó a Ana tratando de controlar algunos sollozos involuntarios antes de decir con un feliz tono de voz: "Estoy lista para que salgas". Cuando su mamá salió, le dijo: "Me alegra que estés lista porque me encanta estar contigo, ¿qué te parece si ponemos lo de las rabietas en la agenda y así podremos discutir algunas buenas ideas para encontrar soluciones?"

Decida lo que Usted Hara, No lo que Quiere que los Niños Hagan

EL RIESGO POTENCIAL al mandar a los niños a su habitación (o cualquier otra orden) es que puede usted estar invitándolo, en caso de que se niegue, a comenzar una lucha de poderes, o a iniciar un ciclo de venganza, si el niño lo percibe como un castigo y se siente lastimado. Esto es especialmente cierto con los niños más grandes, pero esta posibilidad es eliminada cuando permite que los niños aprendan de las consecuencias naturales y lógicas de lo que usted decide hacer, y no de lo que quiere que ellos hagan.

Sandra se casó con un viudo que tenía seis hijos, el mayor de ocho años y los más pequeños eran unos gemelos de dos. La madre de estos niños falleció durante el parto de los gemelos. Imagine lo difícil que era encontrar una niñera para seis niños, incluyendo los dos bebés; incluso aquellas que estaban desesperadas por un empleo, no duraban mucho tiempo, así que los niños no tenían la estabilidad de una disciplina constante antes de que Sandra se convirtiera en su nueva madre. Esto era especialmente evidente –y una prueba muy dura –a la hora de las comidas: los niños peleaban, discutían y se aventaban comida unos a otros.

Sandra había enseñado los principios de la Disciplina Positiva antes de tener la oportunidad de practicarlos. Ahora era su momento. Lo primero que hizo fue una junta familiar, en la que no discutió sobre la conducta a la hora de las comidas, simplemente les pidió que decidieran cuánto tiempo necesitaban para tomar sus alimentos una vez que estuvieran servidos. Debatieron y decidieron que quince minutos era tiempo suficiente (olvidaron considerar el tiempo que les llevaba pelear, discutir y aventar comida). Todos estuvieron de acuerdo en establecer como regla familiar que la cena sería servida a las seis en punto y la mesa se limpiaría a las seis con quince minutos.

La tarde siguiente, Sandra y su esposo ignoraron los pleitos mientras cenaban. A las seis y cuarto, Sandra empezó a retirar los platos y a limpiar la mesa. Los niños protestaron diciendo que todavía tenían hambre y no habían terminado de comer. Sandra, cordial y firmemente, contestó: "Sólo estoy siguiendo la regla que acordamos. Estoy segura que podrán esperar hasta el desayuno." El resto de la tarde se sentó frente al refrigerador con un libro y unos tapones en los oídos.

La noche siguiente, fue una repetición de la anterior, pues los niños querían poner a prueba a su nueva madre y saber si "iba en serio". La tercera noche, sabían que sí, y estuvieron tan ocupados comiendo, que no les dio tiempo de pelear, discutir o aventar comida.

Existe una continuación encantadora de esta historia. Seis años más tarde, tuve la oportunidad de quedarme con esos niños mientras sus padres salían un fin de semana de vacaciones. Eran tan responsables y capaces, que no tuve que mover ni un dedo todo el fin de semana.

Preparaban las comidas y hacían sus labores sin ninguna interferencia de mi parte. Me mostraron su plan de comidas y quehaceres, preveían sus menús mensuales durante la primera junta familiar del mes y todos tenían asignada una noche para cocinar, excepto Sandra (quien hacía las compras) y el hermano mayor (quien practicaba fútbol).

Les pregunté si las cosas siempre fluían tan fácilmente, y me aseguraron que no. Una de las chicas me dijo que solían tener la regla de que, quien cocinara, no limpiaba la cocina. Esto causó problemas, porque los que limpiaban se quejaban del desorden de los cocineros. Entonces cambiaron la regla: el cocinero debía dejar la cocina limpia, así terminaron las quejas y todos tuvieron un largo descanso antes de que fuera su turno de trabajar otra vez.

Este ejemplo ilustra varios puntos importantes para que este método funcione exitosamente:

- Infórmeles con anticipación lo que usted hará. Si es posible, obtenga su acuerdo de lo que se resolverá bajo determinadas circunstancias.
- Vaya directo a la acción, no a las palabras. Cuando los niños ponen a prueba sus nuevos planes, entre menos palabras utilice, mejor. Mantenga la boca cerrada y actúe.
- Las pocas palabras que mencione deben ser afirmaciones cordiales y firmes.
- Ignore la tentación de involucrarse en una lucha de poderes o en un círculo de venganza. Los niños harán su mejor

esfuerzo para que usted caiga en su respuesta acostumbra-
da.

• Al llevar a cabo su plan, podría parecer que usted está
permitiendo que los niños "se salgan con la suya, ya que usted ignora la mala conducta. Es verdad que con el castigo se
obtienen resultados inmediatos, pero no ayuda a los niños a
desarrollar responsabilidad para el futuro (resultados a largo
plazo).

• Es probable que las cosas empeoren antes de mejorar.
Sea constante con su nuevo plan de acción, y los niños
aprenderán una nueva "habilidad de respuesta".

A continuación expondremos otros ejemplos de cómo decidir lo
que usted hará, y no lo que obligará hacer a los niños:

• No los obligue a colocar su ropa sucia en el cesto, simplemente decida que usted lavará solamente la ropa sucia
que se encuentre en él. Los niños pronto aprenderán de la
consecuencia natural de no tener su ropa limpia, cuando la
quieran usar.

• No pelee con ellos para que limpien la cocina. Niéguese
a cocinar hasta que la cocina esté limpia. Piense en lo bien
que la pasará, mientras espera, leyendo una novela. Al principio, los niños pensarán que es magnífico prepararse sus
propios emparedados de mantequilla de maní, siempre que
tengan hambre, pero esto cambia después de un tiempo;
pronto se darán cuenta de que la cooperación es una calle
de doble sentido, si desean seguir disfrutando de alimentos
deliciosamente preparados.

• No distorsione este método convirtiéndolo en una lucha
de poderes o un ciclo de venganza. Algunos adultos defor-
man el concepto y lo usan para amedrentar o avergonzar a
los niños, y así, lograr que éstos hagan lo que los padres

quieren o para vengarse por no hacer lo que "deben" hacer. La idea es no preocuparse por lo que los niños hacen en estas situaciones, en otras palabras, no se preocupe si su hijo elige ponerse la ropa sucia en lugar de responsabilizarse de colocarla en el cesto. No se inquiete si su hijo prefiere comer emparedados de mantequilla de maní, en lugar de limpiar la cocina para que usted prepare los alimentos. Disfrute sus vacaciones lejos de la cocina.

Dejar de preocuparse es un método extremadamente útil para aquellos padres y maestros que se sienten cómodos con él. Ellos lo emplean en conjunción con otros, tales como el estímulo, las juntas familiares o escolares, el tomarse el tiempo para entrenar, etcétera. Aquellos adultos que no pueden dejar de preocuparse, pueden usar otros métodos. Nunca hay una sola manera de resolver los problemas; entre más instrumentos tengamos en nuestra caja de herramientas no punitivas, más eficientes podremos ser. En nuestro libro *Disciplina Positiva de la A - Z*[2] tenemos más de mil métodos y soluciones para prevenir problemas futuros por conductas específicas. El libro *Disciplina Positiva en el Salón de Clases: Guía para Maestros de la A - Z*[3] contiene igualmente, soluciones y métodos para una larga lista de conductas que son desafiantes para los maestros. Tanto padres como maestros pueden elegir las sugerencia que crean más adecuada para ellos o que piensen que funcionará mejor con sus hijos o alumnos. Algunos padres y maestros convocan un tiempo fuera positivo y leen las sugerencias con los niños para elegir, juntos, lo que creen que les resultará mejor.

---

[2] Nelsen, Jane, Lott, Lynn, Glenn, H. Stephen, *Positive discipline A – Z*, Three Rivers Press, New York, 2005
[3] Nelsen, Ortolano, Escobar, Duffy, Owens-Sohocki, *Positive Discipline in the Classroom: A Teacher's A-Z Guide,* New York, Three Rivers Press, 2001

Retiro Emocional

EL PROPÓSITO de los periodos de enfriamiento es retirarse de la situación hasta que el conflicto emocional haya pasado, en lugar de involucrarnos en una lucha de poderes o en un ciclo de venganza. Entonces, usted puede resolver los problemas racionalmente. La técnica del cuarto de baño o el Tiempo Fuera Positivo, se sugieren porque la mayoría de los adultos y niños tienen dificultades para tranquilizarse hasta que salen del área de conflicto. No sería necesario retirarse si pudiésemos retirarnos emocionalmente y evitar involucrarnos una lucha de poderes.

Sandra y su esposo (mencionados anteriormente), tenían que retirarse emocionalmente para ser capaces de ignorar la conducta de los niños en la mesa a la hora de la cena, mientras seguían su nuevo plan de acción.

La señora Valdez, maestra de tercer grado, me invitó a observar su junta escolar. Llegué más temprano y tuve la oportunidad de ver la manera provechosa en que utilizaba el retiro emocional. Era hora de cambiar la actividad de matemáticas a lectura y los niños hacían escándalo y desorden, entonces me di cuenta que la maestra Valdez miraba fijamente al muro trasero del salón como si hubiera entrado en trance. Los niños también lo notaron y empezaron a susurrar: "Está contando". Pronto, estaban sentados y silenciosamente atentos.

Más tarde, en el salón de maestros, le pregunté a la maestra: "¿Hasta qué número cuenta y qué hace al llegar a ese número?". Ella respondió: "En realidad no estoy contando, sólo decido que no puedo enseñar hasta que ellos estén en silencio. Así que también tomo un descanso, pero como miro fijamente al muro, mientras espero, mis alumnos asumen que veo el reloj y cuento. Parece que nunca me escuchan cuando les riño para que se calmen, sin embargo, guardan silencio rápidamente cuando me ven mirando el muro porque he decidido no enseñar hasta que estén listos para ello."

Retirarse emocionalmente, no significa retirar el amor de los niños, sino apartarse de la situación que produce el conflicto.

Todos los métodos de retiro emocional deben complementarse con estimulación, entrenamiento, redirección de la conducta y actividades para resolver problemas, después de un periodo de enfriamiento.

Evitar las Riñas Matutinas

LA SIGUIENTE HISTORIA ilustra varios conceptos, actitudes y métodos previamente discutidos, así como la importancia de establecer rutinas.

Las mañanas en casa de Judith son casi siempre agitadas. A la niña, éste le parece un momento excelente para mantener ocupada a su madre. Ordinariamente, ésta es la escena:

"¡Judith, por favor, ya levántate!...¡Es la última vez que te llamo!... ¿Por qué tengo que saber dónde están tus libros? ... ¿Dónde los dejaste?... ¡Todavía no te has vestido y el camión estará aquí en cinco minutos! ... ¡Judith, es en serio. Es la última vez que te llevo a la escuela si pierdes el camión. Tienes que aprender a ser más responsable!"

Si esto le parece familiar y cree en el viejo refrán que dice "mal de muchos, consuelo de tontos", puede encontrar un poco de aliento al saber que esta escena se repite en millones de casas todas las mañanas. Esta no será la última vez que mamá lleve a Judith a la escuela cuando pierda el camión, un hecho del que Judith está conciente, pues ha escuchado esta amenaza muchas veces y sabe que o es cierta. Mamá tiene razón y Judith debe aprender a ser más responsable, pero con escenas matutinas como esta, la madre en realidad está entrenando a la niña a ser cada vez más irresponsable. En lugar de responsabilizarla, la introduce en la práctica de la manipulación calculada. Mamá se adjudica la carga, al recordarle constantemente lo que debe hacer, pero Judith sólo aprenderá a ser responsable cuando su madre se quite del camino y le permita experimentar las consecuencias. Si pierde el camión, probablemente tendrá que ir caminando a la escuela, o su maestra le hará quedarse más tiempo por las horas que perdió. También es más probable que Judith aprenda a responsabilizarse si ella misma crea sus propias rutinas matutinas y las pone en una tabla.

Tabla de Rutinas

LAS RIÑAS MAÑANERAS pueden evitarse tomándose el tiempo para entrenar, involucrar a los niños en establecer rutinas, resolver problemas y dar continuidad, cordial y firmemente, a lo que se ha decidido, como se describió en el capítulo siete.

En los salones de clases con rutinas establecidas, las cosas fluyen mejor que en aquellos sin rutinas. Las rutinas son especialmente provechosas cuando los niños ayudaron a planearlas. Los alumnos pueden hacer carteles con la lista de rutinas y colgarlos en las paredes del salón, y entonces dejar que las reglas tomen el mando. Cuando los estudiantes se desvíen de ellas, el maestro puede preguntar "¿Quién me dice lo que se supone que deberíamos estar haciendo ahora?", así alguien revisa las listas y le recuerda al grupo lo que deberían hacer. Esta es una manera sencilla de permitirles a los niños que tomen el control que invita a la cooperación, en lugar de que el maestro trate de tener el control de tal forma que invite a la resistencia.

Evitar las Riñas a la Hora de Dormir

LA SIGUIENTE HISTORIA demuestra cómo el prevenir las riñas mañaneras depende, en gran medida, de algunas rutinas que tienen lugar la noche anterior, como parte de las actividades necesarias para evitar las riñas a la hora de dormir. Asimismo, demuestra la necesidad de utilizar conceptos tales como tomarse el tiempo para entrenar y dar seguimiento a las decisiones con dignidad y respeto.

La señora Félix se tomó el tiempo para entrenar a Gabriel, su hijo de dos años, a vestirse solo. Le compró un tipo de ropa que fuera fácil de ponerse y quitarse, y le ayudó en el proceso en varias ocasiones. Una vez que ella estuvo segura de que Gabriel sabía hacerlo, nunca más se permitió vestirlo.

Ya que el niño asistía a una escuela preescolar matutina, la familia Félix se levantaba lo suficientemente temprano para tener todo el tiempo necesario para vestirse y desayunar, de manera que pudiera llevarlo a la escuela en su camino al trabajo. Le explicó a Gabriel que si él no se vestía a tiempo, ella pondría su ropa en una bolsa de papel para que se vistiera en el automóvil camino a la escuela (una excelente consecuencia lógica).

Establecieron las siguientes rutinas que empezaban la noche anterior. A las siete, Gabriel se bañaba y se pondría la pijama antes de tomar su último alimento, después venía la rutina del cuarto de baño. La familia de Gabriel, disfrutaba de la rutina (tradición) de entrar por turnos al baño, sacar los cepillos de dientes y ponerles pasta dental a todos. A medida que cada miembro de la familia entraba en el baño, encontraba su cepillo con pasta dental, entonces salían diciendo "Gracias". Después papá o mamá llevaban a Gabriel a su dormitorio, donde él preparaba la ropa que quería usar al día siguiente, de forma que todo estuviera listo para la mañana (una rutina que evita tener que decidir qué ponerse en la mañana, cuando la presión del tiempo hace que los niños pidan algo que no está listo o se encuentra en el cesto de la ropa sucia. A medida que crezca, también aprenderá a preparar sus libros, abrigo y lo necesario para la mañana siguiente). Entonces papá o mamá hablaban con él sobre su día, le leían un cuento y lo arropaban en la cama con un beso de buenas noches.

Gabriel tenía su propio radio despertador que lo despertaba en las mañanas. Le gustaba ir a acurrucarse a la cama de sus padres por unos minutos (una buena manera de despertar para ellos).

Después iba a su dormitorio a vestirse y, más tarde, a la cocina para ayudar a preparar el desayuno. En la familia Félix todos tenían una tarea específica a la hora del desayuno y cambiaba cada semana en la junta familiar. La labor favorita de Gabriel, era batir los huevos (un quehacer que un niño de dos años puede realizar bien después de un tiempo de entrenamiento). Si Gabriel terminaba sus rutinas antes de la hora de salida, podía entretenerse con sus juguetes.

Un día frío y lluvioso, Gabriel perdió el tiempo y no estuvo listo para el momento de salir. Su padre tomó al niño desnudo bajo un brazo, y la bolsa con su ropa bajo el otro, y salió a la lluvia al mismo tiempo que un vecino salía a recoger el periódico. (A veces uno no debe preocuparse de lo que la gente piense cuando enseña a los hijos a ser responsables).

Gabriel lloró todo el camino a la escuela y su padre le dijo cordialmente: "Puedes vestirte si quieres". Sin embargo, vestirse en ese momento no era divertido, así que Gabriel se dispuso a poner a prueba la regla.

Cuando llegó a la escuela, su maestra (quien también creía en estos principios), le dijo amablemente: "Hola Gabriel, veo que todavía no te has vestido, toma tu ropa , entra en el cuarto de baño y sal tan pronto estés listo."

Aproximadamente un mes más tarde, Gabriel quiso probar nuevamente. Esta vez tenía su pijama puesta, pero se vistió en el automóvil camino a la escuela; había aprendido que llorar no funcionaba. A partir de entonces, Gabriel estuvo siempre listo, aunque varias veces su madre notaba que perdía el tiempo, entonces le decía: "Parece ser que has decidido vestirte en el automóvil", pero a Gabriel no le agradaba la idea y se daba prisa y terminaba de hacerlo. Su madre pudo evitar responsabilizarse incluso de estos recordatorios, dejando que Gabriel experimentara las consecuencias lógicas las veces que fueron necesarias.

Algunas personas cuestionaron este ejemplo porque pensaban que era humillante llevar a Gabriel desnudo a la escuela, pero y les puedo asegurar que a Gabriel no le importaba. Por supuesto esto no sería adecuado con un niño de cuatro años.

El padre de Gabriel pudo haber hecho esta experiencia humillante si hubiera alardeado (como se explicó en el capítulo tres), añadiendo culpa y vergüenza a lo que debía ser una consecuencia lógica. El padre no dijo: "¡Te lo mereces! Veamos si para la próxima vez te das prisa. Haces que pierda mi tiempo. Seguramente todos los niños se reirán de ti por no estar vestido". Esto hubiera convertido la experiencia en algo humillante.

Una madre que escuchó esta historia, la puso en práctica con una ligera variación. Su hija de cuatro años, Selene, no se vestía a tiempo para ir a la escuela, entonces su padre puso su ropa en una bolsa de papel y metió a Selene, que estaba en pijamas, al auto. No llevó a Selene a la escuela, estacionó el automóvil cerca de una ventana de la escuela y le dijo a su hija: "Cariño, estaré sentada en la oficina desde donde puedo verte. Entra a la escuela tan pronto estés vestida". Selene se quedó sentada haciendo una rabieta durante cinco minutos. Después se vistió (probablemente ya aburrida) y entró a la escuela.

Compartir Tiempo de Calidad a la Hora de Dormir

UNA DE LAS RAZONES por las que los niños dan tantos problemas a sus padres a la hora de irse a la cama, es que sienten que éstos tratan de deshacerse de ellos. Es comprensible que al final de un largo día, los padres busquen por fin un momento de paz y tranquilidad, pero a cambio de esto, generalmente experimentan la frustración de las peleas a la hora de dormir. Dedicar algunos minutos de calidad a los hijos es importante para ayudar a eliminar esa frustración. Cuando notan que tiene prisa por librarse de ellos, se sienten desalentados con respecto a su sentido de pertenencia, entonces se comportan inadecuadamente y piden bebidas, pretenden ir al baño o lloran porque sienten miedo. Cuando perciben que usted realmente disfruta estar con ellos durante unos minutos, entonces tienen la sensación de pertenecer y no necesitan portarse mal.

Compartir los sucesos más tristes y felices del día, funciona bien para que se sientan contentos y, como beneficio adicional, los padres también lo disfrutarán, porque compartir significa que usted también hable de los acontecimientos más tristes y felices de su día. Primero escuche lo que su hijo tiene que decirle y después hable usted. Este tipo de intercambio es más fecundo cuando se hace al final de la rutina de ir a la cama.

Cuando los niños experimentan ese tiempo de calidad a la hora de dormir, sienten el tipo de pertenencia que ocurre cuando alguien se da el tiempo para escucharlo a usted y compartir experiencias. Por lo general, esto es suficiente para motivar a los niños a dormirse contentos.

Evitar Peleas a la Hora de Comer

LA HORA DE COMER, se ha convertido en un campo de batalla en muchos hogares, de modo que usted pensaría que los niños prefieren quedarse con hambre que sentarse a comer. Y no es que prefieran quedarse con hambre, sino que eligen sentirse poderosos. Es casi imposible obligar a un niño a comer, aunque esto no signifique que los padres dejen de intentarlo. Muchas veces, ellos piensan que han triunfado, hasta que el niño termina vomitando la comida.

La señora Silva le sirvió a Sara, de cuatro años, un plato de avena para el desayuno. Sara no se lo iba a comer a pesar de los sermones y regaños de su madre. La señora Silva guardó el plato en el refrigerador y se lo sirvió a la hora del almuerzo, pero tampoco se lo comió, así que volvió a aparecer en la cena. La señora Silva era una madre autoritaria que dominaba a Sara en muchas áreas y la niña no sabía cómo "ganarle"… excepto a la hora de comer. Este espacio, donde sentía independencia y poder, era tan importante para ella, que sacrificaba su salud. Sara se enfermó de raquitismo.

La señora Silva llevó a su hija con el doctor, quien adivinó lo que sucedía y aconsejó: "Deje en paz a la niña. Coloque alimentos nutritivos en la mesa, usted coma lo que quiera y no se entrometa. Hable solamente de temas agradables o, de lo contrario, mantenga la boca cerrada."

La señora Silva se sentía terriblemente mal por lo ocurrido. La única razón por la que presionaba tanto a Sara era porque la amaba y pensaba, equivocadamente, que regañarla era la mejor manera de hacerla comer y mantenerla saludable. Al igual que con otros métodos controladores utilizados actualmente con los niños, éste había resultado contraproducente, logró exactamente lo contrario de lo que deseaba. La señora Silva tomó el consejo del doctor y desistió de luchar a la hora de las comidas. Sara nunca llegó a ser una excelente comensal (es una niña con estructura ósea pequeña), pero comió lo suficiente para superar el raquitismo y estar sana.

Es interesante hablar con los norteamericanos que crecieron durante la Depresión de los años 30. Afirman que el único conflicto a la hora de las comidas era: "¿Habrá suficiente comida?" y a nadie le importaba si alguien prefería no comer, porque eso significaba que entonces habría más comida para otra persona. En esa época, los niños no desarrollaron problemas alimenticios debido a tal situación. Los niños no desarrollaron problemas alimenticios en ese tipo de ambiente.

Involucrar a Los Niños

LA MEJOR MANERA de evitar dificultades, es involucrar a los niños en la planeación y las soluciones. Tómense el tiempo en las juntas familiares para planear las comidas de la siguiente semana.

La familia Aguilar inventó la actividad de planeación de comida descrita en el capítulo nueve. Juntos llenaban la columnas para cada día de la semana, respecto a quién iría a cocinar y qué irían a cenar. Esto ayudó a crear una atmósfera de cooperación y cuando todos estaban involucrados en la planeación, los niños estaban más dispuestos a comer lo que los otros habían elegido, porque ellos también habían tenido que hacer elecciones.

La familia Aguilar también iban de compras juntos. Dividían la lista en diferentes secciones del supermercado y cada miembro de la familia se hacía cargo de una sección diferente. Los niños aprendieron mucho sobre las compras, mientras se divertían juntos y cumplían con sus obligaciones. Es fácil ver por qué esta familia no tiene "juegos de guerra" en la mesa a la hora de comer. Han sido alentados a utilizar su "poder" para contribuir, cooperar y disfrutarse unos a otros.

Mantenerse al Margen de las Peleas de los Niños

LA MEJOR MANERA de entrenar a sus hijos para que sean bravucones es que usted se siga involucrando en sus peleas. Los padres la pasan mal creyendo que la razón principal por la que los niños pelean es que desean involucrarlos a ellos. Los padres que permanecen al margen de las discusiones entre sus hijos, son testigos de una drástica reducción de peleas.

La mayoría de los padres reconocen el típico patrón de las peleas entre hermanos basadas en el orden de nacimiento. El hijo mayor es, generalmente, el más fácil de molestar y el menor, generalmente es el que obtiene mayor recompensa al involucrar a la madre. Por lo tanto, el hijo menor hace algo para provocar al mayor y esta provocación puede consistir en lo que sea, desde hacerle una cara hasta desordenar algo en la habitación del hermano.

Cuando el mayor muerde el anzuelo y persigue al menor, se escucha un grito de protesta dirigido hacia la madre por parte del pequeño. Entonces la madre se involucra al regañar al hijo mayor. Cuando el mayor es capaz de convencerla que fue el pequeño quien empezó el problema, la madre responde, "No me importa lo que haya hecho. "Tú eres el hermano mayor, y deberías comportarte mejor." Si la madre notara la mirada de triunfo en la cara del hijo menor, obtendría muchos elementos para comprender el propósito (metas equivocadas) de su conducta. La madre está colaborando en el entrenamiento de pelear para obtener atención, poder o venganza. Ella refuerza las creencias equivocadas de sus hijos sobre cómo encontrar el sentido de pertenencia e importancia.

La Sra. Ramos decidió mantenerse al margen de las peleas de sus hijos. Estableció un tiempo libre de pleitos y les explicó a sus hijos que realmente no quería involucrarse en sus peleas y que de ese momento en adelante, estaba segura que ellos se las arreglarían para encontrar soluciones a sus problemas. Durante una junta familiar discutieron los Cuatro Pasos para Resolver Problemas, descritos en el capítulo doce.

Al día siguiente, la Sra. Ramos se dirigía a la estancia cuando vio a Daniel de siete años, golpear a Alberto de cinco años en la cabeza con una pistola de juguete. Sintió que no podía ignorar semejante conducta y se apresuró a entrar a la habitación para detener la pelea. Como una escena en retrospectiva, se dio cuenta que cuando Alberto recibió el golpe, se dejó caer en la cama y se quejó suavemente con Daniel, "Oye, eso duele". Pero en ese momento Alberto vio a su madre y dejó salir un fuerte grito quejándose. La Sra. Ramos se dio cuenta que estaba a punto de caer en lo mismo, y decidió dar la vuelta y desviarse hacia el cuarto de baño en donde se encerró. Ambos niños la siguieron y empezaron a golpearse frente a la puerta, cada uno queriendo dar su versión de las cosas.

Al escuchar a sus hijos peleando y discutiendo sobre quién había empezado el pleito, la Sra. Ramos pensaba, "¡Dreikurs está loco! Esto no funciona." Sin embargo permaneció en silencio un rato más para poder reportarlo a su grupo de estudio. Pronto los niños dejaron de pelear frente a la puerta y se fueron.

La Sra. Ramos continuó haciendo lo mismo, mantenerse al margen de los pleitos diciéndoles "Estoy segura que pueden resolver sus propios problemas," cada vez que los niños se acercaban a ella para quejarse. Mientras tanto la familia continuaba discutiendo las posibles soluciones a los problemas durante las juntas familiares y de esa forma, los niños estaban aprendiendo habilidades para resolver problemas.

La Sra. Ramos supo que este método había sido efectivo cuando, aproximadamente un mes más tarde, escuchó a Fernanda, su hija de cuatro años, decir a su hermano Daniel, "Te voy a acusar con mamá", Daniel le respondió, "Ella solo te dirá que resuelvas tus problemas" (seguramente Fernanda sabía que Daniel tenía razón, porque no le dijo nada a su madre).

La Sra. Ramos reportó que las peleas entre sus hijos disminuyeron un 75 por ciento aproximadamente, y que el 25 por ciento restante eran peleas mucho más suaves y se resolvían más rápidamente.

Existen circunstancias en las que permanecer al margen de los pleitos puede ser difícil o imprudente:

- Algunos adultos encuentran casi imposible no preocuparse, aún cuando intelectualmente creen que sería lo mejor.
- Cuando los niños muy pequeños, pueden dañarse seriamente, como por ejemplo un niño de dos años golpeando a otro de seis meses en la cabeza con un camioncito de bomberos. (Muchos adultos utilizan esta excusa para involucrarse en las peleas de niños mayores). Si los niños más grandes realmente desean lastimarse, lo harán cuando los adultos no están presentes. Los adultos no deben asumir el rol de protección con los niños mayores, a menos que quieran asumirlo las veinticuatro horas del día.
- Los maestros son responsables de la seguridad de los estudiantes y no pueden permanecer al margen de los pleitos.

Algunos padres no creen que sus hijos peleen básicamente para obtener beneficios por parte de ellos. Argumentan que los niños pelean aún cuando ellos no están. Yo siempre pregunto, "¿Cómo saben que pelean cuando ustedes no están?" Entonces ellos sonríen tímidamente mientras admiten, "Porque siempre se aseguran de que me entere. Generalmente me reciben en la puerta con todas sus quejas. Incluso a veces me llaman a la oficina para involucrarme. Ahora me doy cuenta de que quieren hacerme juez, jurado y ejecutor - contra el otro."

Si usted no puede mantenerse al margen de las peleas de los niños, y decide involucrarse, la forma más efectiva de hacerlo es "ponerlos en el mismo barco". No tome partidos ni trate de buscar quien tuvo la culpa. Existen probabilidades de que usted se equivoque, porque usted nunca ve todo lo que ha sucedido. Lo correcto es siempre cuestión de opinión. Lo que parece correcto para usted, puede parecer injusto desde el punto de vista de alguno de los niños. Si usted siente que debe involucrarse para detener las peleas, no se vuelva juez, jurado y ejecutor. En lugar de esto, póngalos en el mismo barco y trátelos de la misma manera.

La señora Herrera, vio como Mariana de dos años golpeaba a Samanta de ocho meses de edad. La madre sentía que Samanta no podría haber hecho nada para provocar a Mariana, pero aún así, las puso en el "mismo barco". Primero, tomó en brazos a la bebé y la puso en su cuna diciendo, "Vendremos por ti cuando estés lista para dejar de pelear". Después se llevó a Mariana a su habitación diciéndole, "Avísame cuando estés lista para dejar de pelear y entonces iremos por tu hermana.

A primera vista, puede parecer ridículo. ¿Por qué dejar a una bebé en su cuna por que pelea, cuando solamente estaba ahí sentada inocentemente y de todos modos no comprende la amonestación de su madre? Mucha gente supone que el hecho de tratarlas a ambas de la misma manera, es para beneficio de la mayor, para evitar que se sienta siempre culpable. Pero en realidad, tratarlas de la misma manera, beneficia a ambas. Cuando usted toma partido por quien usted "cree" que es la víctima, los está entrenando para que adopten la mentalidad de víctima. Cuando "intimida" siempre al niño que usted "cree" que empezó el pleito, lo estará entrenando para que desarrolle una mentalidad de "intimidador".

No tenemos la seguridad de que Samanta haya provocado a Mariana (inocente o intencionalmente). Si lo hizo, reprender a Mariana no solo sería injusto, sino que enseñaría a Samanta una buena manera de tener a su madre de su lado. Esto es un buen entrenamiento para ser víctima. Si no provocó a Mariana, reprimirla (por es la mayor) le enseñaría a Samanta la posibilidad de obtener atención especial provocando a su hermana. Entonces Mariana podría adoptar la creencia equivocada de que es más importante en el papel de niña "mala".

A pesar de lo anterior, hay gente que sigue objetando pues para ellos no tiene sentido poner a la bebé, quien no hizo nada, en su cuna. El punto no es quién hizo tal o cual cosa. El punto es tratar a los niños de la misma manera para evitar que uno desarrolle mentalidad de "víctima" y el otro mentalidad de "intimidador". Seguramente a la bebé no le importa que la dejen en su cuna unos cuantos segundos. Lo que importa es el gesto.

Otra forma de poner a los niños en el mismo barco, es darles a ambos la misma opción, "Pueden dejar de pelear o pueden salirse a terminar su pelea". O, "¿Quieren irse a habitaciones separadas hasta que estén listos para dejar de pelear, o a la misma habitación para buscar una solución a sus problemas?", "¿Quieren sentarse en mi regazo hasta que estén listos para dejar de pelear?" Haga o diga cualquier cosa que sea cómoda para usted, siempre y cuando trate igual a ambas partes.

Todavía puedo escuchar algunas objeciones. Pero, ¿qué tal que el niño más grande golpeó al pequeño sin ninguna razón? ¿No debería ser castigado?, ¿No debería ser consolado el pequeño?

Ya que usted ha leído hasta esta página, sabrá que el castigo no es una alternativa, pues es un ejemplo ridículo que se les da a los niños, "te lastimo para enseñarte a no lastimar a los demás".

Yo sugiero, consolar primero al niño mayor y después invitarlo a consolar al más pequeño. Una vez más, esto no significa premiar al mayor por "empezar el pleito", más bien es reconocer que, por alguna razón, el niño mayor se está sintiendo desalentado. Quizá se sienta destronado por el hermano menor, quizá crea que usted quiere más al pequeño que a él o ella. La razón no es importante en ese momento. (Pero enfrentar la creencia detrás de la conducta sí lo es). Es importante saber cuando se sienten desalentados los niños y necesitan ser alentados. Alentar a un niño podría verse como esto: "Cariño, puedo ver que estás molesta" (validar sentimientos es muy alentador), "¿Te ayudaría que te diera un abrazo?" ¿Puede imaginar la sorpresa de la niña de recibir amor y comprensión en lugar de castigo y distanciamiento? Después de hacerla sentir mejor, usted puede decir, "¿Estarías dispuesta a ayudar a tu hermanita a sentirse mejor? ¿Quieres ser la primera en darle un abrazo, o prefieres que lo haya yo primero?" ¿Puede usted notar, que estos gestos motivan acciones amorosas y pacíficas?

Supongamos que la hermana mayor está demasiado molesta para darle un abrazo o para querer abrazar a la bebé. Aún así inténtelo y después diga: "Me doy cuenta que todavía no estás lista. Voy a reconfortar a tu hermanita y cuando estés lista, vienes a ayudarme". La bebé no va a sufrir si usted se toma unos cuantos minutos para reconfortar a la mayor y evitará fomentar el sentimiento de víctima que podría generar que la pequeña desarrolle la creencia, "la manera de ser especial, es provocar a mi hermana mayor"

Si está usted escuchando estos métodos con su corazón, captará rápidamente la idea. Póngase en los zapatos de sus hijos. ¿Qué le ayudaría más y le enseñaría mejor? Y no olvide utilizar su sentido del humor.

Un padre ponía su dedo pulgar frente a sus hijos que estaban peleando y decía, "Soy reportero de la CBC. ¿A quien le gustaría ser el primero en hablar para mi micrófono y darme su versión de lo que pasa aquí?" Algunas veces los niños solo reían y otras tomaban su turno para dar su versión. Una vez que daban su versión de la pelea, el padre volteaba hacia una audiencia imaginaria y decía, "Bien amigos, ustedes lo escucharon en exclusiva aquí. Sintonícenos mañana para ver como estos dos brillantes jovencitos resolvieron el problema". Si el problema no se había disuelto para ese momento, el padre decía, "Van a poner este problema en la agenda de la junta familiar para que toda la familia ayude a dar sugerencia, o los encuentro aquí mañana – misma hora, mismo canal – para informar a nuestro público.

Cuando los adultos se niegan a involucrarse en las peleas de los niños o a ponerlos en el mismo barco tratándolos de igual manera en momentos de pleitos, el mayor motivo para pelear es eliminado.

Señales no Verbales

LA MAYORÍA DE LOS MÉTODOS discutidos hasta ahora en este capítulo, son formas de señales no verbales. Todas ellas incorporan otros conceptos y actitudes importantes, tales como permitir un periodo de enfriamiento, y ser cordial y firme al mismo tiempo. Enfatizan la acción más que las palabras. Cuando las palabras son necesarias, entre menos, mejor. Es conveniente involucrar a los niños en sesiones para resolver problemas en las que usted decida un plan que incluya señales no verbales y de ese modo dar a los adultos involucrados, ayuda adicional para aprender a mantener la boca cerrada.

El señor Palacios, un director de escuela, decidió asistir a un grupo de estudio para padres en su escuela. Dejó claro para el grupo que estaba asistiendo como padre porque quería aprender algunas habilidades para aplicarlas con sus propios hijos.

Una noche le pidió al grupo que le ayudara a resolver el problema de lograr que su hijo Manuel sacara la basura. Manuel siempre acordaba hacerlo, pero nunca lo hacía a menos que se le hicieran constantes recordatorios. El grupo le hizo al señor Palacios varias sugerencias, como por ejemplo no permitir que prendiera el televisor hasta que cumpliera, o darle a Manuel de elegir en qué momento hacerlo. Un padre sugirió que probara dar la señal no verbal de poner el plato de Manuel boca abajo en la mesa a la hora de la cena si había olvidado sacar la basura antes. El señor Palacios decidió probarlo.

Primero, discutieron en familia el problema de la basura en una junta familiar. Manuel nuevamente, reafirmó que lo haría. El señor Palacios dijo, apreciamos tu disposición para ayudar, pero también nos damos cuenta lo fácil que lo olvidas. ¿Estarías de acuerdo en que utilicemos una señal no verbal y así dejamos de quejarnos?

Manuel quiso saber qué tipo de señal iba a recibir, entonces el señor Palacios le explicó la idea de poner su plato volteado sobre la mesa a la hora de la cena. Si llegaba a la mesa y encontraba su plato volteado, eso sería un recordatorio y entonces podría sacar la basura antes de regresar a la mesa. Manuel dijo, "me parece muy bien".

Pasaron ocho días antes de que olvidara sacar la basura. (Cuando se involucra a los niños en discusiones para resolver problemas, generalmente cooperan un rato antes de poner a prueba el plan).

Cuando llegó a la mesa y vio su plato volteado, Manuel empezó a enfurecerse y se quejó, "¡Tengo hambre, voy a sacar la basura más tarde! ¡Esto es realmente tonto!"

Estoy segura que pueden imaginar lo difícil que fue para los padres ignorar esta molesta conducta. La mayoría de los padres hubieran querido decir, "¡Vamos, tú estuviste de acuerdo, ahora deja de actuar como un bebé!" Si Manuel continuaba con su mala conducta, quizá se habrían olvidado del plan y utilizarían el castigo (lo cual detendría la conducta odiosa del momento, pero no habría resuelto el problema de la basura ni Manuel habría aprendido a ser responsable).

Los señores Palacios continuaron ignorando los berrinches de Manuel incluso cuando azotaba la puerta de la cocina y comía enojado haciendo ruidos con su tenedor en el plato durante toda la cena.

Al día siguiente Manuel recordó sacar la basura y estuvo muy agradable durante la cena. Como resultado de su consistencia en seguir el plan, Manuel no olvidó su tarea durante dos semanas y cuando volvió a ver su plato volteado dijo, "¡Ah claro!" entonces sacó la basura, regresó a la mesa volteó su plato y estuvo agradable mientras comía con el resto de la familia.

Otra razón por la que es difícil para los padres ignorar las rabietas de sus hijos es la sensación de que están permitiendo que se salgan con la suya, pues en realidad sienten que no están cumpliendo con su deber de hacer algo al respecto. Esto podría ser cierto si no existiera ningún plan o propósito de ignorarlo. Los señores Palacios dejaron que el muchacho "se saliera con la suya" al hacer sus rabietas temporales (recuerde que a menudo las cosas empeoran antes de mejorar), pero como era parte de un plan previamente acordado, resolvieron el problema de quejas continuas sobre tareas desatendidas.

La señora Leal se sentía frustrada porque le molestaba mucho que sus hijos llegaran de la escuela y aventaran sus libros sobre el sofá. Las quejas constantes no habían producido ningún cambio. Durante una junta familiar les dijo a los niños que ya no quería gritar y quejarse más al respecto, y sugirió la señal no verbal de poner una funda de almohada sobre el televisor como recordatorio de que había libros en el sofá. Los niños estuvieron de acuerdo con el plan y funcionó muy bien. Su madre no se involucró más después de la señal. Cuando los niños veían la funda, recogían sus libros o le recordaban a alguien más que lo hiciera.

Varias semanas después, la señora Leal quería ver su telenovela favorita después que los niños se habían ido a la escuela. Le sorprendió encontrar la funda sobre el televisor y cuando miró hacia el sofá se dio cuenta que ella misma había dejado unos paquetes ahí, la noche anterior cuando tenía prisa de hacer la cena.

Toda la familia se rió de que el plan se aplicara a quien lo había ideado, pero lo disfrutaban y desde entonces los niños pensaban en diversas señales no verbales para resolver problemas.

A la señora Ruiz le gustaba utilizar señales no verbales en su grupo de quinto año de primaria. Se los enseñaba a sus alumnos casi como una segunda lengua en el primer día de clases. Una de estas señales no verbales es que los niños se sienten en silencio con sus manos entrelazadas sobre su escritorio cuando estén listos para escuchar. Cuando ella quiere que se volteen y se siente durante clases o alguna asamblea, levanta su dedo índice derecho y hace dos pequeños círculos y dos movimientos hacia arriba y hacia abajo en el aire al ritmo de las palabras "Den la vuelta y siéntense". También les enseña una señal de silencio cuando hay mucho ruido. Ella aplaude una vez, todos los que escucharon el aplauso también aplauden una sola vez. Después aplaude dos veces, para entonces varios alumnos ya escucharon el eco de sus compañeros y se unen a la respuesta de dos aplausos. Generalmente dos aplausos son suficientes para tener a todos en silencio, aunque de vez en cuando se requieren tres aplausos.

La señora Núñez y su hija Ale siempre se sentían mal después de sus peleas y rápidamente se disculpaban. Un día discutieron esto y decidieron observar cual de las dos sería la primera en recordar poner su mano sobre su corazón como señal no verbal de "te amo" en medio de una pelea. La señora Núñez confesó que fue un poco penoso que Ale era generalmente, la primera en recordarlo.

Opciones

UNO DE LOS MÁS GRANDES errores que cometen los adultos es dar órdenes en lugar de dar opciones. A menudo los niños responden a las opciones y no lo harán a las órdenes, especialmente cuando después de darle la opción usted dice, "Tú decides." Las opciones deben ser respetuosas y deben enfatizar las necesidades de la situación. Las opciones están directamente relacionadas a la responsabilidad. Los niños pequeños son menos capaces de afrontar grandes responsabilidades, por lo tanto sus opciones son más limitadas. Los niños más grandes ya son capaces de tener opciones más amplias, porque pueden asumir la responsabilidad de las consecuencias de sus elecciones. Por ejemplo, a los niños pequeños se les puede dar la opción de irse a la cama en ese momento o cinco minutos más tarde. A los niños mayores se les puede dar la responsabilidad de elegir la hora de irse a la cama, porque también pueden asumir toda la responsabilidad de levantarse por las mañanas para ir a la escuela sin ningún pleito.

Las opciones también están directamente relacionadas con el respeto, y la conveniencia de los demás. A los niños más pequeños se les puede dar la opción de sentarse a comer a la hora de la comida o esperar hasta la siguiente comida, en lugar de tener que cocinar y limpiar más de una vez por comida. A los niños mayores se les puede dar la opción de estar a tiempo a la hora de la comida o de prepararse su propia comida después y limpiar y ordenar lo que sea necesario.

Cada vez que se da opciones, cualquiera de las alternativas debe ser aceptable para el adulto. La primera vez que puse en práctica esta herramienta le pregunté a mi hija de tres años: "¿Quieres prepararte para ir a la cama?", ella dijo que no. Obviamente, la opción que le ofrecí iba más allá de la necesidad (suya y mía) de que se fuera a la cama, y la opción que le ofrecí no incluía ninguna alternativa que yo estuviera dispuesta a aceptar. Esperé cinco minutos y empecé de nuevo preguntando, "¿Quieres usar la pijama rosa o la azul? Tú decides." Ella eligió la pijama azul y empezó a ponérsela. El añadir "Tú decides" después de una opción es muy importante porque se les da el mensaje de que tienen la capacidad de tomar decisiones y además se enfatiza el hecho de que el niño tiene opciones.

¿Qué pasa si no quieren ninguna de las opciones y quieren hacer algo diferente? Si lo que quiere el niño, es aceptable para usted, está bien, pero si no lo es, diga. "Esa no es opción" y entonces repita las opciones que le está ofreciendo, y agregue, "tú decides".

Los niños no pueden tener opción en diversas cosas, tales como si hacer o no su tarea. La tarea escolar es algo que se tiene que hacer, pero se les puede ofrecer opciones respecto al momento de hacerla, como por ejemplo, llegando de la escuela o antes o después de la comida.

"Tan Pronto Como..."

"TAN PRONTO COMO hayas recogido tus juguetes, podrás ir al parque". Esta frase generalmente es más efectiva que, "Si recoges tus juguetes, iremos al parque". La primera la toman los niños como una orden cordial pero firme que les indica lo que usted está dispuesto a hacer bajo determinadas circunstancias. La segunda frase la toman (y generalmente es la intención del adulto) como reto en una lucha de poderes. Las frases que empiezan con "tan pronto como..." son efectivas cuando no contienen ninguna intención adicional. En otras palabras, a usted no le importa ir o no ir al parque, sabe que los niños quieren ir, así que depende de ellos cumplir con los requisitos.

Lo que usted necesita aceptar es que es posible que no vayan al parque debido a que los niños eligen no recoger sus juguetes. Si usted está interesada en ir al parque, intente haciendo preguntas: "¿Quién quiere ir al parque? ¿Qué tenemos que hacer antes de irnos?"

Muchos maestros han encontrado provechoso decir, "Tan pronto como estén listos, empezaremos con nuestra lección de hoy".

Tienen una actitud de respeto por sí mismos, sus alumnos y las necesidades de la situación – la clave del éxito en este método. "Tan pronto como" es una frase que debe decirse en un tono de voz que indique que usted se retirará de la situación hasta que se cumplan todos los requerimientos. Debe entonces, despreocuparse y dejar que los niños experimenten las consecuencias de sus decisiones. Si no lo hace, entonces la situación se volverá una lucha de poderes sin importar las palabras que se utilicen.

Asignación de Dinero

LAS MESADAS pueden ser una gran herramienta. Cuando los niños tienen una asignación de dinero regular pueden aprender el valor del dinero —si los padres lo manejan de una manera efectiva.

La asignación de dinero no debe ser utilizada para castigar o premiar. Muchos padres lo utilizan como medio para hacer a los niños responsables de sus obligaciones. Les dan dinero como premio cuando cumplen con sus obligaciones y se los quitan como castigo cuando no cumplen. Los niños aprenden mucho más sobre el dinero y la responsabilidad cuando no existe la amenaza. Utilice las juntas familiares para enseñarles a hacerse responsables de sus obligaciones y mantenga el asunto del dinero como un tema separado.

Si los niños tienen su propio dinero, usted puede despreocuparse cuando ven algo que quieren en alguna tienda. Cada vez que Mariana dice, "¡yo quiero eso!", su madre responde, "¿tienes suficiente dinero para comprarlo?" Generalmente Mariana no lo tiene, entonces su madre dice, "bueno, quizá quieras ahorrar de tu mesada para que puedas comprarlo más adelante".

Entonces en ese momento, Mariana cree que lo desea tanto que va a ahorrar fielmente el dinero hasta que tenga lo suficiente para comprarlo. Sin embargo, unas horas más tarde, generalmente se olvida del asunto. En realidad no es algo que desee tanto como para ahorrar de su mesada, aunque sí le encantaría que su madre gastara del suyo para comprárselo.

Cuando los niños crecen y desean artículos caros como una bicicleta, es bueno que los hagamos ahorrar una determinada cantidad mensual.

Cuando han invertido parte de su dinero en las cosas, son mucho más responsables y cuidadosos de ellas. Los niños pueden también utilizar su dinero para reparar daños que hayan causado en cosas ajenas.

REVISION

Todos los métodos explicados en este capítulo pueden ser efectivos si se usan y enseñan de una manera cordial. Su actitud, intentos y formar son la clave del éxito.

Algunos adultos emplean estos métodos de la misma manera y para los mismos propósitos que utilizan el castigo, pero el enfoque punitivo invita a la rebeldía o a la total sumisión. El enfoque positivo invita a la cooperación, al respeto mutuo, la responsabilidad y el interés social.

Herramientas de Disciplina Positiva

1. Disponga un tiempo de enfriamiento porque usted puede ser mejor si se siente mejor – la técnica del baño (para los padres) la técnica de la novela (para los maestros), el Tiempo Fuera Positivo (para niños y adultos).
2. Decida lo que usted hará y no lo que tratará de obligar hacer a los niños.
3. Hágales saber a los niños por anticipado cuales son sus planes.
4. Utilice acciones cordiales y firmes – no palabras (mantenga la boca cerrada y actúe).
5. Cuando las palabras son necesarias sea breve, cordial y firme.

6. Utilice el retiro emocional para permanecer al margen de las luchas de poder y espere a que las cosas se tranquilicen para enfocarse en las soluciones.

7. Utilice las tablas de rutinas para evitar luchas de poder.

8. Evite las discusiones a la hora de dormir compartiendo los momentos más felices y los más tristes del día con sus hijos mientras los arropa en la cama.

9. Evite las luchas de poder involucrando a los niños en las soluciones.

10. Permanezca al margen de los pleitos de los niños – o trate a sus hijos equitativamente.

11. Primero consuele al niño que agredió e invítelo a que le ayude a consolar al que fue agredido.

12. Valore los sentimientos de los niños.

13. Abrácelos

14. Utilice su sentido del humor.

15. Involucre a los niños en la planeación y preparación de los alimentos, así como en la limpieza posterior.

16. Establezca recordatorios no verbales con los niños en cuanto las cosas que deben hacer.

17. Ofrezca opciones en lugar de dar órdenes.

18. Utilice frases que empiecen con "Tan pronto como....."

19. Utilice la asignación de dinero para enseñarles su adecuado manejo y no para castigarlos o premiarlos.

Preguntas

1. ¿Cuáles son varios de los métodos que se pueden utilizar como periodos de enfriamiento?

2. ¿Cuál es la razón fundamental para el método de "Decida lo que usted hará, no lo que obligará hacer a los niños? ¿Por qué es tan efectivo?

3. ¿Cuáles son los seis puntos a recordar para incrementar la efectividad de los métodos anteriores?

4. ¿Qué significa despreocuparse al utilizar estos métodos? ¿Qué debe hacer si no puede despreocuparse?

5. ¿Qué significa retirarse emocionalmente?

6. ¿Qué es lo que debe acontecer siempre después de un periodo de enfriamiento o cualquier otra forma de retirada?

7. ¿Cuáles son los conceptos clave necesarios para evitar las discusiones matutinas y nocturnas?

8. ¿Por qué el compartir tiempo de calidad a la hora de dormir ayuda a evitar las discusiones a esa hora?

9. ¿Cuáles son los resultados negativos de involucrarse en las peleas de los niños?

10. ¿Cuál es procedimiento que debe seguir cuando decide permanecer al margen de esos pleitos?

11. ¿Cuáles son las tres circunstancias en las que no es aconsejable permanecer al margen?

12. Cuando se ha decidido involucrarse en los pleitos de los niños, ¿cuál es el mejor método a utilizar?

13. ¿Qué significa "poner a los niños en el mismo barco"? ¿Qué resultados negativos ayuda a evitar este método?

14. ¿Cuáles son las señales no verbales? ¿Qué podemos lograr al utilizarlas?

15. ¿Cuáles son los beneficios de dar opciones?

16. ¿Cuáles son algunos de los principios para garantizar la efectividad de las opciones?

17. ¿Cuáles son las ventajas de seguir las sugerencias en cuanto a la asignación de dinero?

18. ¿Cuáles son las claves del éxito de utilizar cualquiera de los métodos sugeridos en este libro?

12

Amor y Alegría en el Hogar
y
el Salón de Clases

El amor y la alegría es lo único para lo que fue educado
> — *John Denver*

¿Tus ojos se iluminan cuando los ves entrar en tu habitación?
> — *Maya Angelou*

EL OBJETIVO PRINCIPAL de Disciplina Positiva es lograr que tanto los adultos como los niños experimenten más alegría, armonía, cooperación, responsabilidad compartida, respeto mutuo y amor en su vida y sus relaciones. A menudo actuamos como si olvidáramos que el amor y la alegría son fundamentales al vivir y trabajar con los niños, y nos encontramos actuando a partir del miedo, los prejuicios, las expectativas, la culpa, la desilusión y el enojo. Y luego nos preguntamos por qué nos sentimos tan miserables.

Tres Señales

ESTAS SON tres señales que nos muestran cómo evitar desvíos que nos impidan experimentar amor, alegría y satisfacción en nuestra relación con los niños.

1. Lo que Hacemos nunca es tan importante como la forma en que lo hacemos.

El sentimiento y actitud que hay detrás de lo que hacemos, determinará el "cómo" lo hacemos. El sentimiento detrás de las palabras, a menudo es más evidente en nuestro tono de voz.

El otro día regresando de un viaje, fui recibida con un fregadero lleno de platos sucios. Me sentí decepcionada y enojada y empecé a reprender y a criticar. "Habíamos acordado que todos pondríamos nuestros platos en la lavavajillas, ¿cómo es posible que nadie cumpla con su acuerdo cuando no estoy en casa?"

Busqué a alguien a quien culpar, pero todos decían "Yo no fui"

A partir de un sentimiento negativo, dije, "Está bien, tendremos una junta familiar para decidir que vamos a hacer al respecto"

¿Pueden ustedes imaginar el resultado si hubiésemos tenido esa junta familiar basada en mis sentimientos de querer culpar y criticar? No hubiera sido posible encontrar el tipo de soluciones efectivas que surgen en un ambiente de amor y respeto. Mi actitud de ataque hubiera inspirado actitudes defensivas y de contraataque en lugar de armonía.

Me percaté de lo que estaba haciendo e inmediatamente cambié de dirección. Me di cuenta que mi actitud negativa no produciría los resultados deseado – sin mencionar lo miserable que me sentía en el momento. Tan pronto como cambié mi actitud, mis sentimientos cambiaron y tuve una inspiración inmediata respecto a la manera de obtener resultados positivos.

Le dije a mi familia, "salgamos a comer pizza y después hacemos la junta para buscar soluciones en lugar de culpables".

Basándonos en esos sentimientos, tuvimos una junta familiar bastante exitosa. Concluimos entre risas que seguramente fue un fantasma el que dejo los trastes sucios. Cuando dejamos de buscar culpables y nos concentramos en las soluciones, Mark y Mary propusieron un maravilloso plan. Que a todos se nos asignaran dos días de la semana para lavar los trastes del fantasma. Como podrá usted suponer, en los siguientes días se quedaban muy pocos trastes sucios en el fregadero, después de esta cordial discusión en la que todos tomamos la responsabilidad de resolver el problema.

Actuar a partir de pensamientos y sentimientos negativos es un camino seguro alejado del amor, la alegría y los resultados positivos. Al remover las actitudes negativas, permitimos que nuestros buenos sentimientos naturales y nuestro sentido común fluyan.

2. Vea los errores como oportunidades para aprender

A lo largo de este libro he mencionado la importancia de ayudar a los niños a experimentar sus errores como oportunidades para aprender. Cuando los adultos no aplican este principio a sí mismos, se desvían del camino del amor, la alegría y los resultados positivos, como se ilustra en el siguiente ejemplo:

Miguel, de segundo año, pateó a un compañero. La Sra. Herrera, su maestra estaba muy molesta con él y quería enseñarle a no lastimar a los demás. Lo sacó del salón de clases para reprimirlo y le dijo, "¿Cómo te sentirías si alguien te pateara?"

Con la intención de mostrarle lo que se siente, ella lo pateó, aunque un poco más fuerte de lo que quería hacerlo. En ese momento pasaba una asistente que vio el incidente y lo reportó a la dirección.

La Sra. Herrera se sentía muy mal por lo que había hecho. Creía en los principios de la Disciplina Positiva y había tratado de implementarlos durante años. Llamó para preguntar qué fue lo que le pasó, cómo pudo haber hecho algo así, qué más podría hacer.

Primero, se le aseguró a la Sra. Herrera que era un ser humano completamente normal. ¿Qué padre o maestro en este planeta no ha perdido el control y reaccionado con enojo en lugar de actuar de maneras más convenientes para obtener buenos resultados a largo plazo?

Segundo, se le hizo conciente de que cometió un error y se le motivó para que se diera unas palmaditas en la espalda en lugar de castigarse. Muchos padres y maestros ni siquiera se dan cuenta que cometen errores.

Tercero, se le reconoció que quisiera mejorar y solucionar la situación y se le alentó para que mirara esto como un regalo (o una llamada de alerta) lo que la motivó a buscar respuestas para un futuro comportamiento mejorado de su parte.

Los libros de Disciplina Positiva están llenos de opciones de otras cosas para hacer en lugar de reaccionar, pero ese no es el punto aquí. El punto es que debemos darnos cuenta que todos los seres humanos podemos engancharnos en reacciones en lugar de pensar y luego actuar. La mayoría de los adultos en realidad tienen buenas intenciones – simplemente quieren enseñar a los niños a ser más respetuosos. El problema es que al reaccionar, tenemos una conducta irrespetuosa (nos portamos mal) en nuestro intento por enseñar a respetar. Y mientras reaccionamos, nos interesa más (sin pensar en ello), hacer que el niño "pague" a través de la culpa, la vergüenza y el dolor, por lo que ha hecho. No pensamos en los efectos a largo plazo que se manifestarán en el niño, pues si lo hiciéramos, no reaccionaríamos.

Afortunadamente, esto puede ser el principio, no el final. Hemos descubierto que no importa cuántas veces reaccionemos y olvidemos usar los principios de Disciplina Positiva, siempre podemos regresar a ellos y arreglar el desastre que hemos causado con nuestras reacciones. Es cierto, una y otra vez, que los errores son excelentes oportunidades para aprender.

Después de aprender de nuestros errores, los adultos descubrirán que los niños son muy indulgentes y perdonan cuando utilizan las Tres "R" de Recuperación. A la Sra. Herrera le tomó más de una semana recuperarse de su humillación y autoflagelación. Después se acercó a Miguel y se disculpó, le dijo, "Miguel, lamento mucho haberte pateado. Estaba muy molesta porque tú habías pateado a José pero hice lo mismo que me causó enojo. Eso no fue muy inteligente de mi parte ¿cierto?"

Miguel solo la miraba tímidamente, pero tenía su atención y continuó diciendo, "No muy lindo de mi parte, ¿verdad?" Miguel negó con la cabeza.

Entonces la Sra. Herrera preguntó, "¿Te hace sentir mejor si te digo que en verdad lo siento? Miguel asintió. Entonces la maestra continuó, "¿Cómo crees que se sentiría José si tu también le dijeras que lo sientes mucho?" Miguel murmuró "Mejor".

Entonces la Sra. Herrera le preguntó, "¿Qué te parece si te disculpas con José y luego los tres nos juntamos y buscamos la forma de solucionar el problema que tienes con él? O podríamos ponerlo en la agenda de la junta del salón de clases y pedirles a todos en el grupo que nos ayuden. ¿Cuál de las dos opciones prefieres?" Miguel respondió, "Sólo nosotros".

La maestra preguntó, "¿Cuánto tiempo necesitas para disculparte con José y pedirle que se reúna con nosotros en una sesión para resolver problemas?"

Miguel se animó y dijo, "Puedo hacerlo hoy mismo". "Bien", dijo la maestra, "avísame cuando estén listos y fijaremos la hora".

La Sra. Herrera, Miguel y José se reunieron al día siguiente y discutieron la percepción de cada uno de lo que había sucedido, la causa del problema, sus sentimientos al respecto, lo que habían aprendido de la experiencia y sus ideas para solucionar el problema. También discutieron el concepto de ver los errores como oportunidades de aprendizaje. Los niños se retiraron sintiéndose muy satisfechos sobre los acuerdos que habían hecho para evitar pelear en el futuro.

Este es un excelente ejemplo de cómo los errores proporcionan muchas oportunidades para aprender. La Sra. Herrera fue capaz de poner el ejemplo, haciéndose responsable de sus errores y ofreciendo disculpas. Entonces ayudó a Miguel a sentirse bien al disculparse por sus errores. Fue también capaz de ayudar a los niños para que cada expresara su percepción de la experiencia y finalmente que practicaran la maravillosa habilidad de idear soluciones y acordar lo que cada uno haría en un futuro.

Nunca me cansaré de repetirlo. Los errores son maravillosas oportunidades para aprender – tanto para los niños como para los adultos.

Los adultos pueden aprender más de este concepto observando a los niños pequeños cuando están aprendiendo a caminar. Los bebés no pierden el tiempo sintiéndose inadecuados cada vez que se caen, simplemente se levantan y continúan. Si se lastiman en la caída, es posible que lloren un poco antes de continuar su camino, pero no agregan culpa, crítica u otro mensaje destructivo a su experiencia. Podemos ayudar a nuestros hijos a mantener esta sencilla manera de experimentar la vida, redescubriendo el valor de los errores por nosotros mismos.

Pensar que tenemos que ser perfectos, es un conocido camino alejado del amor y la alegría en la vida. Las Cuatro "R" de la Recuperación (como se discute en el capítulo dos) nos pueden regresar al camino correcto.

3. A veces tenemos que aprender la misma cosa una y otra vez.

Cuántos padres han dicho, "¿Cuántas veces tengo qué decírtelo?"

Estos padres vivirán en la decepción y frustración si no comprenden que la respuesta es "una y otra, y otra y otra vez" (A menudo creo que los niños en realidad no comprenden lo que les tratamos de enseñarles hasta que tienen sus propios hijos y tratan de enseñarles lo mismo).

La señora Barrios expresó mucho alivio al escuchar este principio, dijo, "Pensé que solo con una junta familiar lograría que mis hijos cooperaran en las tareas domésticas. Pero su entusiasmo no duró más que una semana, entonces pensé que esto no estaba funcionando y regresé a los regaños diarios.

La señora Barrios no se dio cuenta del progreso que había tenido al lograr mantener el entusiasmo en sus hijos durante toda una semana y le hable sobre el síndrome de las tres semanas (explicado en el capítulo nueve) y la manera en que acepté con gratitud que encargarme de las labores domésticas una vez cada tres semanas era mucho mejor que regañar y frustrarme diariamente.

Los niños no son los únicos que necesitan varias oportunidades para aprender. De otra manera, ¿por qué necesitaríamos utilizar las Cuatro "R" de Recuperación tan frecuentemente? Una variante de sentirse miserable, es sentirse inadecuado o frustrado cada vez que nosotros o nuestros hijos no aprendemos algo a la primera. El camino del amor y la alegría incluye no solo la aceptación de que cometeremos errores, sino que tendremos oportunidades para aprender una y otra vez. Es una parte importante del proceso de aprendizaje.

En este libro hemos presentado varios métodos que si se ven solamente como técnicas, no van a funcionar. También hemos presentado varias de las actitudes positivas y cuando se juntan los métodos con las actitudes positivas, entonces se vuelven conceptos que crean una ambiente de amor, respeto mutuo, cooperación y alegría entre los niños.

Este capítulo incluye varios conceptos que requieren participación y guía por parte del adulto para poder ayudar a los niños a desarrollar bases fuertes. La actitud de amor y alegría es esencial y ayuda a buscar los aspectos positivos de cada situación.

Buscando el Lado Positivo de la Situación

LAURA FUE SUSPENDIDA de la escuela por tener cigarrillos en su casillero. Le dijo a su padre, "¡No sé como aparecieron ahí! Yo solo los estaba guardando en mi bolsillo para llevárselos al director cuando llegó la maestra y me mandó a la oficina". Al padre de Laura le costaba mucho creer que su hija no supiera cómo habían llegado los cigarrillos a su casillero, ya que éste tenía un candado de seguridad. También encontró muy difícil creer que solamente los estaba guardando en su bolsillo para llevárselos al director. Le decepcionaba que Laura le mintiera, pues siempre habían sido muy cercanos y cariñosos. Al mismo tiempo le preocupaba que estuviera empezando a arruinar su vida involucrándose en cosas como fumar, beber o usar drogas.

El padre se sentía tan mal que habría decidido regañar y castigar a su hija dejándole saber cuán decepcionado estaba, en vez de buscar el lado positivo de la situación. No es tan difícil de encontrarlo si estás dispuesto a buscarlo. Pero se adentró al mundo de Laura, y cuando lo hizo, pudo comprender que quizá ella estaba pasando por un momento difícil buscando la manera de apegarse a sus valores familiares sin tener que dejar de pertenecer a su grupo de iguales. También comprendió que la única razón por la que Laura le mentiría, era precisamente porque no quería decepcionarlo.

Al comprender esto, el padre de Laura se le acercó y en lugar de regañarla y castigarla, cariñosamente le dijo, "Laura, sé lo difícil que es tratar de encontrar la manera de apegarte a tus convicciones y evitar que tus amigos te llamen "aguafiestas". Laura se sintió aliviada y dijo, "Si, lo es." Entonces el padre continuó, "Y estoy seguro que si alguna vez nos mientes, será porque nos amas tanto que no querrías decepcionarnos". A Laura se le rodaron unas lágrimas de los ojos y solo pudo asentir con la cabeza. Su padre agregó, "Nos sentiríamos decepcionados si hicieras algo que te lastimara, pero si no sabes que a nosotros puedes decirnos lo que sea, entonces somos nosotros quienes no estamos haciendo bien nuestro trabajo al querer dejarte claro que lo mucho que te amomos –incondicionalmente" Laura abrazó a su padre y mantuvieron ese abrazo un rato.

Nunca discutieron directamente el asunto de fumar y mentir. Ya ha pasado más de un año y Laura parece disfrutar cuando les cuenta a sus padres cada vez que tiene que resistirse a la tentación de hacer algo contrario a sus valores. También se siente orgullosa de estar influenciando a sus amigos para que se apeguen a sus propios valores.

Dar a los Niños el Beneficio de la Duda

Todo niño quiere triunfar, todo niño quiere tener buena relación con los demás, todo niño desea sentir que pertenece y es importante. Si recordamos esto, les daremos a los niños "mal portados" el beneficio de la duda. En vez de asumir que quieren ser difíciles, asumamos que quieren resultados positivos pero que simplemente están respecto a la manera de lograrlo. No tienen el conocimiento, las habilidades o la madurez para encontrar el sentido de pertenencia e importancia de una manera útil. Es nuestra responsabilidad ayudarles a desarrollar lo que necesitan. Para ser eficientes, nuestro desempaño debe estar basado en la actitud, "Sé que quieres triunfar, ¿cómo puedo ayudarte?" Cuando tenemos esta actitud, es más probable que los niños se sientan amados incondicionalmente.

Expresar el Amor Incondicional

LOS NIÑOS NECESITAN saber que ellos son más importantes que cualquier cosa que hagan. Necesitan saber que son más importantes que las posesiones materiales de nuestras vidas.

La madre de Alfredo cometió algunos errores antes de aprender este punto tan importante. Alfredo rompió accidentalmente uno de los jarrones antiguos de su madre. Ella se sintió tan contrariada que se sentó a llorar.

Alfredo se sintió muy mal de lo que había hecho, pero finalmente preguntó, "Madre, ¿te habrías sentido así de mal si algo me hubiese pasado a mi?"

313

A menudo los niños no saben cuánto los amamos y cuán importantes son. A veces los padres y maestros nos enfocamos tanto en la mala conducta, que perdemos de vista al niño – y el niño se pierde de vista a sí mismo.

En alguna ocasión estuve dando consulta a una familia cuya hija había robado algunas prendas de ropa (como parte de una broma, según argumentaba ella) de una amiga con la que estaba enojada. La madre y la hermana estaban tan molestas con esto que la llamaban ladrona y se preguntaban si no había ago esencialmente malo en ella. Yo les pregunté por qué estaban tan molestas, y cual era su verdadera preocupación. Entonces la madre respondió que temía que su hija terminara en un centro de detención juvenil. Entonces le pregunté, por qué eso sería un problema a lo que respondió que le preocupaba que su hija fuera lastimada. Entonces le pregunté como creía que se sentía la chica cuando la llamaban ratera y cuando la acusaban de tener algo realmente malo en ella. La madre aceptó que ya estaba lastimando a su hija mientras le preocupaba que fuese lastimada.

Le pregunté a la chica que creía que le lastimaría más, ir a un Centro de detención Juvenil o lo que estaba experimentando con su madre, ella respondió, "Esto duele mucho más".

Ya que la hija es adolescente, no hay manera de que la madre la controle. Lo que necesita esta chica es experimentar las consecuencias de sus actos al mismo tiempo que cuenta con el amor y apoyo de su madre.

Es tan fácil equivocarnos de tal manera que la intención de nuestro mensaje se pierde. Esta madre estaba humillando a su hija porque la amaba y quería protegerla de ser lastimada. Todo lo que la chica recibía eran humillaciones, lo que ella interpretaba como "Mi madre ni siquiera me quiere".

Sé que aman a sus hijos, ustedes saben que aman a sus hijos, pero ¿acaso ellos lo saben? Se sorprenderían de la respuesta, si les preguntaran.

Una madre le preguntó a su hijo de tres años "¿Sabes realmente cuánto te amo?", el niño respondió, "Sí, sé que me amas si me porto bien".

Un adolescente respondió a la misma pregunta, "Sé que me amas si saco buenas calificaciones"

Con frecuencia regañamos a nuestros hijos para que sean mejores, y queremos que sean mejores porque los amamos y creemos que serán más felices si hacen lo que creemos que es bueno para ellos. Pero generalmente, ellos no reciben el mensaje de que queremos que sean mejores por ellos mismos. La conclusión a la que llegan es, "Nunca puedo hacer nada bien. No puedo cumplir con tus expectativas. Quieres que sea mejor por ti, no por mi".

Recuerde que los niños se portan mejor cuando se sienten mejor, y nada se siente mejor que el amor incondicional. La mayoría de los padres no están concientes que han sido nada amorosos cuando utilizan el castigo. De hecho, la mayoría de los padres utilizan el castigo en nombre del amor. En el libro *"Padres que Aman Demasiado"* se utiliza el siguiente ejemplo que muestra cómo los padres utilizan el castigo mientras otros métodos pueden ser más efectivos, y cuántos adultos piensan, "Yo fui castigado y ahora no estoy tan mal".

Sí, la mayoría de nosotros no estamos tan mal, aún cuando fuimos castigados. Podemos reírnos de algunos de los castigos que recibimos cuando éramos niños –e incluso decir que los merecíamos. Sin embargo, si nos hubieran permitido aprender de nuestros errores, en lugar de hacernos pagar por ellos, ¿Sería posible que ahora estuviéramos mejor de lo que estamos?

En la siguiente historia, Armando pasó por un proceso que le ayudó a comprender la diferencia entre el castigo (que le ayudó a no "estar tan mal") y la disciplina no punitiva que le habría ayudado mucho más.

Armando contó a su grupo de padres de familia sobre una ocasión en la que hizo trampa en un examen de quinto grado. Dijo,

"Fui lo bastante estúpido para escribirme algunas respuestas en la palma de la mano y la maestra me vio abriendo el puño buscándolas" La maestra agarró el examen de Armando, y frente a toda la clase lo hizo pedazos. Lo reprobaron y públicamente lo llamaron tramposo. La maestra les comunicó todo a sus padres y su padre le dio una paliza y lo castigó sin salir durante un mes. Entonces Armando comentó, "Nunca más volví a hacer trampa y ciertamente merecía reprobar".

El líder del grupo le ayudó a explorar esta experiencia para que entre todos buscaran si había una forma más productiva de manejar la situación.

Líder: ¿Todos están de acuerdo con Armando en que merecía reprobar el exámen?

Grupo: Si

Líder: ¿Creen que reprobar habría sido suficiente para enseñarle las consecuencias de sus actos, o creen que era necesario castigarlo también?

Grupo: Mmmm…

Líder: ¿Qué crees tú Armando, cómo te sentiste por reprobar el examen por haber hecho trampa?

Armando: Me sentí muy culpable y muy avergonzado

Líder: ¿Qué fue lo que decidiste a partir de esos sentimientos?

Armando: Que no lo volvería a hacer

Líder: ¿Qué fue lo que sentiste después de recibir la paliza (castigo)?

Armando: Que era una gran decepción para mis padres. Todavía me preocupa decepcionarlos.

Líder: Entonces, ¿de qué manera te ayudó el castigo?

Armando: Bueno, yo ya había decidido no volver a hacer trampa. La culpa y la vergüenza de haber sido pillado frente a todo el grupo fue suficiente para enseñarme la lección. De hecho, esa preocupación de decepcionar a mis padres ha sido una fuerte carga.

Líder: Si tuvieras una varita mágica y pudieras cambiar los diálogos del evento, ¿cómo los cambiarías? ¿qué cambiarías de lo que cada quien dijo o hizo?

Armando: Bueno, antes que nada, yo no haría trampa

Líder: ¿Y después, qué?

Armando: No lo sé

Líder: ¿Quién tiene algunas ideas que pueda compartir con Armando? Generalmente es más fácil ver las alternativas cuando no se está emocionalmente involucrado. ¿Qué habrían podido hacer o decir la maestra y los padres de Armando, para enseñar una disciplina cordial y firme?

Miembro del grupo: Yo soy maestra y estoy aprendiendo mucho de esto. La maestra pudo haber llamado a Armando aparte y preguntarle por qué estaba copiando.

Líder: Armando, ¿cómo habrías respondido a eso?

Armando: Diciendo que quería pasar el examen.

Miembro del grupo: Entonces yo hubiera valorado su deseo de pasar y le habría preguntado como se sentía haciendo trampas para lograr su objetivo.

Armando: Hubiera prometido no volverlo a hacer jamás.

Miembro del grupo: Entonces le hubiera dicho que reprobaría este examen, pero que me alegraba que él hubiera aprendido a evitar hacer trampa. Después le habría pedido que preparara un plan respecto a lo que iba a hacer para pasar el siguiente examen y me lo entregara.

Armando: De todas formas me hubiera sentido culpable y avergonzado, pero también habría apreciado la cordialidad acompañada de firmeza. Ahora comprendo claramente lo que significa.

Líder: Ahora, ¿tienes alguna idea de cómo utilizar tu varita mágica para cambiar lo que tus padres hicieron?

317

Armando: Hubiera sido bueno que ellos tuvieran conciencia de lo culpable y avergonzado que me sentía. Hubieran sentido empatía respecto a la dura lección que tuve que aprender. Entonces ellos habrían expresado su confianza en mí para aprender de mis experiencias y hacer lo correcto en el futuro. Habrían podido asegurarme que me amaban incondicionalmente, y que esperaban que no me decepcionara a mi mismo en un futuro. ¡Caramba! ¡Qué buen concepto! –preocuparme más de no decepcionarme a mí mismo que a mis padres. Me parece muy alentador.

De esta discusión surgieron varios puntos respecto a la educación no punitiva:

1.   La educación no punitiva, no significa dejar que los niños se "salgan con la suya".
2.   La educación no punitiva, significa ayudar a los niños a explorar las consecuencias de sus actos apoyándoles y alentándolos para que se logre el crecimiento.
3.   La mayoría de la gente se "compone" incluso si han sido castigados – y habrán aprendido incluso más si han sido tratados tanto con cordialidad como con firmeza, para aprender de sus errores.

El padre de Armando no tuvo el beneficio de comprender los resultados a largo plazo de estos métodos educativos. No tuvo el beneficio de comprender la importancia en entrar al mundo del niño.

No supo que los niños se portan mejor cuando se sienten mejor. No sabía sobre el poder del amor incondicional combinado con cordialidad y firmeza al mismo tiempo. Si lo hubiese sabido, Armando se habría sentido más seguro para pasar por los Cuatro Pasos para Obtener Cooperación.

Cuatro Pasos para Obtener Cooperación

LOS CUATRO PASOS para Obtener Cooperación (que presentamos en el capítulo dos) son excelentes para ayudarle a entrar en el mundo del niño. Utilícelos cada vez que sienta una gran brecha en su comunicación, que pueda estar creando hostilidad y resentimiento. Ambas partes se sentirán comprendidas después de utilizar esta herramienta.

La mayoría de los padres quieren que sus hijos obtengan mejores calificaciones. A menudo los niños interpretan esto como que las calificaciones son más importantes que ellos mismos. Los Cuatro Pasos para Obtener Cooperación puede ser útil cuando nuestros hijos dudan de los beneficios de nuestras sugerencias.

1. Exprese comprensión por los sentimientos del niño: "¿Crees que yo quiero que tengas mejores calificaciones por mí o por ti?"
2. Muestre empatía sin condonar: "Yo entiendo que sientes que no puedes hacer las cosas lo suficientemente bien hechas para mi. Cuando mis padres querían que yo fuera mejor, yo sentía que mi objetivo en la vida era vivir para ellos y sus expectativas."
3. Comparta sus verdaderos sentimientos: "Yo honestamente quiero que mejores tus calificaciones porque creo que será benéfico para ti. Sé que parece una molestia ahora, pero una buena educación te abrirá muchas puertas en el futuro y te puede ofrecer más opciones".
4. Invite al niño en enfocarse en la solución: "¿Cómo crees que podamos solucionar esto para que puedas mejorar y verlo como un beneficio para ti y no como una crítica de mi parte?

Crear un ambiente de cooperación es fundamental para enseñar a comunicarse y a resolver problemas, habilidades que conforman la esencia de la responsabilidad social. Cuando los niños tengan una buena comunicación y habilidades para resolver problemas, mejorarán enormemente la calidad de sus relaciones interpersonales y sus circunstancias de vida. La mejor manera de enseñarles estas habilidades es dándoles el ejemplo con nuestra propia conducta mientras trabajamos con ellos. El ejemplo es el mejor maestro.

Enseñe y dé el Ejemplo de la Comunicación y las Habilidades para Resolver Problemas

LAS JUNTAS FAMILIARES y escolares les dan a los niños y adultos la oportunidad de practicar juntos muchas herramientas de comunicación y solución de problemas. Si usted ha estado utilizando este proceso, probablemente ha notado que sus hijos utilizan las habilidades aprendidas durante las juntas en otros aspectos de su vida.

La Disciplina Positiva incluye muchas opciones para comunicación y solución de problemas aparte de las juntas familiares y escolares. Las mismas habilidades utilizadas en las juntas pueden también utilizarse para resolver un problema entre dos personas. Las preguntas proporcionan una gran plataforma para la comunicación y la solución de problemas, así como los Cuatro Pasos para Obtener Cooperación – solo por nombrar algunas. Otra posibilidad es enseñar a los niños los siguientes pasos para solucionar problemas cuando tengan que resolver un conflicto cara a cara con alguien.

Cuatro pasos para resolver problemas

1. Ignórelo. (Se requiere más valor para retirarse que para quedarse a pelear)
   a. Haga otra cosa (busque algún juego o actividad)
   b. Espere un buen rato como periodo de enfriamiento, después dé seguimiento con los siguientes pasos:

2. Hablen el asunto respetuosamente
    a. Dígale a la otra persona cómo se siente y hágale saber que no le gusta lo que está pasando.
    b. Dígale a la otra persona lo que usted está dispuesto a cambiar.
3. Acuerden juntos una solución. Por ejemplo:
    a. Hagan un programa para compartir o tomar turnos.
    b. Discúlpense
4. Pidan ayuda en caso de no poder solucionar las cosas juntos.
    a. Pónganlo en la agenda de las juntas (ésta también puede ser la primera opción, no tiene por qué ser de los últimos recursos)
    b. Hablen al respecto con un padre, madre, maestro o amigo.

Después de discutir estas habilidades, pidan a los niños que actúen las siguientes situaciones hipotéticas. Pídanles que resuelvan cada situación de cuatro formas diferentes (una por cada paso).

*   Están peleando por su respectivo turno para jugar con la pelota.
*   Se están empujando en la fila.
*   Están peleando por el jugar junto a la ventanilla del auto.

Los maestros pueden escribir los Cuatro Pasos Para Resolver Problemas en un cartel para que los niños lo vean y tengan la referencia rápidamente. Algunos maestros requieren que los niños utilicen estos pasos antes de exponer el problema en la agenda de la junta escolar. Otros maestros prefieren el proceso de la junta porque éste les enseña muchas otras habilidades, sin embargo, para no etiquetar los métodos como uno mejor que el otro, deje que los niños elija cuál de ellos prefieren en ese momento.

La señora Uribe explicó cómo empleaba los Cuatro Pasos para Resolver Problemas. Los alumnos de tercer grado, tenían permiso para salir del salón en cualquier momento para utilizar esta herramienta con cualquier otra persona. Muy frecuentemente, ella observaba a dos niños que salían del salón y después los veía sentados en la reja platicando. Unos cuantos minutos más tarde regresaban al salón a ocuparse de sus asuntos. Ella les había explicado a los niños que no era necesario que compartieran sus discusiones con nadie más si no deseaban hacerlo y que durante las juntas escolares ella preguntaría si alguien quería compartir cómo habían resuelto un problema.

Los padres pueden enseñar estas habilidades cuando sus hijos se acercan a ellos con un problema. Haga que esperen un periodo de enfriamiento o utilice los Cuatro Pasos para Obtener Cooperación y de esa forma estarán preparados para resolver problemas. A veces usamos estos pasos durante el tiempo que compartimos antes de dormir.

Ayude a los Niños a Desarrollar un Sentido de Responsabilidad

TODOS LOS CONCEPTOS enseñados en este libro ayudan a los niños a desarrollar un sentido de responsabilidad. Los niños no aprenderán a ser responsables, si los adultos siguen haciendo por ellos lo que ellos mismos pueden y deben hacer por sí mismos.

Los padres no son los únicos que hacen las cosas por los niños. Hay muchas formas en que los maestros pueden permitir a los niños ayudar. Los alumnos aprenden a ser más responsables si los maestros asumen que los niños pueden usar sus brazos y piernas. Imaginen las tareas que se les permitiría realizar a los niños, y así sentirse necesitados, lo cual les da un sentido de pertenencia e importancia

Hágase Completamente Responsable de Usted Mismo

¿Y qué hay de la responsabilidad de los adultos? No es muy provechoso reprocharnos y sentirnos culpables. Es más provechoso estar concientes de los errores que podemos estar cometiendo, de tal manera que podamos saber qué hacer para corregirlos y producir los resultados deseados.

¿Qué pasaría si los adultos asumieran total responsabilidad de haber creado la situación de la que se quejan? ¿Cómo serían las cosas si los padres y maestros estuvieran concientes de su propia mala conducta (falta de conocimiento o habilidades) así como de la mala conducta (falta de conocimiento, habilidades y madurez) de los niños? Sería mucho más fácil enfocarse en las soluciones después de que cada uno se hiciera responsable de lo que le corresponde sin reproches ni culpas.

Cada vez que los adultos caen en luchas de poderes o ciclos de venganza, no están entrando al mundo de los niños, no se están tomando el tiempo necesario para entrenarlos, olvidan ser cordiales y firmes al mismo tiempo, utilizan un tono de voz irrespetuoso, o emplean cualquier otro tipo de castigo, probablemente inspirarán una conducta de "desmotivación" en los niños.

Tenga Piedad de sí Mismo

RECUERDE QUE LOS ERRORES son maravillosas oportunidades para aprender. Tenga piedad de usted mismo cuando cometa errores —y aprenda de ellos. Yo he aprendido de mis errores durante los últimos quince años, y aunque cometa errores, adoro este principio porque es una excelente guía que ayuda a retomar el camino cada vez que me pierdo.

Antes de aprender a tener piedad de mi misma, era verdaderamente dura conmigo cada vez que no ponía en práctica lo que predicaba. A veces lloraba en el hombro de mi esposo, "¿Cómo es posible que viaje por todos lados diciéndoles a los padres y maestros cómo ser más eficientes con los niños, cuando yo no lo hago todo el tiempo?"

Entonces él me recordaba otros conceptos que también predicaba yo:

- Los errores son maravillosas oportunidades para aprender.
- Enfócate en lo positivo (Uso estos principios más seguido de lo que no los uso).
- Ten el valor de ser imperfecto, ya que es parte del ser humano.
- Toma un periodo de enfriamiento –y después arréglalo.

Tener piedad de uno mismo significa recordar estos conceptos y seguir amándonos y amando la vida. Con una actitud amorosa, las cosas siempre mejorarán.

Refuerce su Aprendizaje

SI LE GUSTAN los conceptos presentados en *Disciplina Positiva*, le invito a que lea nuevamente el libro. Le garantizo que obtendrá al menos diez veces más de provecho durante la segunda lectura. La repetición siempre es importante para incrementar el aprendizaje, pero también se dará cuenta que verá cosas que no vio la primera vez. Muchos de los conceptos presentados al principio tendrán más sentido porque ahora estará familiarizado con el resto de los conceptos y podrá ponerlos todos juntos.

Sé por experiencia personal y por los reportes de cientos de padres y maestros, que estos conceptos realmente funcionan cuando se usan correctamente. La Disciplina Positiva es una forma efectiva y adecuada para resolver los problemas actuales. Aún más importante, les da a los niños las bases que necesitan para continuar construyendo sus vidas de manera independiente y en direcciones eficientes y positivas.

Los adultos tienen una responsabilidad de liderazgo para ayudar a los niños a desarrollar características que les permitirán vivir una vida feliz y productiva. Es nuestro trabajo proporcionarles buenas bases sobre las que ellos puedan edificarla. Enseñarles autodisciplina, responsabilidad, cooperación y habilidades para resolver problemas, les ayuda a establecer excelentes fundamentos. Cuando los niños muestren estas características y habilidades, tendrán un gran sentido de pertenencia e importancia que se manifestará a través de su buena conducta.

La Disciplina Positiva no tiene que ver con la perfección. Es tan gratificante escuchar a los padres decir, "mis hijos no son perfectos, ni yo tampoco, pero definitivamente nos disfrutamos más unos a otros". Y es maravilloso escuchar a los maestros decir, "Es verdad que los niños ya no son como antes, por eso me alegro de haber aprendido otras formas de tratarlos, aparte del control, para trabajar eficientemente con ellos". Estos principios no garantizan la perfección –solamente tener mucho más amor y alegría en el camino.

REVISION

Herramientas de Disciplina Positiva

1. El sentimiento que está detrás de lo que se hace, es más importante que lo que se hace.
2. Vea los errores como oportunidades para aprender.
3. Sea paciente consigo mismo porque tiene que aprender las mismas cosas una, otra y otra vez. Esta es una parte importante del proceso de aprendizaje.
4. Exprese amor incondicional.
5. Déles a los niños el beneficio de la duda

6. Utilice los Cuatro Pasos para Obtener Cooperación.

7. Enseñe con el ejemplo habilidades de comunicación y solución de problemas.

8. Ayude a los niños a desarrollar el sentido de responsabilidad.

9. Hágase completamente responsable de su parte en el conflicto.

10. Tenga piedad de sí mismo.

11. Refuerce su conocimiento leyendo y practicando una y otra vez.

Preguntas

1. ¿Cuál es el primer objetivo de Disciplina Positiva?

2. ¿Cuáles son las razones por las cuales es más importante el cómo que el qué cuando hacemos algo? Comparta ejemplos personales respecto a la forma en que el impacto de algo que usted hizo, habría sido diferente si hubiese cambiado el cómo lo hizo.

3. ¿Cuántas veces podemos aprender del mismo error? Discutan si esto aplica a todos los errores, o si hay alguno que justifique que nos sintamos mal al respecto.

4. ¿Qué sucede si un método es utilizado sin los sentimientos y actitudes adecuados?

5. ¿Por qué resulta engañoso el concepto adulto de "a mi me castigaban y creo que no estoy tan mal?".

6. ¿Cuáles son los Cuatro Pasos para Resolver Problemas? ¿Qué beneficio obtienen los niños al aprendérselos?

7. ¿Qué pueden aprender los adultos al ser completamente responsables?

8. ¿Qué sucede si usted no tiene piedad de sí mismo? ¿Qué sucede si tiene usted piedad de sí mismo?

9. ¿Cuáles son los beneficios de ver el lado positivo en todo?

10. ¿Cuál es la importancia de comunicar nuestro amor incondicional? Discutan la diferencias entre lo que los adultos quieren decir, y lo que los niños comprenden.

11. ¿Por qué querría cualquiera leer el libro más de una vez?

APENDICE 1

Iniciando un Grupo de Estudio de Disciplina Positiva

E N 1965 YO ME ESFORZABA por ser una buena madre, pero esto no surgía naturalmente en mí. Me sentí reconfortada al aprender los conceptos enseñados en este libro, pero pronto me di cuenta que, con frecuencia, regresaba a mis viejos hábitos.

Dirigir grupos de estudio de padres me señaló el camino al incrementar significativamente mi comprensión y mejorar mi aplicación práctica de estas habilidades.

Desde la primera edición de Disciplina Positiva, Lynn Lott y yo extendimos un modelo experimental de clases para padres de familia. El manual para este modelo se llama *Enseñando a los padres la Disciplina Positiva* y está lleno de actividades que son mucho más útiles para enseñar los principios y las habilidades. Ofrecemos sesiones de entrenamiento de dos días para facilitadotes de clases para educación a los padres.

Ya que ahora prefiero el modelo experimental para las clases a padres, dudé si debía incluir o no esta sección en la presente edición, sin embargo, he recibido retroalimentación por parte de de muchos de ellos que se beneficiaron enormemente al utilizar la siguiente información.

El Inicio

PODRÍA EMPEZAR con unos cuantos amigos y vecinos o irse a lo grande y formar un grupo numeroso. A menudo los directores de escuela están dispuestos a cooperar y enviar la circular que más adelante presentamos.

Recuerde que no tiene que ser un experto. Explique a los miembros de su grupo que están en esto juntos y que usted tiene tanto que aprender como ellos, aunque usted sea el facilitador, incluso puede elegir un co-facilitador si es posible, y después sólo sigan el programa descrito más adelante.

Formato para Solución de Problemas

ES ÚTIL INVOLUCRAR a los participantes de este grupo de estudio para ayudarse entre sí e idear soluciones a los problemas. Siempre descubrimos lo mucho que sabemos cuando somos objetivos con los asuntos de otras personas.

Existe un formato para la solución de problemas que puede utilizarse como guía para discutir situaciones específicas. Los facilitadotes podrían sacar varias copias y distribuirlas entre los miembros del grupo durante la primera sesión. Cuando alguien plantee un problema concreto, se puede escribir en el formato y guardarlo para compartir el asunto con el grupo en el momento apropiado. Al saberse capaces de trabajar en situaciones específicas, estarán motivados para perseverar cuando se presente otro material.

Lo más maravilloso de dirigir un grupo de estudio de padres, es que usted aprenderá más que ninguno. Es emocionante saber que formarse es un proceso que dura toda la vida. No se desanime, sólo siga dirigiendo grupos de estudio y continúe aprendiendo.

Muestra de Circular

Como lograr disciplina positiva en la casa y la escuela

Asista a un grupo de estudio de padres de familia y aprenda cómo ayudar a los niños a desarrollar:

- Autodisciplina
- Responsabilidad
- Habilidades para solucionar problemas
- Auto estima

Si usted discute con sus hijos porque tiene problemas relacionados con:

- Pleitos
- Responsabilidad
- Tareas domésticas
- Tareas escolares
- Hora de la comida
- Levantarse y salir a la escuela
- Compartir
- Hora de dormir
- Contestar irrespetuosamente

Usted aprenderá a comprender por qué los niños se portan mal. También profundizará en métodos específicos que le ayudarán a resolver estos conflictos.

CUÁNDO: jueves por la tarde de 7:00 a 9:00 p.m. durante ocho semanas, se iniciará: _____

DÓNDE: en la biblioteca de la escuela.

....

Favor de recortar y regresar firmado y lleno a la escuela.

☐ Sí, me gustaría asistir

☐ No puedo asistir los jueves, pero por favor avísenme para otro grupo.

Nombre: _____ Teléfono: _____

Dirección: _____

Programa para el Grupo de Estudio

SEMANA UNO

- Introducción: examinen los principios relacionados con los grupos, explicados en la introducción y en "Retos de la participación en grupo" más adelante.
- Ejercicio de "Orden de Nacimiento": este ejercicio se encuentra al final del capítulo tres y es una buena actividad para comenzar.
- Formato para la Solución de Problemas: reparta varias copias a todos los miembros del grupo, para que recuerden situaciones en las que deseen trabajar durante la cuarta semana. (Lea el "Formato para la Solución de Problemas" para que esté familiarizado con su uso).
- Asignación de lecturas: determine los capítulos y preguntas que se analizarán la siguiente semana. (Debe hacerse la asignación de lecturas cada semana de acuerdo con lo que esté anotado en la agenda para la siguiente semana).
- Asignación de tarea: Capítulos uno, dos y tres.

SEMANA DOS

- Ejercicio: pida a los miembros del grupo que formen parejas y describan un suceso en el que experimentaron una de las "Cuatro Erres del Castigo", descritas en el capítulo 1. Después invítelos a compartirlo con el resto del grupo.
- Ejercicio: reflexionen unos minutos sobre alguna situación en que las cosas pudieron ser diferentes con alguno de sus hijos, si hubiesen empezado con un mensaje de amor. Coméntenlo en parejas y después compártanlo con todo el grupo.
- Discutan las herramientas y preguntas al final del capítulo uno, dos y tres y pida a los participantes que comenten con el grupo, momentos en los que han podido emplear alguna de las herramientas.
- Asignación de tarea: Capítulos 4, 5 y 6
- Formulario para Solución de Problemas: Reparta copias entre los participantes y hágales saber que pedirá la ayuda de un voluntario cada semana que utilice el formulario para solucionar un problema específico (incluso si el problema no concierne al voluntario, de cualquier forma aprenderán mucho de este ejercicio).

SEMANA TRES

- Análisis de las herramientas y preguntas de los capítulos cuatro, cinco y seis.
- Formulario para Resolver Problemas: pida la ayuda de un voluntario que desee trabajar en un reto específico de los enlistados en sus formularios. Es posible que dé tiempo para más de un voluntario.
- Asignación de tarea: Capítulos 7, 8 y 9.

SEMANA CUATRO

- Análisis de las herramientas y preguntas de los capítulos siete, ocho y nueve.
- Formulario para Resolver Problemas: Trabaje con un voluntario para que resuelva un problema específico de todos los enlistados en sus formularios. Repita el ejercicio con otro voluntario si tiene tiempo para ello.
- Asignación de tarea: Pídales a cada uno de los participantes que tengan una junta familiar y hagan un reporte de ella para la siguiente semana.
- Asignación de tarea: Capítulo 10.

SEMANA CINCO

- Análisis de herramientas y preguntas del capítulo diez.
- Pida a cada participante que defina sus prioridades de estilo de vida y la forma en que éstas afectan su manera de educar – tanto ventajas como desventajas.
- Formulario para Resolver Problemas: Trabaje con un voluntario para que resuelva un problema específico. Repita el ejercicio con otro voluntario si tiene tiempo.
- Asignación de tarea: Capítulos 11 y 12.

SEMANA SEIS

- Análisis de herramientas y preguntas de los capítulos once y doce.
- Formulario para Resolver Problemas: Pida a un voluntario que trabaje para resolver un problema específico. Si tiene tiempo, repita el ejercicio con otro participante.
- Actividad de clausura: Pida a los participantes que cierren sus ojos y piensen en los tres conceptos más importantes que aprendieron y la manera en que los han puesto o los pondrán

en práctica. Sugiérales que registren estos pensamientos en una hoja de papel y después invite a cada participante para comentar qué es lo más importante que se llevan del grupo. Deje que el grupo decida si desean seguir reuniéndose para enfrentar retos específicos utilizando el formulario para solución de problemas.

Retos de la Participacion en Grupo

EL VALOR DE LOS GRUPOS de estudio y algunas sugerencias para su procedimiento, se señalaron ya en la introducción, pero es ampliamente recomendable que usted presente las siguientes ideas en la primera reunión.

Existen diferentes comportamientos que pueden causar problemas en los grupos. Los conflictos pueden evitarse cuando cada miembro está consciente de estas conductas y se responsabiliza en cooperar como parte de un grupo. Es mucho mejor discutir los problemas típicos antes de que éstos ocurran, así la gente no se siente personalmente criticada.

"El Acaparador"

Estoy segura que usted ha tenido la experiencia de estar en un grupo con un acaparador. Esto puede ser mortal para todos los demás. Si éste es uno de los problemas de su grupo, intenten lo siguiente:

- Cuenten hasta cinco antes de empezar a hablar, esto les dará oportunidad a los demás a tomar la palabra.
- Limiten sus comentarios a aquellos que crean interesantes para los demás, no solo para ustedes mismos.
- Realicen comentarios cortos y precisos con respecto al

punto importante, la mayoría de los monopolizadores repiten las cosas y resumen varias veces.

• Asegúrense de no salirse del tema en discusión.

• Pongan atención a otros miembros del grupo que no sean tan seguros y ayúdenles a entrar en la conversación (observen las señales para descubrir al "callado")

"El callado"

Después de leer sobre el acaparador, no crea que usted no puede hablar. Un grupo de estudio no tendrá éxito sin la participación de todos.

Existen tres razones por las que un individuo puede ser un miembro callado del grupo y las dos más importantes que debemos cuidar son:

• La persona que no logra decir una palabra a causa de los acaparadores, y
• La persona que prefiere permanecer callada porque es su estilo de aprender.

Ustedes pueden identificar la razón mediante el lenguaje corporal. Quien desea compartir algo, generalmente se inclina hacia delante y empieza a hablar antes de ser interrumpido por alguien más.

Esta persona puede levantar la mano primero, mientras que otros sólo levantan la voz. Los miembros más asertivos del grupo pueden ayudar a esta persona diciendo: "¿Quieres decirnos algo?"

Por otro lado, no presionen a aquellos que desean permanecer callados dándoles la palabra cuando preferirían no hablar.

"El polemico"

Recuerden que el propósito de los grupos de estudio de Disciplina Positiva para padres o maestros es aprender, comprender y practicar los conceptos. Aunque esto no significa que sea la única manera de llevarlo a cabo, sí es una forma útil de trabajar con los niños. Si se pierde tiempo discutiendo otras teorías, no habrá oportunidad de estudiar ésta para su total comprensión y aplicación.

"El entusiasta"

Algunas personas se apasionan tanto con estos principios que quieren entusiasmar a los demás inmediatamente, Por ejemplo, una esposa puede regresar a casa después de haber asistido a una sesión de un grupo de estudio y comentar a su esposo, "Esta es la manera en que haremos las cosas de ahora en adelante". Es posible que el esposo esté inspirado para probar algunas de estas técnicas después de tener la oportunidad de observar la utilidad de sus ejemplos, pero lo más seguro es que se resista a cambiar.

Por supuesto que sería magnífico que ambos adultos trabajaran juntos con el mismo enfoque, aunque no es necesario. Los niños son tan listos que pueden cambiar su conducta de acuerdo al enfoque del adulto con el que están interactuando y no les hará daño experimentar diferentes enfoques de distintos adultos.

A la única persona que usted puede cambiar, es a usted mismo. Utilice el enfoque que más le acomode.

"El indeciso (sí, pero....)"

Todas las técnicas sugeridas en este libro han sido utilizadas exitosamente por muchos padres y maestros. Pensar que algo no va a funcionar es, a menudo, una buena excusa para no probarlo.

Mientras aprenden, elijan solo las sugerencias que están dispuestos a practicar. No es necesario comprar todo el paquete para obtener muchos de sus beneficios.

Formato para Solución de Problemas

- Describa la interacción del problema en detalle. (¿Cuándo fue la última vez que sucedió?)
- ¿Cómo lo hizo sentir? (irritado, amenazado, herido o inadecuado).
- ¿Qué fue lo que usted hizo como respuesta a la conducta del niño?
- ¿Cuál fue la respuesta del niño ante lo que usted hizo?
- ¿Cuál supone que es la meta equivocada del niño?
- ¿Cuáles son algunas alternativas que podría probar la próxima vez que el problema se presente? (registre las sugerencias del grupo en este momento).

Como usar el formato para solucionar problemas

ES BUENA IDEA imprimir varias copias del "Formato para solucionar problemas", para cada miembro del grupo. Durante las primeras semanas, esto les ayudará a recordar las situaciones que deseen analizar después e aprender los conceptos básicos en los primeros seis capítulos de este libro.

Cuando llegue el momento de examinar estas situaciones, pida al grupo que defina la meta equivocada. Deben intentar identificar los sentimientos primarios del adulto, escuchando su forma de expresarse y las discrepancias.

El requerimiento del adulto, ¿demuestra molestia o insuficiencia en su tono de voz?, ¿su descripción del problema indica poder, es decir, un deseo de que el niño lo haga a su manera?, ¿son su enojo o frustración una forma de cubrir que se siente amenazado o herido?

Al analizar la meta equivocada, el grupo debe dar sugerencias para que el padre o maestro las ponga a prueba. Estas ideas englobarán tantos conceptos y técnicas como sea posible, incluyendo algunos planes específicos para estimular. La persona con el problema puede elegir una o más para llevarlas a la práctica.

La siguiente reunión debe comenzar con un informe del fruto de las sugerencia, y en caso de que no haya habido resultado positivo, el grupo podrá ayudar a la persona a comprender la razón. Por ejemplo, podría ser que olvidó usar un tono de voz respetuoso o pudo no haber establecido un periodo de enfriamiento.

A continuación se exponen algunos casos que se presentaron a un grupo y las soluciones sugeridas.

Manuel, de seis años de edad, siempre pensaba que las cosas eran injustas. Una mañana mientras su madre le hablaba, ella estiró el cobertor de la cama del hermano menor y Manuel afirmó, "No es justo, tú siempre le ayudas a él y no a mí". La madre de Manuel comentó con su grupo que se sentía molesta; sin embargo, mediante preguntas más amplias, el grupo descubrió que se sentía herida pues ella se esforzaba por ser justa, pero Manuel no lo apreciaba. El grupo dedujo que Manuel también se sentía herido pues su percepción era que su madre favorecía al hermano menor. El grupo hizo dos sugerencias:

1. Utiliza los "Cuatro pasos para obtener cooperación". Habla sobre lo que crees que él siente. Comenta con Manuel un momento en el que hayas pensado que las cosas eran injustas y hazle saber que lo comprendes. Exponle tu deseo de ser imparcial porque los amas a ambos. Busquen juntos una solución.
2. Dedícale un tiempo especial a Manuel. Esto puede ser parte de la solución.

La maestra Rocha estaba preocupada porque Alonso, su alumno de primer grado, sistemáticamente entregaba sus trabajos incompletos. Al principio, ella pensó que su meta podría ser la atención o el poder, pues sabía que Alonso era capaz, como lo demostraba su desempeño en el pasado. Una de las sugerencias del grupo fue hacer una "Revelación de metas" con Alonso, lo cual proporcionaría a la maestra cuando menos cierta retroalimentación con respecto a su meta equivocada. La señora Rocha quería practicar esta técnica por lo que escenificó la situación desempeñando el papel de Alonso junto con otro miembro del grupo quien hizo la revelación de metas. Conforme iba entrando en el mundo de Alonso, se sorprendió al descubrir que la meta probable del niño era la venganza. Ella también era amiga cercana de la familia de Alonso y se dio cuenta de que el problema había empezado cuando se ausentó por vacaciones durante algún tiempo. Alonso expresó gran preocupación por la posibilidad de que la maestra no regresara y como esto le dolía, tenía miedo de acercarse a ella cuando regresó. Por lo tanto su conducta indicaba una venganza pasiva. La maestra Rocha estaba impaciente por hablar del problema con Alonso y buscar alguna solución después de recorrer los "Cuatro pasos para obtener cooperación".

La señora Casas, una maestra de preescolar, comentó su problema con Esteban, un alumno que siempre jugaba con cubos, pero nunca ayudaba a guardarlos. Al principio, la maestra Casas creía que simplemente se sentía frustrada, pero se dio cuenta de que estaba molesta porque no podía obligar al niño a hacer lo que debía. Después de identificar que la meta era el poder, el grupo hizo las siguientes sugerencias:

1. Toma tiempo para entrenarlo. Asegúrate de que sepa exactamente lo que esperas de él.
2. Pregúntale: "¿Quieres jugar con los cubos? ¿Qué se supone que debes hacer cuando termines de jugar? ¿Cuán-

tos cubos crees que puedes recoger cuando sea tiempo de guardarlos?

3. Dale una opción o una consecuencia lógica: "¿Quieres recoger los cubos ahora o durante el momento del cuento? ¿Quieres guardarlos o prefieres perder el privilegio de jugar con ellos?

4. Encauza la conducta de poder. Permítele estar a cargo de la tarea de guardar los cubos.

La maestra eligió la cuarta alternativa porque pensaba que le atraería al niño y le ayudaría a resolver el problema.

La señora León se quejaba de su hijo de seis años porque no cuidaba sus juguetes y no los recogía. Era claro para el grupo que su tono de voz indicaba poder y que podía generar venganza. El grupo sugirió lo siguiente:

1. "Hazte responsable" del problema. Comenta cuánto te molesta ver los juguetes regados por toda la casa y admite que, probablemente, has comprado más juguetes de los que tu hijo desea o necesita

2. Pide su ayuda y busquen soluciones al problema.

3. Toma tiempo para entrenar y organizar, utiliza bolsas o cajas de helados para hacer diferentes paquetes de juguetes y determina con tu hijo que solo una bolsa o caja a la vez puede estar fuera de su lugar, y que debe ser guardada antes de sacar otra.

4. dale la opción de que él recoja los juguetes o que los guardes tú. Si tú los recoges, los pondrás fuera de su alcance hasta que él demuestre suficiente interés y responsabilidad. Si esto no sucede, significará que, en definitiva, tiene demasiados juguetes para hacerse cargo de ellos.

Desarrollar Responsabilidad Social a Traves de Asesoria de Compañeros

LA RESPONSABILIDAD SOCIAL es un factor clave para implementar un programa de asesoría de compañeros con alumnos de quinto y sexto grado, que han utilizado sus habilidades de liderazgo de manera inadecuada. Yo tomo a Adler literalmente y he llagado a la conclusión de que la mejor manera de ayudar a este tipo de estudiantes a redirigir esas habilidades hacia usos constructivos, es enseñarles a ayudar a otros estudiantes.

Se les envió a los maestros de quinto y sexto grados un memorando pidiéndoles que recomendaran a sus alumnos que fueran líderes naturales para que participaran en el programa de entrenamiento de asesoría de compañeros. El memorando decía: "Quisiéramos entrenar a consejeros de compañeros. Por favor escriba los nombres de tres alumnos que usted considere líderes eficientes, aún cuando su liderazgo pueda no estar, en este momento, en una dirección positiva"

Entonces los alumnos recomendados fueron entrevistados para saber si estaban interesados y comprometerse en tomar el curso de entrenamiento para ser consejeros de compañeros. Se les explicó que era necesario que donaran voluntariamente su tiempo de almuerzo dos veces por semana para dar consejería a otros

343

alumnos. Aquellos que se interesaron, asistieron entonces a varias sesiones de entrenamiento en las que aprendieron los cinco pasos de la Terapia de Realidad de William Glasser.[1]

Terapia de Realidad

Paso uno: hacer amigos

La primera sesión de entrenamiento estuvo dedicada por completo a este primer paso. Se les solicitó a los estudiantes que pensaran en los aspectos más importantes de la amistad y la forma de crear una atmósfera de confianza.

En resumen, los aspectos más importantes de la amistad que mencionaron fueron:

- atención
- interés
- deseo de ayudar
- respeto

Para crear una atmósfera de confianza, decidieron que es necesario:

- saludar a la persona mencionando su nombre
- decir tu nombre
- mostrar comprensión
- hablar de ti mismo, por ejemplo: explicar tus funciones como consejero o compartir una experiencia personal seme- jante a la que se va a tratar

---

[1] Glasser, William M.D. Reality Therapy: A New Approach of Psychiatry, New York: Harper and Row, 1975

- ayudar a la persona a relajarse (ayuda mucho relajarse uno mismo)
- usar el sentido del humor (un comentario gracioso es muy útil, cuando es el momento adecuado)
- expresar voluntad de trabajar juntos en las soluciones que ayudarán a resolver el problema

Se le dio una copia de este resumen de ideas a cada uno de los estudiantes advirtiéndoles que no era necesario seguir los pasos en ese orden e incluso que no era necesario seguirlos todos en cada momento. También se les invitó a que fueran creativos y aportaran nuevas ideas.

En la segunda sesión, se les hizo practicar del paso dos al cinco de la Terapia de Realidad.

Paso dos: ¿qué estás haciendo?

1.- Averigua específicamente qué es lo que está generando el problema, haciendo preguntas referentes al mismo. Por lo general, estas preguntas ayudan a que el estudiante vea claramente de qué manera está contribuyendo al problema.
2.- Generalmente los estudiantes no comienzan por el origen, por lo tanto pregunta ¿qué pasó antes de...? Y continúa haciendo esta pregunta después de cada explicación hasta que sientas que has encontrado el origen del problema.

Paso tres: ¿ayuda en algo?

Haz las siguientes preguntas:

1.- ¿Cuáles son las consecuencias de lo que estás haciendo?
2.- ¿Qué utilidad tiene? ¿Cuál es tu ganancia?
3.- ¿Cuál es el precio que tú pagas? ¿Qué problemas de causa?

Paso cuatro: haz un plan para mejorar la situación

¿Qué otra cosa se puede hacer para resolver el problema?

1.- Pídele al compañero que haga sugerencias
2.- Sugiere tú otras posibles alternativas.

Paso cinco: hagan un compromiso

1.- ¿Lo harás?
2.- ¿Cuándo lo harás?

PRACTICA

Las dos últimas sesiones de entrenamiento, se dedicaron a practicar simulando situaciones como:

- Un alumno que fue enviado a consejería por pelear en el patio.
- Un alumno que había faltado el respeto a un maestro.
- Un alumno que se negaba a trabajar en clase.

Al principio, la consejería de compañeros la hicieron dos alumnos que trabajaban juntos con un supervisor adulto. Tan pronto como demostraron confianza y eficiencia, trabajaban en pareja sin supervisión directa, aunque siempre estuvo disponible un supervisor por si requerían su ayuda.

Los estudiantes que asistían a consejería eran remitidos por sus maestros quienes llenaban una forma con el nombre del alumno y el problema. Después de la sesión, los consejeros escribían en la misma hoja, la solución que habían acordado y se le regresaba una copia de esa hoja al maestro y la otra se guardaba con el objetivo de registrarla y darle seguimiento.

Apendice 2

La mayoría de los alumnos parecían bien dispuestos a hablar con un compañero consejero. Los consejeros compañeros mostraron perspicacia y capacidad en detectar los problemas y las posibles soluciones, como en el siguiente ejemplo:

Uno de los alumnos estaba teniendo dificultades para relacionarse con un maestro. El consejero le dijo que lo comprendía porque en una ocasión él había tenido el mismo problema. Entonces señaló que quizá el maestro tenía problemas y necesitaba motivación. También indicó que ya que su compañero no podía hacer nada respecto a la conducta del maestro, entonces debía trabajar en la propia. Consejero y alumno trabajaron para idear un plan en el que el alumno trabajara mejor en clase y de este modo motivara al maestro y no darle una razón para molestarse con él.

La idea de la motivación y responsabilidad personal se comprendía y difundía entre los estudiantes cuando era promovida por los compañeros consejeros.

Los maestros mostraron entusiasmo y apoyo por el programa enviando a varios alumnos. Así mismo reconocían que el programa de consejería de compañeros lograba cambiar de negativas a positivas las habilidades de liderazgo de los estudiantes involucrados.

Carta a los Padres de Familia

(Editar esta carta conforme a tus necesidades)

Queridos Padres:

EL PROPÓSITO de esta carta es darles información sobre un programa que está siendo implementado en la escuela _____ _____ que está diseñado para ayudar a sus hijos a desarrollar las Siete Percepciones y Habilidades Importantes que son esenciales para triunfar en la sociedad actual.

Anexamos una descripción detallada de las Siete Percepciones y Habilidades Importantes. Otro de los beneficios de este programa que estamos implementando es que enseña autodisciplina, responsabilidad, cooperación y habilidades para resolver problemas. Es un programa que se enfoca en soluciones no punitivas. Todo castigo (culpa, vergüenza y dolor) es eliminado y sustituido por el propósito de enfocarse en soluciones basadas en cordialidad, firmeza, dignidad y respeto.

Mucha gente, equivocadamente, cree que la disciplina y el castigo son lo mismo, pero no lo son. La disciplina viene del vocablo *discipulis* que significa "seguidor de la verdad y el principio, o maestro respetado, o enseñar". La verdadera disciplina viene de un lugar de control interno (auto-disciplina) no de uno externo (castigos y premios impuestos por alguien más). Los castigos vienen de un lugar de control externo y están diseñados para infligir culpa, vergüenza y dolor. Desde luego que los adultos que imponen castigos a los niños, erróneamente creen que les ayudan a ser mejores. Incluso, el castigo puede lograr detener la mala conducta en el momento, pero los resultados a largo plazo, suelen ser, generalmente, negativos – rebeldía, resentimiento, venganza, o hacer que los niños desarrollen una conducta escurridiza o de baja autoestima.

Una forma sencilla de poner a prueba esta teoría es recordar cómo se sentía usted y qué era lo que deseaba hacer después de que alguien le hacía sentir culpa, vergüenza o dolor.

¿De dónde sacamos la loca idea de que para hacer que los niños mejoren, primero tenemos que hacerlos sentir mal? Los niños son mejores cuando se sienten mejor, y a todos nos pasa igual ¿no es cierto? El programa al que nos referimos se llama Disciplina Positiva en el Salón de Clases. Un proceso fundamental en este programa, es el de las juntas escolares. Durante éstas juntas, los estudiantes y maestros trabajan juntos para resolver los problemas que estén afectando a un solo alumno, a compañeros, maestros o al ambiente educativo. Se les enseña a los alumnos a ayudarse entre sí, a aprender de sus errores a encontrar soluciones no punitivas. Durante las juntas escolares, los alumnos aprenden a dar y recibir cumplidos, escuchar respetuosamente, comprender y respetar las diferencias, idear soluciones, y elegir la solución que sea más adecuada para una persona o para todo el grupo, según sea el caso. Pronto aprenden que es bueno hacerse responsable de las decisiones que toman porque no serán castigados por tomar una mala decisión, sino que serán ayudados a aprender de ellas.

Algunos padres temen que las juntas escolares sean como tribunales improvisados o que sus hijos sean humillados frente al grupo. Nada más alejado de la realidad. Es cierto que, al principio, los alumnos no están acostumbrados a ayudarse unos a otros viendo los errores como maravillosas oportunidades para aprender y a buscar soluciones útiles. La mayoría de los alumnos han aprendido muy bien (de los adultos) cómo imponer culpa, vergüenza y dolor, y la idea es que ahora aprendan a encontrar soluciones no punitivas.

La Disciplina Positiva se basa en la premisa de mantener la dignidad y el respeto para todos en todo momento. Un ejemplo del método de las juntas escolares que garantiza espíritu de servicio en lugar de castigo, es que los alumnos involucrados en un problema son invitados a elegir de una lista de ideas, la solución que más les convenga. Cuando un asunto involucra a todo el grupo, entonces la solución se somete a votación. Si la solución elegida no funciona, los alumnos vuelven a anotar el problema en la agenda para volver a discutirlo y a buscarle solución.

Las investigaciones han demostrado que los niños que han fortalecido las Siete Percepciones y Habilidades Importantes tienen menor riesgo de presentar todos los problemas que actualmente presentan los jóvenes: violencia y vandalismo, consumo de drogas, embarazos no deseados y suicidio, baja motivación y rendimiento y deserción escolar. Por otro lado, los alumnos que no han fortalecido estas percepciones y habilidades tienen un alto riesgo de padecer los problemas de la juventud de hoy.

No conocemos ningún otro programa que ayude tan eficientemente a los estudiantes a aprender y practicar las Siete Percepciones y Habilidades Importantes – y como beneficio adicional, elimina la mayoría de los problemas de disciplina en el salón de clases. Estas habilidades son igualmente, sino es que más importantes que las habilidades académicas.

Esperamos que les entusiasme tanto como a nosotros la implementación de las juntas escolares como parte de nuestro programa regular para crear Disciplina Positiva en el Salón de Clases. Les invitamos a que nos visiten cuando lo deseen.

ATENTAMENTE

_____   _____

Maestra   Director

En el libro *Criando Hijos Autosuficientes en un Mundo Auto indulgente*[2] H. Stephen Glenn y Jane Nelson identifican las Siete Percepciones y Habilidades Importantes necesarias para desarrollar gente capaz, y son:

1. Fuerte percepción de las capacidades personales – "Soy capaz"
2. Fuerte percepción de la importancia en las relaciones primarias – "Contribuyo de manera significativa y soy genuinamente requerido".
3. Fuerte percepción del poder o influencia personales sobre la vida – "Puedo influir en lo que me suceda".
4. Fuertes habilidades intrapersonales: la capacidad de comprender las emociones personales y emplear esa comprensión para desarrollar autodisciplina y autocontrol.
5. Fuertes habilidades interpersonales: la capacidad de trabajar con otros y desarrollar amistades a través de la comunicación, la negociación, saber compartir, empatizar y escuchar.
6. Fuertes habilidades sistémicas: la capacidad de responder a los límites y consecuencias de la vida diaria con responsabilidad, adaptabilidad, flexibilidad e integridad.
7. Fuertes habilidades de juicio: la capacidad de usar la sabiduría y evaluar las situaciones de acuerdo a valores adecuados.

[2] H. Stephen Glenn y Jane Nelsen, *Raising Self-Reliant Children in a Self-Indulgent World*, Prima Publishing, Rocklin, CA, 1987.

Esta obra se terminó de imprimir en Febrero de 2009
en **Tinta, Letra, Libro, S.A. de C.V.**, Vicente
Guerrero, No. 38, San Antonio Zomeyucan
Naucalpan, 53750, Edo. de México
y encuadernado por **Sevilla
Editores, S.A. de C.V.**